As Leis Dinâmicas da Prosperidade

Catherine Ponder

As Leis Dinâmicas da Prosperidade

novo século®

São Paulo 2013

PRODUÇÃO EDITORIAL Carolina Ferraz
DIAGRAMAÇÃO Claudio Tito Braghini Junior
CAPA Monalisa Morato
TRADUÇÃO Andrea Mariz
PREPARAÇÃO Mateus Duque Erthal
REVISÃO Caio Pereira
Equipe Novo Século

Texto de acordo com as normas do Novo Acordo Ortográfico da Língua Portuguesa (Decreto Legislativo nº 54, de 1995)

Dados Internacionais de Catalogação na Publicação (CIP)
(Câmara Brasileira do Livro, SP, Brasil)

Ponder, Catherine
As leis dinâmicas da prosperidade / Catherine Ponder ; tradução Andrea Mariz. Barueri, SP: Novo Século Editora, 2013.

Título original: The dynamic laws of prosperity.

1. Crescimento pessoal 2. Espiritualidade 3. Prosperidade 4. Prosperidade - Aspectos religiosos 5. Realização pessoal 6. Sucesso I. Título.

13-00518 CDD-248

Índices para catálogo sistemático:

1. Prosperidade : Espiritualidade : Cristianismo 248

2013
IMPRESSO NO BRASIL
PRINTED IN BRAZIL
DIREITOS CEDIDOS PARA ESTA EDIÇÃO À
NOVO SÉCULO EDITORA
Alameda Araguaia, 2190 - 11° andar
CEP 06455-000 - Barueri - SP
Tel. (11) 3699-7107 – Fax (11) 3699-7323
www.novoseculo.com.br
atendimento@novoseculo.com.br

Sumário

Parte 2

Parte 1

Leis básicas de prosperidade que podem lhe trazer riquezas

Introdução: Há pó de ouro no ar para você!

Este livro é resultado das várias recessões dos últimos tempos e de muitos anos de vacas magras. Ninguém gosta de recessões nem de tempos duros – e de fato, ninguém deveria gostar deles.

Durante quinze anos, tentei achar um livro como este. Nesses anos de intensa procura nas prateleiras das livrarias, descobri que há muitos livros oferecendo ideias sobre o sucesso. Porém, em nenhum deles encontrei um conjunto de leis simples e compactas para *assegurar* tal sucesso.

Comecei a procurar um livro assim depois de ficar viúva, com um filho para criar e sustentar. Como eu não tinha formação para trabalhar e nenhum tipo de rendimento, naquela época eu teria dado tudo para conhecer o poder do pensamento próspero.

Durante algum tempo experimentei depressão, problemas de saúde, solidão, necessidade financeira e uma sensação de fracasso total. Parecia que o mundo inteiro estava contra mim, e que tudo o que eu fazia dava errado. Mas tendo meu filho para cuidar, eu não podia falhar. Eu tinha de vencer, pelo bem dele e pelo meu próprio bem.

Então, quando eu estava no ponto mais baixo, emocional, física e financeiramente, aprendi sobre o poder do pensamento como um instrumento para o sucesso ou para o fracasso. Eu percebi que o fracasso é o resultado do pensamento voltado para o fracasso. Aprendi que o uso correto da minha mente poderia se tornar a chave para uma vida saudável, feliz, próspera e bem-sucedida.

Assim que "agarrei" esse maravilhoso segredo do sucesso, a maré começou a virar a meu favor!

O nascimento do pensamento próspero

Temos ouvido muito sobre o pensamento positivo nos últimos anos. Todavia, das recessões e dos tempos difíceis dos últimos anos nasceu outro termo: o pensamento "próspero". A palavra "prosperar" significa "florescer, ser bem-sucedido, vicejar, experimentar resultados positivos".

Você é próspero à medida que experimenta paz, saúde e plenitude em seu mundo. Embora o pensamento próspero signifique coisas diversas para pessoas diferentes, ele dá a você o poder de transformar seus sonhos em realidade, quer esses sonhos sejam de uma saúde melhor, de aumento do sucesso financeiro, de uma vida pessoal mais feliz, de mais formação e viagens ou de uma vida espiritual mais profunda.

Este livro mostra de forma bastante clara como o pensamento próspero ajudou pessoas de qualquer posição ou situação a conseguir tais resultados. Além disso, ele também mostra como o pensamento próspero pode fazer isso para você também! Conforme ler este livro, você começará a desenvolver o poder do pensamento próspero, e quase com igual facilidade poderá começar a sua colheita de resultados prósperos.

O vendedor que transformava tudo o que tocava em ouro

Anos atrás, um vendedor já usava o poder do pensamento próspero, embora talvez não tivesse consciência disso. Quando as pessoas lhe perguntavam: "Como vão os negócios?", ele sempre dava sua resposta padrão: "Os negócios vão maravilhosamente bem, porque há pó de ouro no ar!". Para ele, parecia assim mesmo: todo contato que ele fazia resultava em uma venda. Depois de algum tempo, quando o nome dele era mencionado, as pessoas sempre diziam: "Sim, tudo o que ele toca vira ouro".

As leis da prosperidade

Durante meu primeiro ano de ministério, aconteceu uma das mais severas recessões nos Estados Unidos desde a Segunda Guerra Mundial. Membros da minha congregação começaram a pedir palestras sobre como sobreviver a esse período difícil. Foi justamente quando essas leis dinâmicas da prosperidade começaram a tomar forma. E tais ideias funcionaram com uma rapidez impressionante, para todos os tipos de pessoas!

A palavra "dinâmico" tem a mesma raiz que a palavra "dinamite".[1] Por isso o dinâmico é poderoso, vigoroso, repleto de energia e conduz à mudança. Por isso o que é dinâmico tende a tirar você da rotina!

Uma "lei" é um princípio que funciona. Sir William Blackstone, conhecido jurista e famoso advogado, indicou muitos anos atrás que uma "lei" é uma regra de ação estabelecida. A palavra "lei" sugere um desejo de ordem. As pessoas que passam por necessidades financeiras precisam exatamente disto: *ordem* em seus pensamentos, emoções, corpos, assuntos financeiros e em todos os aspectos de suas vidas.

O brilhante cientista Sir Isaac Newton, antigo pesquisador das leis naturais, certa vez disse que existe um conjunto de leis para o mundo físico. Mas podemos ir além: *não só há leis usadas no plano físico, mas também há um grupo de leis mentais e espirituais tão poderosas que podem ser usadas para multiplicar, neutralizar ou até mesmo reverter as leis naturais! Quando essas leis mentais e espirituais mais elevadas são usadas pela mente do Homem, produzem resultados que parecem miraculosos no plano físico.*

Como essas leis funcionaram para outras pessoas

Uma semana depois da primeira palestra, duas secretárias receberam aumento de salário, e uma delas foi promovida e recebeu um novo cargo. Um corretor da Bolsa contou que tinha feito muito mais negócios do que esperava, embora a maioria de seus colegas estivesse comparativamente ociosa. Um cliente que ele não via havia muitos anos apareceu

[1] A raiz é *dynamis*: "poder", em grego (N.T.).

e lhe deu um cheque de 200 mil dólares para aplicar! Um mês depois de começar a evocar deliberadamente o pensamento próspero, a sua receita aumentou quatro vezes.

Um advogado que tinha vários clientes industriais em greve ou que tinham saído do mercado contou que a recessão tinha acabado para ele. Sua receita aumentou rápido, chegando ao patamar de dois mil dólares por mês, o que na época parecia um grande progresso, ainda que, mais tarde, após ele já ter estabelecido um padrão de pensamento próspero, esse valor parecesse apenas normal.

Um representante de uma siderúrgica cujos negócios tinham sido afetados pela recessão relatou que recebeu um pedido inesperado de 4.500 dólares. Uma mulher era vendedora em uma loja de departamentos que empregava mais de 100 pessoas. Todos os seus colegas tinham pensado e falado sobre o período de vacas magras. No fim do mês, depois que essa moça começou a pensar prosperamente, ela foi a única dentre os mais de 100 funcionários a receber um cheque de comissão por ter batido sua meta de vendas do mês. Os outros empregados tinham decretado para si mesmos um período difícil, e conseguiram, com isso, resultados ruins.

O dono de um negócio de produtos elétricos tinha 750 dólares a receber. Conforme ele começou a pensar em si mesmo e naqueles que lhe deviam como prósperos, a conta foi paga com tranquilidade. Um joalheiro tinha contas a receber, que ele tinha tentado em vão cobrar de todos os modos que conhecia, incluindo cartas pouco amistosas. Quando ele também decidiu começar a pensar em termos prósperos sobre si mesmo e sobre as pessoas que lhe deviam, para sua surpresa, a dívida foi quitada. Uma família que queria se livrar de dívidas herdou de forma inesperada uma boa soma em dinheiro. Um funcionário do governo recebeu um aumento que estava pendente no Congresso havia vários anos. Um funcionário da telefônica também recebeu um aumento que tinha sido prometido meses antes. Um engenheiro recebeu um novo contrato de 15,5 milhões de dólares, depois de ter participado de outro contrato de 1,5 milhão de dólares. Um casal recebeu uma viagem ao exterior com todas as despesas pagas!

Esses são apenas alguns exemplos do poder do pensamento próspero.

A prosperidade muda até a sua aparência e traz boa saúde

Foram conseguidos mais do que resultados financeiros. Conforme eu fazia palestras semanais sobre o pensamento próspero, comecei a perceber que as pessoas que iam às palestras estavam começando a exibir uma "nova aparência", uma aparência de calma interior, equilíbrio, felicidade, segurança e estabilidade, algo que antes não possuíam. A aparência de fracasso e de falta de coragem foi substituída pela de sucesso, autoconfiança e felicidade interior. A aparência de derrota foi substituída por uma de soberania, autoridade e vitória. Era maravilhoso de se ver!

Muitas pessoas também experimentaram nova saúde física e mental. Havia, por exemplo, um executivo, a quem disseram a vida toda que ele tinha uma doença cardíaca que exigiria cuidados constantes. Depois que ele começou a aplicar o pensamento próspero em todas as áreas de sua vida, começou a relaxar cada vez mais em termos mentais e físicos. Depois de algum tempo, o médico desse executivo constatou que a doença cardíaca havia desaparecido. Agora, muitos anos depois, ele continua saudável e está mais feliz do que nunca!

Muitas pessoas com problemas nervosos passaram a se sentir com mais saúde, serenidade e paz de espírito. Uma dona de casa desse grupo já havia procurado muitos médicos, ao longo de anos, que no entanto nunca tinham conseguido encontrar nada errado com o organismo dela. Conforme ela começou a praticar o pensamento próspero, passou a pensar nas outras pessoas com mais amor, incluindo seu próprio marido. Sua nova atitude de carinho com o marido deu a ele uma sensação de aprovação que não recebia da esposa havia mais de um ano. Isso, por sua vez, aumentou a autoconfiança dele, e se refletiu em sucesso no seu trabalho. Seu novo sucesso no trabalho trouxe felicidade e satisfação ao casamento deles, o que há muito tempo deixara de existir. A saúde dessa mulher melhorou tanto que logo ela parecia muitos anos mais nova, e, à medida que a felicidade começou a surgir nas várias áreas de sua vida, suas dores e sofrimentos sumiram.

Toda a sua aparência muda

Uma executiva solitária e infeliz, que já tinha tentado o suicídio, ficou tão interessada nas leis da prosperidade que encontrou outras coisas pelas quais se interessar, além de por si mesma. Isso a levou a uma vida mais feliz e equilibrada, e aquela conversa de suicídio cessou. Uma dona de casa e seu marido (um executivo) bebiam em segredo, o que tinha se tornado um problema sério; no entanto, eles encontraram uma nova esperança em sua prática do pensamento próspero. Eles começaram a perceber que seus problemas com a bebida podiam, sim, ser superados. Conforme conquistaram essa percepção vitoriosa, conseguiram resolver hostilidades e conflitos internos. O problema com a bebida diminuiu gradativamente.

Muitos casamentos foram salvos depois que um ou outro cônjuge começou a invocar as leis da prosperidade. O parceiro divorciado de uma pessoa voltou, e eles se casaram de novo. Muitos solteiros e solitários se casaram bem, um deles depois de ser viúvo por vinte anos.

Um executivo que sempre detestara seu trabalho conseguiu uma nova perspectiva profissional, à medida que começou a usar essas ideias, e com tempo deixou de odiá-lo.

Como resultado do sucesso generalizado daquela turma de prosperidade, alguns dos membros vieram em meu auxílio: um executivo ajudou-me a orar para que o livro fosse publicado, um corretor de ações deu-lhe o título, e um consultor de relações públicas encontrou um agente literário e um editor para o livro.

O vendedor estava certo

Aquele vendedor estava certo! Existe mesmo pó de ouro no ar, para você, para mim, para todo mundo! Os cientistas *sabem* que há pó de ouro no ar, porque eles declaram que o universo não é composto de outra coisa senão uma substância radiante e etérea, à qual o homem tem acesso ilimitado. Os psicólogos e metafísicos sabem sobre o pó de ouro. Eles declaram que o homem forma o seu mundo a partir da substância rica e ilimitada que há em seu interior e à sua volta, por meio de seus pensamentos, emoções, palavras e ações.

E assim prossigamos confiantes, sabendo que há pó de ouro no ar, que há pó de ouro em toda parte. Quando você começar a ler esse livro, não importando quais sejam as condições de sua vida, faça-o com a seguinte atitude mental: "*Há pó de ouro no ar, e para mim. Por meio do pensamento próspero, decidido e deliberado, eu agora assimilo esse pó de ouro. E nesse exato momento estou começando a experimentar os resultados dourados!*".

Agora passe já para as páginas seguintes, onde você aprenderá os excitantes segredos dourados de inúmeras outras pessoas.

CATHERINE PONDER

Capítulo 1: A incrível verdade a respeito da prosperidade

A verdade sobre a prosperidade, por mais surpreendente que pareça, é esta: o correto é que você seja próspero!

Russel H. Conwell enfatizou isso em sua famosa palestra *Acres of Diamonds*:

> Eu lhe digo: você deve ser rico; você não tem o direito de ser pobre. Viver e não ser rico é um infortúnio, e um duplo infortúnio, porque você tanto poderia ter sido rico quanto pobre... Nós devemos enriquecer por meios honrosos, e esses são os únicos métodos que nos conduzem rapidamente ao nosso objetivo de riqueza.[2]

Por favor observe que a palavra "rico" significa ter abundância de bem ou viver uma vida mais satisfatória e plena. De fato, você é próspero quando está experimentando paz, saúde, felicidade e plenitude em seu mundo. Existem métodos honrosos que podem levá-lo rapidamente

---

[2] CONWELL, Russel. *Acres of Diamonds*. Califórnia: DeVorss & Company.

a esse objetivo. E isso é mais fácil de conseguir do que você pensa, e esta é mais uma verdade chocante sobre a prosperidade.

Muitas décadas atrás, um executivo previu que os líderes religiosos do futuro seriam forçados a dedicar mais atenção a ajudar seus seguidores a vencer seus problemas pessoais e econômicos do *presente*, e que eles se preocupariam menos com o passado já morto e com o futuro ainda não nascido. Eu concordo com esse executivo, e quero fazer isso: resolver seus problemas pessoais e econômicos no presente. Caso você o faça, seu passado e seu futuro cuidarão de si mesmos.

Você deve desejar a prosperidade

Talvez um dos maiores choques de minha vida tenha sido o que eu senti quando comecei a fazer palestras sobre a prosperidade. Logo percebi que muitas das pessoas que iam às palestras ainda estavam lidando com um velho dilema: se elas deveriam desejar prosperar. Elas *queriam* prosperidade, toda pessoa normal quer, mas ficavam imaginando, em segredo, se *deveriam querer* ou não, especialmente em uma perspectiva espiritual.

A maior parte das pessoas ligadas a atividades comerciais parecia sentir-se culpada por querer prosperidade, embora desse duro todos os dias em seus empregos para conseguir isso. A questão permanecia em suas mentes: a pobreza era uma virtude espiritual ou um vício comum? O conflito no pensamento dessas pessoas estava trazendo desordem também a suas profissões. Isso neutralizava seus esforços para serem bem-sucedidos, não importando quão duro trabalhassem.

Logo ficou evidente que seriam necessárias algumas ideias ousadas, até mesmo impressionantes, sobre o assunto, a fim de minar certas crenças que há anos acorrentavam essas pessoas a existências medíocres. Percebendo isso, passei várias semanas explicando a elas como Deus, o homem e a prosperidade estavam todos divinamente relacionados.

Depois que o choque inicial dessas ideias passou, aquelas ótimas pessoas ficaram bastante aliviadas e muito felizes, por finalmente não sentirem mais culpa ao desejarem a prosperidade. Em pouco tempo, todos começaram a experimentar resultados prósperos.

Descobri que essa noção ainda persiste: algumas pessoas, mesmo as mais maravilhosas, parecem bem confusas sobre se a prosperidade deve ser considerada uma bênção espiritual ou não. Quão aliviadas elas ficam quando descobrem que sim, que a prosperidade é uma bênção!

A pobreza é um pecado

Então eu repito: ser próspero é o certo, e não o contrário! Obviamente você não pode ser muito feliz se é pobre, e *você não precisa ser pobre. A pobreza é um pecado*. A pobreza é uma forma de inferno, causado pela cegueira do homem que não consegue enxergar o bem ilimitado de Deus. A pobreza é uma experiência suja, desconfortável e degradante. A pobreza é, na verdade, um tipo de doença, e em suas fases agudas parece uma forma de insanidade.

A pobreza lota as prisões com ladrões e assassinos. Ela leva homens e mulheres à bebida, à prostituição, ao vício em drogas, ao suicídio. Ela leva crianças potencialmente boas, talentosas e inteligentes à delinquência e ao crime. A pobreza leva pessoas a fazerem coisas que nunca sequer sonhariam em fazer. O comunismo, um dos movimentos mais temíveis que o mundo já experimentou, se fortalece justamente com a pobreza. Os governos que foram dominados pelo comunismo assim o fizeram, em geral, por razões financeiras, acreditando que esse sistema fosse um caminho para a segurança de suas economias. Os resultados pecaminosos da pobreza não conhecem fronteiras. Essa é uma das razões pelas quais eu, como ministra, tenho me sentido guiada a fazer o que puder para ajudar as pessoas a erradicar o pecado da pobreza de suas vidas.

Um médico que eu conheço disse que teria muito menos pacientes caso fossem solucionados os problemas financeiros por que passam; preocupação, tensão e esforço conduzem à má saúde. Ele disse que os hospitais psiquiátricos estão cheios de pessoas cujas mentes e corpos foram prejudicados por uma pressão financeira prolongada. Já se estimou que 90% das doenças da humanidade são causados pela pressão, pela miséria e pela infelicidade da pobreza.

Vamos parar de pensar na pobreza como uma virtude. A pobreza é um vício comum. Se você está passando necessidade ou experimentando limitação financeira, está vivendo em pecado: essa é outra verdade sobre a prosperidade. Mas você não precisa continuar vivendo em pecado financeiro. Existe uma saída.

A prosperidade é a sua herança divina

A Bíblia está cheia de ricas promessas, relacionadas à sua prosperidade potencial como filho de Deus. Você *deve* ser próspero e bem-suprido, *deve* ter abundância de bem, porque essa é a sua herança divina. O seu Criador quer assim! Essa é a verdade chocante a respeito da prosperidade.

Além disso, você não pode fazer o bem nem a si mesmo nem a outra pessoa se não for próspero. Aquele que não deseja ser próspero é anormal, já que, sem prosperidade, vive-se uma vida anormal.

No plano físico, você não pode viver plenamente sem alimentação apropriada, sem roupas confortáveis, sem um abrigo quente e tendo uma carga excessiva de trabalho. O descanso e o divertimento também são necessários para a sua vida física.

No plano mental, você não pode viver plenamente sem atividade mental criativa satisfatória; sem livros e tempo para lê-los; sem apreciar música, arte e outras manifestações culturais; sem oportunidade e recursos para viajar e se associar com pessoas que tenham os mesmos interesses que você.

Para viver em plenitude no plano espiritual da vida, você precisa de tempo para uma contemplação tranquila; para meditar, para orar, para estudos espirituais, para ir a igrejas e palestras e para comungar com pessoas que estão no mesmo caminho espiritual que você.

Portanto, é de suprema importância para o seu bem-estar e desenvolvimento físico, mental e espiritual que você seja próspero. Não arrume justificativas para suportar a falta do bem ou para aceitá-la como uma coisa permanente em sua vida. Porém, também não chegue ao extremo oposto e fique falando de querer ser próspero por causa do bem que poderá fazer depois. Isso é secundário. Você quer ser próspero principalmente porque é correto que deseje isso. A prosperidade é a sua herança divina como filho de um Rei, como um filho de Deus.

O sucesso é divinamente determinado

Não há razão para você pensar na prosperidade como algo separado de sua vida espiritual ou "além do escopo" da religião. Você não precisa tentar viver em dois mundos, onde tem de cuidar de todas as coisas durante seis dias e depois, no sétimo dia, dar a Deus a chance de mostrar o que Ele pode fazer. Aceite a intervenção de Deus como um Pai amoroso, rico e compreensivo em todas as suas questões, em todos os dias da semana. Peça a orientação e a instrução divinas para todos os seus assuntos, financeiros ou não, e você com certeza se surpreenderá com quão melhor cada área de sua vida se tornará. *Porque tudo é vosso*, essa é a promessa divina (1Cor 3:21).

Um analista certa vez me disse que tinha descoberto que a causa mais comum de fracasso são as ideias conflitantes sobre se o sucesso é condenado ou valorizado por Deus. Ele disse que muitas pessoas lhe asseguraram que o fracasso merecia mais aprovação espiritual do que o sucesso, citando as palavras de Jesus: *Não podeis servir a Deus e a Mamom* (Mt 6:24). Essas pessoas não tinham obtido sucesso, e o médico teve de passar mais de uma hora explicando a elas que ser bem-sucedido não é servir a Mamom, e que elas deveriam parar de usar Deus como uma desculpa para os seus próprios fracassos.

O dicionário descreve Mamom como "riquezas consideradas como um objeto de adoração ou um falso deus". As pessoas que servem Mamom excluem Deus de suas questões financeiras e tentam cuidar disso por si mesmas. Quando você percebe que Deus quer que você seja próspero e que Ele, como o criador deste rico universo, é de fato a Fonte de sua prosperidade, então você não está adorando Mamom. Você não está transformando a prosperidade em um falso deus, mas reclamando a sua herança próspera da Fonte de todas as suas bênçãos. Jeová indicou a atitude espiritual correta a respeito da prosperidade quando disse a Moisés para lembrar aos filhos de Israel: *Antes te lembrarás do Senhor teu Deus, que ele é o que te dá força para adquirires riqueza* (Dt 8:18). A palavra "riqueza" significa viver bem, e é isso que o pensador próspero deve trabalhar para conseguir. É isso que ele deve esperar como seu direito espiritual.

Talvez você esteja se lembrando, a essa altura, de uma declaração que eu também ouvia quando era criança, e que me confundia sobre a prosperidade ser uma bênção espiritual. As pessoas costumavam dizer: "Eu sou pobre, mas sou um bom cristão". Mesmo que eu venha de uma família que tenha gerado ministros, eu sempre estremeci ao ouvir isso. Minha reação imediata era: "Por que os cristãos, ou qualquer outro grupo, têm de ser pobres? Deus não é pobre e Ele é um Pai amoroso". Aquela afirmação também me fazia pensar que os ricos estavam fadados ao inferno. De algum modo eu não conseguia entender por que as pessoas ricas tinham de ir para o inferno apenas porque eram prósperas. Parecia muito inconsistente para mim.

A Bíblia é um livro sobre a prosperidade

Quando entrei para o ministério, decidi resolver esse conflito internamente, estudando a perspectiva bíblica sobre a questão "prosperidade *versus* pobreza". Foi uma agradável surpresa descobrir que a Bíblia é o maior livro sobre prosperidade já escrito![3]

A Bíblia mostra de forma bastante clara que você não agrada Deus estabelecendo a carência ou a limitação em sua vida, assim como não agrada a si mesmo. O primeiro capítulo descreve o rico universo criado para o homem, e o último livro da Bíblia descreve o céu em ricos termos. Muitos dos grandes homens bíblicos não nasceram prósperos, mas properaram e tiveram acesso a riquezas sempre que a necessidade surgia. Entre esses homens estavam Abraão, Jacó, José, Moisés, Davi, Salomão, Isaías, Jeremias, Neemias, Elias e Eliseu, do Antigo Testamento, e Jesus e Paulo, do Novo Testamento.

A vida e os ensinamentos de Jesus são uma evidência clara da Sua compreensão das leis da prosperidade. Quando bebê, recebeu ricos presentes, dados pelos Reis Magos. Embora Jesus tenha sido descrito como pobre, sem um lugar para recostar a sua cabeça, Ele tinha uma casa com seus pais em Nazaré e foi muito bem recebido em casas por toda a Pa-

---

[3] Veja a série da autora sobre os milionários da Bíblia: *Os milionários do Gênesis*, *O milionário Moisés*, *O milionário Josué* e *O milionário de Nazaré*.

lestina, tanto de ricos quanto de pobres. Seu primeiro milagre produziu uma rica dádiva para seu anfitrião em uma festa de casamento: o melhor vinho. Ele usou as leis da prosperidade sem hesitação para alimentar milhares de pessoas em um local deserto. Sua parábola do filho pródigo contém uma bela lição sobre a prosperidade.

Quando Jesus declarou: *Bem-aventurados os pobres de espírito, porque deles é o reino dos céus* (Mt 5:3), não estava se referindo aos que vivem na pobreza. A expressão "pobres de espírito" significa aqueles que são humildes e receptivos, e não orgulhosos e presunçosos. Quando um homem rico veio a Jesus perguntar sobre a vida eterna, lemos: *E Jesus, olhando para ele, o amou* (Mc 10:21). Jesus lhe disse que, para herdar a vida eterna, ele tinha de vender tudo o que tinha, pois Ele viu que o homem estava sendo possuído por seus bens, em vez de controlá-los. Mais tarde, Jesus comentou com compaixão: *Filhos, quão difícil é, para os que confiam nas riquezas, entrar no reino de Deus!* (Mc 10:24).

Seu interesse e contato com o mundo financeiro incluiu chamar um coletor de impostos para ser seu primeiro apóstolo, indicando um tesoureiro entre eles para lidar com as finanças e com os impostos devidos ao governo romano. Mesmo o seu robe sem costuras foi considerado valioso pelos soldados romanos, pois eles tiraram a sorte por ele ao pé da cruz. Foi um homem rico, José de Arimateia, quem implorou a Pilatos pelo corpo de Jesus e que o sepultou em sua própria tumba. Mesmo depois da Ressurreição, Jesus mostrou interesse na prosperidade de seus seguidores, instruindo os pescadores sobre onde deveriam pescar para ter sucesso, depois que não tinham conseguido nada.

Por que a pobreza não é espiritual

Você pode estar imaginando por que se fala tanto em sacrifício, perseguição e tempos difíceis como aspectos necessários da vida espiritual. A História revela que os ensinamentos da Bíblia, cheios de inspiração e praticidade, continuaram a ser observados durante os primeiros séculos depois de Cristo. Logo, porém, a religião se tornou mais secularizada, levando a diversas variações e ao afastamento do que Jesus ensinou. Mais tarde, o sistema feudal da Idade Média assegurou a riqueza somente a poucos privilegiados. Durante esse período, os preceitos de "pobreza e penitência" foram oferecidos às massas como o único meio de salvação, transformando a carência e a privação em supostas "virtudes cristãs". Milhões de pessoas ingênuas foram levadas a crer que era "santo ser pobre", uma crença útil para prevenir a revolução entre as massas.

Algumas dessas ideias feudais sobre a pobreza como uma virtude espiritual têm persistido até os dias de hoje. Contudo, elas são falsas: concebidas pelo homem, não refletindo a rica verdade de Deus para mim e para você.

Portanto, não peça mais desculpas a você mesmo ou aos outros por querer ser próspero. Esse é um desejo divino, ao qual, portanto, deve ser dada uma expressão divina. Você pode ousar dar graças, pois a prosperidade é a sua herança divina; o desejo do Pai para você é o bem ilimitado, e não uma mera existência medíocre.

Atitudes corretas podem pagar as suas contas

Agora, a fim de ajudá-lo a estabelecer a importantíssima atitude próspera, admitindo que Deus é a Fonte de toda a provisão do homem, como o Criador deste rico universo, e que o desejo de Deus para você é portanto a riqueza do universo, sugiro que você parafraseie as palavras que Jeová disse a Moisés: *Antes te lembrarás do Senhor teu Deus, que ele é o que te dá força para adquirires riqueza* (Dt 8:18).

Talvez você esteja pensando: "Sim, mas esse tipo de pensamento é prático? Tais atitudes podem ajudar a calçar as crianças, a trazer comida para a mesa e a pagar o aluguel?". Sim, podem!

Certa vez conversei com uma jovem que parecia ter tudo contra ela. Quando foi atingida por uma paralisia, acabou sendo abandonada pelo marido, que bebia, jogava e não trabalhava, deixando-a com várias crianças para cuidar, criar e educar. Embora ela tivesse um teto sobre sua cabeça, este estava hipotecado. Embora o marido dela tivesse sido intimado pelo tribunal a pagar pensão, um pequeno valor mensal para o sustento das crianças, isso era insuficiente para as suas necessidades.

Entretanto, cada vez que eu visitava essa moça, que ficou acamada durante muitos meses e depois confinada a uma cadeira de rodas, ela sempre contava alegremente como novos canais de provisão tinham se aberto para ela.

Em uma visita, ela disse que havia recebido comida enlatada suficiente para vários meses, e que tinha aparecido o dinheiro necessário para as roupas das crianças, vindo de alguns parentes distantes, de outro estado. Disse também que suas despesas médicas foram pagas por um amigo que estava no exterior; e que, de fato, cada uma das suas necessidades financeiras estava sendo provida. Ela havia ganhado tinta para a parte externa da casa, que um vizinho estava atarefado pintando!

Quando eu perguntei qual era o segredo de prosperidade dela e como ela tinha conseguido pagar todas as contas no prazo, ainda que estivesse numa cadeira de rodas, sem nenhuma fonte de renda estável ou generosa, ela disse que uma oração tinha sido a sua grande fonte de força e provisão. Sempre que aparecia uma necessidade financeira, ela meditava calmamente sobre a promessa do Salmo 46: *Aquietai-vos, e sabei que eu sou Deus* (Sl 46:10).

Um dia, o pagamento da hipoteca estava atrasado. Era uma dívida de quarenta dólares. A mulher não tinha sequer um centavo desse valor, então começou a pensar, em silêncio, nestas palavras: "Aquiete-se e saiba que eu sou Deus. Aquiete-se e saiba que eu sou Deus, atuando nesta situação agora". Por volta do meio-dia, veio a ela uma sensação de paz sobre a questão, e, então, encerrou a sua meditação. Cerca de uma hora depois, um parente estava lhe servindo o almoço quando um vizinho entrou e colocou dinheiro em sua mão. Ele disse: "Nossa escola dominical estava pensando em você. Havia algum dinheiro extra na tesouraria, e nós resolvemos que queríamos dividi-lo com você". O valor que ele lhe deu: quarenta dólares.

Essa mulher, reconhecendo Deus como a Fonte da sua provisão, tinha comprovado que Ele nunca falhava com ela, mesmo em condições extremas de doença, desalento e incerteza econômica. É claro que seu grande desejo é o de se sustentar e de se tornar financeiramente independente de seus familiares, vizinhos e amigos. E com certeza ela realizará esse desejo, conforme persevera no pensamento próspero. Agora, ela está começando a andar de novo, e, pela primeira vez em vários anos, também pode trabalhar. Enquanto isso, está comprovando que a rica provisão de Deus pode chegar de muitos modos inesperados, satisfazendo as necessidades do momento, a despeito das duras condições da vida.

De fato, Davi estava reconhecendo Deus como a Fonte da sua provisão quando declarou: *O Senhor é o meu pastor, nada me faltará* (Sl 23:1). Esta é uma boa oração de prosperidade, e deve ser repetida com frequência. Uma dona de casa precisava de cem dólares para pagar duas contas que venceriam no fim da semana. No começo da semana, sempre que o medo tentava assustá-la sobre como iria pagar essas contas, ela afirmava e reafirmava: *O Senhor é o meu pastor, nada me faltará.* Na manhã de sexta-feira, justamente o dia em que as contas venciam, chegou um cheque pelo correio... de 110 dólares! O cheque era de uma empresa em que seu marido havia trabalhado por vários anos. Eles escreveram uma carta dizendo que tinham acabado de "descobrir" que deviam esse valor ao marido dela, e que estavam enviando o montante para saldar a dívida.

Um executivo com uma grande família já estava sem dinheiro, e ainda faltava uma semana para o dia do pagamento. Os suprimentos estavam acabando. Na sexta-feira, um dia antes do que a família reservava para as compras, ele e a esposa concordaram em pedir ajuda e orientação a Deus. Eles o fizeram afirmando: *a nossa capacidade vem de Deus* (2Cor 3:5). No sábado de manhã chegou à casa da família um cheque do governo: um cheque de 150 dólares de restituição de imposto de renda! O valor cobria satisfatoriamente suas necessidades até o dia do pagamento.

Uma vendedora, que tinha tido muitas despesas e cujas vendas tinham decaído, decidiu enxergar Deus como a Fonte da sua provisão, afirmando para si uma oração do Pai Nosso: "O pão nosso de cada dia nos dai hoje". Foi uma mudança vertiginosa: suas vendas aumentaram exponencialmente, e começaram a entrar pagamentos de comissão, além do seu salário. Os vizinhos lhe trouxeram refeições prontas como um sinal da estima que tinham por ela, e ela também recebeu de um amigo vários itens adoráveis de vestuário. Alguns de seus clientes levaram-lhe presentes de agradecimento por seu estimado serviço. Vários convites para jantar foram recebidos, aceitos e apreciados. Todos os dias suas necessidades eram providas, como ela havia pedido em sua oração. O pão nosso de cada dia apareceu das maneiras mais satisfatórias.

Como estabilizar as suas finanças

O mais maravilhoso a respeito de reconhecer Deus como a Fonte de todas as riquezas e de considerá-lo em suas questões financeiras e em todas as áreas da sua vida é que quanto mais você faz isso, mais estabilizada cada uma dessas áreas se torna. No devido tempo, não haverá mais emergências financeiras que necessitem de um maná instantâneo vindo do céu. Em vez disso, sua situação financeira apenas irá melhorar cada vez mais, de modo que haja sempre substância à mão para prover suas necessidades.

Davi indicou o que acontece quando você pensa em Deus como a Fonte da sua provisão: *Antes tem o seu prazer na lei do Senhor, e na sua lei medita de dia e de noite. Pois será como a árvore plantada junto a ribeiros de águas, a qual dá o seu fruto no seu tempo; as suas folhas não cairão, e tudo quanto fizer prosperará* (Sl 1:2-3).

Mas é bom saber que, até que você desenvolva uma compreensão apropriada de como fazer florescer a substância do universo em um fluxo rico e contínuo de provisão, as necessidades financeiras emergenciais podem ser supridas buscando a Fonte de todas as riquezas: o rico Pai celestial.

A conexão entre o pensamento e a provisão

Talvez você esteja pensando agora: “Se a minha prosperidade vem de Deus, se Ele é a Fonte da minha provisão, então por que todos falam sobre ‘pensamento próspero’? O que o pensamento próspero tem a ver com a minha provisão?”.

A rica provisão divina está por toda parte no universo, do mesmo modo que é inata em você, na forma de talentos, habilidades e ideias ansiando para serem expressas. Mas você precisa contatar essa rica provisão e substância a fim de usá-la. Sua mente é a sua conexão com ela. As suas atitudes, seus conceitos mentais, crenças e perspectiva são aquilo que conecta você à rica substância divina e que garante seu acesso a ela. Deus só pode fazer *por você* aquilo que Ele pode fazer *por meio de você,* dos seus pensamentos e das ideias que conduzem às suas reações. Portanto, o pensamento próspero abre o caminho para resultados prósperos.

Comece a fazer contato com a rica substância universal e com a rica substância em seu interior declarando com frequência: "Eu aciono as bênçãos divinas no meu interior e à minha volta, e eu sou abençoado de todas as maneiras com felicidade, sucesso e realização verdadeiros". Apenas ao decretar essa ideia você já estará começando a agitar as riquezas do universo, atraindo-as para você e expressando-as através de você.

O sucesso adora a atitude próspera

Outra das verdades impressionantes sobre a prosperidade é que os pensamentos da sua mente fizeram de você o que você é, e que eles o transformarão no que você se tornará a partir de hoje. Quanto mais você perceber isso, mais saberá que as pessoas, lugares, condições e eventos não podem afastá-lo da sua prosperidade, não se empregar intencionalmente o pensamento próspero como um aliado para o seu sucesso. Em vez disso, você descobrirá que as coisas, pessoas e eventos que antes trabalhavam contra você começarão a trabalhar para você ou desaparecerão de sua vida, e novas pessoas e eventos aparecerão para ajudá-lo a ter sucesso. Esse é o poder do pensamento próspero.

Enquanto isso, lembre sempre a si mesmo que Deus é a Fonte de toda a sua provisão e então, faça contato espiritual com Ele, com a Sua rica substância e com ideias ricas que estão à sua espera: "Eu sou um rico filho de um Pai amoroso. Agora eu aceito e reclamo o rico bem divino que existe para mim em cada área da minha vida. Agora o meu sucesso surge, concedido a mim por Deus na forma de ricas ideias e resultados".

Lembre-se destas verdades sobre a prosperidade: é correto ser próspero, e não o contrário; Deus criou um universo rico para você, e Ele quer que você o aproveite; a prosperidade pode chegar rapidamente por meio do uso deliberado do pensamento próspero, que conduz à expressão de ricas ideias, ações e resultados.

Portanto, ouse pedir sempre orientação a um Pai amigável, rico e amoroso. E, junto com Moisés, lembre-se de que Jeová é seu Deus, pois Ele é quem lhe dá o poder de obter riquezas.

Agora, lance-se feliz e esperançoso às leis dinâmicas da prosperidade, leis espirituais e mentais que podem e irão transformar a sua vida. Salomão percebeu a necessidade de explorá-las quando explicou: *Pobreza e afronta virão ao que rejeita a instrução* (Pv 13:18). Você pode, a partir desta página, se libertar da limitação, da necessidade e do fracasso. Quando aceitar e usar as ideias simples, mas poderosas, dadas neste capítulo e nas páginas seguintes, você encontrará uma experiência agradável, que produz resultados satisfatórios.

Este é o poder do pensamento próspero, e *essa* é a bela e chocante verdade sobre isso.

Capítulo 2: A lei básica da prosperidade

Aprendi a lei básica da prosperidade do modo mais difícil. Lido com ela já há muito tempo, tendo assim conquistado o direito de falar dela para vocês. Muitas décadas atrás, a vida parecia sem esperanças para mim. Viúva e com um filho pequeno, eu não tinha formação adequada para nenhum tipo de trabalho, e portanto, não tinha nenhuma fonte de renda. Minha família também não podia me oferecer muita ajuda financeira. Se você tivesse me visto naquela época, sem dúvida diria: "Com ou sem pensamento próspero, esse é um caso perdido".

Foi durante esse período de miséria que aprendi sobre o poder do nosso pensamento como um instrumento para o sucesso ou para o fracasso. Logo ficou claro para mim que meus fracassos anteriores se deviam em grande parte ao meu pensamento negativo. Porém, o mesmo poder do pensamento, quando direcionado corretamente, pode ser a chave de uma vida saudável, feliz e bem-sucedida.

Quão iluminada me senti no dia em que li as palavras de Salomão: *Porque, como imagina em sua alma, assim ele é* (Pv 23:7). E, depois, as palavras de Jó: *Farás decretos que serão bem-sucedidos, e a luz brilhará em teus caminhos* (Jó 22:28).

Do filósofo James Allen, eu aprendi:

> Através de seus pensamentos, o homem detém a chave para todas as situações, e contém no seu interior o agente transformador e regenerativo pelo qual ele pode se transformar no que deseja.[4]

Então, percebi que minha riqueza, minha saúde e minha felicidade potenciais estavam na verdade *dentro de mim*, esperando até que fossem irradiadas para o mundo exterior na forma de pensamentos, sentimentos e expectativas saudáveis, ricas e felizes, o que por sua vez atrairia resultados similares em minha vida.

Logo que me agarrei a esse segredo simples, porém poderosíssimo, e comecei a aplicá-lo, a maré virou a meu favor e minha sorte começou a se manifestar!

Então, surgiu a oportunidade para que eu construísse meu caminho por meio da escola de negócios. Depois, me tornei secretária de um jovem advogado, que se tornou prefeito da sua cidade e candidato ao Congresso. Em seguida, ele expandiu sua firma de advocacia, incluindo vários advogados e secretárias que atendiam uma série de clientes prósperos. No ápice de meu trabalho com esse advogado, me senti inspirada ao ministério, onde poderia ajudar outras pessoas a perceber e a aplicar essas chaves mentais, que tinham significado tanto para mim, conquistando uma vida saudável, feliz e próspera.

Pensando no passado, agora percebo que, consciente ou não, invoquei a lei básica da prosperidade, a lei da irradiação e da atração, a cada passo do caminho. Meu uso pessoal desta lei básica me trouxe uma consciência bastante forte a respeito dela, e acredito que ela pode funcionar para você de maneira ainda mais forte do que funcionou para mim! Várias pessoas que foram às minhas palestras sobre prosperidade têm usado essa lei com um sucesso surpreendente.

A lei das leis

Na verdade, as leis que governam a prosperidade são tão exatas e práticas quanto as leis que governam a matemática, a música, a física e as

[4] ALLEN, James. *O Homem é aquilo que ele pensa*. São Paulo: Pensamento-Cultrix.

outras ciências. A Bíblia fala da lei básica da prosperidade quando fala de semear e colher, ou de dar e receber. Os cientistas descrevem isso como ação e reação. Outros a chamaram de lei da oferta e da procura. Emerson a descreveu como a lei da compensação: semelhante atrai semelhante. E ele disse que a lei da compensação é a "lei das leis"!

Você não pode conseguir algo a troco de nada

Eu concordo com Emerson que a lei da compensação deve ser enfatizada como a lei básica da vida. Eu gosto de pensar nessa lei da prosperidade como "irradiação e atração": o que você irradia para o exterior, por meio de seus pensamentos, sentimentos, imagens mentais e palavras, é o que você atrai para sua vida e seus assuntos. No entanto, você não pode obter algo a troco de nada.

A razão de ainda existir pobreza neste universo de grande abundância é que muitas pessoas ainda não compreendem esta lei básica da vida: é preciso irradiar a fim atrair. O que é irradiado é atraído. A maioria das pessoas hoje ainda tem de aprender que não pode obter algo em troca de nada. Devem dar antes de receber, ou, em outras palavras, devem semear antes de colher. Quando você não dá nem semeia alguma coisa em termos de prosperidade, não faz contato com a abundância divina. Assim, não há um canal pelo qual a ilimitada e rica substância do universo pode derramar suas riquezas sobre você.

A verdade disso foi recentemente trazida à minha atenção quando conheci algumas pessoas que viviam em uma área afetada pela pobreza. Logo descobri que essas pessoas só queriam "esmolas". Elas não estavam interessadas em invocar a lei básica da prosperidade, semeando (dando algo) primeiro. Em vez disso, estavam tentando obter algo em troca de nada, o que não pode ser feito. Assim, continuaram a viver na pobreza.

Você sempre pode dar alguma coisa

Talvez você esteja pensando: "O que poderia uma pessoa assim dar, quando ela parece tão carente?". *Sempre* há o que dar, quer seja algo tangível ou intangível, e isso o colocará em contato com a rica provisão divina.

Uma viúva que tinha a casa cheia de filhos certa vez ligou para uma orientadora. A viúva não tinha dinheiro algum, nem comida para dar às crianças. Era hora do almoço e seus filhos não tinham comido nada desde o dia anterior. Ela estava desesperada. A conselheira que atendeu o chamado sabia bem como era se encontrar nessa situação: o poder do pensamento próspero já tinha suprido "maná dos céus" em um período financeiramente desesperador de sua vida. Com grande compaixão, ela explicou o poder mágico que existe em sempre dar alguma coisa, atitude que poderia iniciar o fluxo da substância, da forma apropriada.

Quando ela explicou à viúva que esta deveria dar antes de receber, a reação foi a mesma que a sua ou a minha quando ouvimos isso pela primeira vez. Ela se lamentou: "Mas esse é o ponto: eu não tenho nada para dar". Então, a orientadora respondeu gentilmente: "Minha querida, é lógico que você tem algo para dar. Nós sempre temos algo para dar. De fato, sempre temos mais do que percebemos". Assim, ela incentivou a inquieta viúva a pedir orientação divina a respeito do que ela podia doar.

A orientadora disse que iria orar por ela, na certeza de que a viúva seria guiada por Deus quanto ao que deveria dar e receber. A orientadora acrescentou ainda que, depois de iniciar o fluxo da substância através da doação, a viúva deveria então se preparar para receber, arrumando a mesa para a refeição que ela tanto desejava para os seus filhos. A mãe também deveria já preparar uma lista de compras, na certeza de que o dinheiro se manifestaria muito em breve para concretizá-la.

Com fé, a viúva se sentou e orou para saber o que ela poderia doar. De repente, ela se lembrou das flores que cresciam em seu jardim. Colheu-as e as deu a um vizinho doente, que ficou muito feliz ao recebê-las. Em seguida, arrumou a mesa com sua melhor porcelana, prataria e toalhas de linho. Isso trouxe prazer e excitação às crianças, que então ficaram esperando uma boa refeição. Assim que ela acabou de fazer a lista do supermercado, alguém que lhe devia dinheiro havia muito tempo passou em sua casa e pagou a dívida: trinta dólares, quantia que ela já tinha até desistido de receber.

Se eu pudesse gritar apenas uma mensagem ao mundo inteiro a respeito dos segredos da vida, seria esta: *Você não pode receber algo a troco de nada. Porém, você pode ter o melhor das coisas quando dá plena importância ao bem que deseja receber.* Desde que comecei a escrever sobre prosperidade, tenho recebido várias cartas de pessoas que ainda não entenderam essa lei, e que ainda estão tentando obter algo a troco de nada. Uma mulher me pediu para mandar-lhe 30 mil dólares imediatamente para que ela pudesse quitar antigas dívidas. Ela não escreveu só uma ou duas vezes; ela me escreveu três vezes, até finalmente se convencer de que ela deveria usar essa lei básica da prosperidade para trazer à tona sua própria provisão.

Irradie e você atrairá

Emerson poderia estar descrevendo essa lei de dar e receber (ou da irradiação e da atração) quando escreveu: "Grandes corações atraem grandes eventos". E quem são os "grandes corações"? São as pessoas que ousam pensar e irradiar grandes pensamentos, focados em expectativas de sucesso e na prosperidade, em vez de pensamentos voltados ao fracasso, aos problemas e à limitação. Não há nada de grande, incomum ou elogiável em ideias negativas. Qualquer um pode experimentar esse tipo de pensamento, seguindo o caminho de menor esforço ou dando ouvidos ao que normalmente se ouve, todos os dias.

Quantas vezes não ouvimos alguém se queixar, dizendo: "Tudo acontece comigo. Nada dá certo pra mim. Este mundo é cruel. Os outros é que têm sorte..."? Essas palavras podem levar a uma conversa cheia de experiências desagradáveis do dia e de críticas sobre trabalho, colegas, família, governo, líderes mundiais, guerra, crime, doenças e tempos difíceis, tempos difíceis e mais tempos difíceis.

Cada um de nós usa constantemente a lei da irradiação e da atração, quer estejamos cientes disso ou não. Mas se você deseja gozar de mais prosperidade e sucesso em sua vida, tem de tomar as rédeas de seus pensamentos, de maneira ousada e consciente, redirecionando-os na direção da prosperidade e do sucesso. Cabe a você escolher, irradiando através de seus pensamentos o que deseja experimentar em sua vida, em vez de ficar chafurdando em experiências fracassadas ou desagradáveis. Essas condições mudam rapidamente se você muda o seu pensamento sobre elas.

Um amigo que está no ramo de relações públicas usou com sucesso a lei da irradiação e da atração. Por algum tempo, ele desejou cuidar de um cliente de fora do estado, e fez um esforço razoável para conquistá-lo. Finalmente, resolveu que iria se concentrar e irradiar o desejo por aquela conta, de forma deliberada, forte e ousada, sentindo que no devido tempo a conseguiria, ou outra ainda maior. Ele se sentou e pensou calmamente sobre tal cliente, como se já trabalhasse com ele. Esse amigo examinou mentalmente a conta e pensou em todas as maneiras com as quais poderia atender os interesses do cliente, caso fosse responsável por suas relações públicas. Ele pensou sobre a conta e sobre todas as pessoas envolvidas durante um longo tempo, e com grandes detalhes, afirmando várias vezes: "Eu não me desanimo, sou persistente. Eu sigo em frente e estou determinado a conseguir o sucesso do modo mais maravilhoso que Deus tem para mim". Quando ele sentiu uma sensação de paz, tirou o assunto da cabeça.

Poucas semanas depois, esse amigo foi a uma convenção em que vários clientes estavam envolvidos. Enquanto nadava com alguns deles na piscina do hotel, encontrou o homem que cuidava daquela conta específica, com quem vinha tentando se encontrar havia meses. Eles negociaram ali mesmo na piscina! Quando ele me contou sua experiência, disse: "Sem dúvida foi a lei da irradiação e da atração que me trouxe esses bons resultados".

Tenho observado, ao conversar com centenas de pessoas que passaram do fracasso ao sucesso, que o que pensamos bem no fundo de nós mesmos, a maior parte do tempo, atrai os resultados para nós, e não aquilo que demonstramos ou aparentamos aos outros. Há um velho ditado que diz: "Estamos onde estamos porque somos o que somos, e somos o que somos por causa dos pensamentos que normalmente temos".

Muitas pessoas dão duro para atrair o bem maior de maneira superficial, sem primeiro irradiar no dia a dia o seu equivalente mental. Depois, essas pessoas ficam bastante desapontadas quando seus grandes esforços resultam em fracasso.

Certa vez, quando eu estava falando com uma senhora que achava que deveria se casar, eu sugeri que ela invocasse a lei da irradiação e da atração. Depois de explicar que ela deveria irradiar antes que pudesse atrair, sugeri que ela irradiasse estas ideias repetidas vezes: "O amor divino se expressa através de mim e atrai tudo o que é necessário para tornar minha vida completa e feliz".

Um pouco depois comecei a receber relatos de amigos em comum dizendo que ela estava trabalhando muito no aspecto de atração, mas que, no quesito irradiação, ela estava investindo apenas em telefonemas e convites óbvios a todos os homens que conhecia. Mais tarde, essa senhora voltou e contou que o método sugerido de oração não havia funcionado. Eu a lembrei de que o "método de oração" que eu havia sugerido não havia sido irradiado, mas sim o "método do medo". Tudo havia funcionado ao contrário, porque ela invertera o processo.

Mais recentemente, uma viúva de meia-idade ousou experimentar o método de irradiação e atração com o mesmo objetivo. Enquanto boiava em uma piscina, ela afirmava inúmeras vezes, em silêncio: "O amor divino se expressa através de mim agora, atraindo tudo o que é necessário para tornar minha vida completa e feliz". Logo em seguida, ouviu a voz de um homem chamando-a do outro lado da piscina, perguntando como estava a água. Ela lhe garantiu que a água estava maravilhosa. Logo ele estava na água, e pouco tempo depois estava na vida daquela mulher, como seu marido.

A preparação mental vem primeiro

Como é excitante perceber que tudo pode ser conseguido primeiro na mente, que seus pensamentos são o seu poder divino para o bem! A razão de tudo poder ser conseguido primeiro na mente é que esta representa a conexão entre o mundo já existente e o mundo a ser criado.

Cabe a você, nesta era maravilhosa em que nos encontramos, reclamar o seu domínio espiritual sobre o grande bem que há em tudo. Cabe a você ousar conquistar, mudar ou reformar o seu mundo, conforme o seu próprio desejo! Você recebeu todo esse poder para produzir o bem, e somente o bem. As dificuldades acontecem quando esse poder é usado ao contrário.

Mas que sensação de liberdade você pode ter, a partir do momento em que percebe esta verdade: qualquer coisa em que você concentrar seus pensamentos de forma constante, resoluta e deliberada cria as experiências da sua vida! Quando você percebe isso, sua vida se torna mais fácil, mais simples e mais satisfatória. Você não sente mais a necessidade de discutir, implorar, ponderar ou apelar para qualquer pessoa pelo bem que deseja. Em vez disso, trabalha silenciosamente em seu próprio pensamento, escolhendo, aceitando e irradiando com a mente o que deseja experimentar em sua vida. Essa percepção lhe dá uma sensação vitoriosa antes mesmo que os ricos resultados comecem a aparecer.

Seja decidido sobre a riqueza

Você deve irradiar o pensamento próspero a fim de atrair o bem que deseja; de outro modo, você entra em uma sintonia limitada de pensamento e produz resultados igualmente limitados. Você atrai o que irradia ou aquilo em que concentra sua mente.

Às vezes pode não parecer que essa lei funcione desse jeito: algumas pessoas saem-se bem, ainda que aparentemente não mereçam isso. Porém, no devido tempo, a saúde, riqueza e felicidade dessas pessoas se desintegrarão, caso não estejam apoiadas em uma fundação sólida de pensamento e sentimento corretos. É apenas uma questão de o moinho estar lentamente moendo os grãos. Em vez de se preocupar se a lei da irradiação e da atração está operando com êxito na vida de outras pessoas, você deve seguir com ela, para comprovar por si mesmo os resultados do pensamento próspero.

Um corretor de ações cujos sócios estavam observando os relatórios do mercado, reclamando de como as coisas andavam devagar, escapuliu para uma sala e relaxou. Enquanto ele fazia isso, começou a irradiar em seu pensamento: "Agora tudo e todos me fazem prosperar". De repente, o telefone começou a tocar e tocar. Dentro de pouco tempo, ele havia fechado mais negócios pelo telefone do que em vários dias, por qualquer outro meio.

Os negócios de um relojoeiro andavam devagar. Quando embarcava no ônibus pela manhã, lembrou-se da lei da irradiação e da atração e começou a afirmar: "Agora tudo e todos me fazem prosperar". Nos dias seguintes, vários novos clientes chegaram à sua loja, levando relógios e joias para serem consertados. Sem demora, ele recebeu trabalho bastante para mantê-lo ocupado durante semanas.

Você é um imã!

Cada um de nós é um imã! E, como tal, você não precisa forçar para que o sucesso e a prosperidade venham até você. Em vez disso, pode alimentar em si um estado mental de constante entusiasmo, de esperança, e voltado à prosperidade. Esse estado mental funciona como um imã, trazendo depressa todas as coisas boas do universo para você. Deve-se fazer isso em vez de concentrar-se em um estado mental tenso, crítico, ansioso, deprimido, rancoroso e possessivo, imã para todos os tipos de problemas e fracasso.

Quando você tiver o equivalente tangível e intangível daquilo que ousou escolher, concentre-se mentalmente nisso, irradie esses pensamentos, e pare de pensar nas coisas como separadas de você mesmo. Pare de pensar que as pessoas, coisas, circunstâncias e condições têm o poder de ferir ou de machucar você. Comece a perceber que nada pode ficar entre você e o bem que ousou escolher e irradiar por meio de seus pensamentos, sentimentos, palavras e expectativas.

Escolha e irradie mentalmente; escolha e irradie emocionalmente; escolha e irradie constante e persistentemente para atrair o seu próprio bem e o bem de outras pessoas.

Certa ocasião, uma mulher me disse que, desde que começou a invocar o poder do pensamento próspero, todos em sua família receberam bênçãos maravilhosas: seu marido recebeu vários aumentos de salário; seu irmão se tornou presidente da empresa; duas irmãs se aposentaram com bons rendimentos; outra irmã se tornou a primeira mulher a ocupar certo tipo de cargo na empresa em que trabalhava; outro irmão recebeu um cargo de gerência. Um pouquinho de fermento fez crescer a família toda!

Os passos seguintes chegarão com facilidade

É lógico que eu não quero dizer, com todas as experiências dessas pessoas, que você deve se concentrar e irradiar o equivalente mental do bem que deseja, para depois não fazer mais nada. Geralmente você também tem de tomar atitudes externas, mas descobrirá que, ao trabalhar primeiro com o conceito mental do bem desejado, os passos externos se revelarão com facilidade. Às vezes, a solução aparece quase automaticamente, sem um esforço exagerado de sua parte. Quanto mais você dirigir sua mente para ricas direções, menos parecerá que você precisa fazer esforços excessivos para produzir resultados. Você vai trabalhar, mas irá encarar seu trabalho como uma forma de autoexpressão, em vez de algo a realizar somente para sobreviver. O seu poder da mente e as irradiações em que você resolver investir são um modo de levá-lo adiante e de produzir boas oportunidades, trazendo eventos e circunstâncias voltados à prosperidade e ao sucesso. Assim, você terá a impressão de chegar a seu objetivo sem um esforço consciente.

Libere a sua substância contida

Todos nós somos repletos de substância contida, energia e habilidade divina, que desejam trabalhar por nós, através de nós e à nossa volta.

Psicólogos declaram que uma pessoa comum usa somente 10% de seu poder mental. Autoridades médicas, por sua vez, alegam que o indivíduo usa apenas 25% de seu poder físico. Os psicólogos também declaram que o homem pode liberar ainda mais poder produtor de resultados em uma hora de concentração mental do que em 24 horas de trabalho físico; alguns até acreditam que é possível liberar mais poder em uma hora de concentração mental do que em um mês de trabalho físico.

Há uma grande força em nosso interior e à nossa volta, e tudo à nossa disposição. Você pode liberar tais substâncias, energia e poder contidos em benefício de uma vida próspera. Basta investir em pensamentos, sentimentos e imagens mentais deliberados de sucesso, prosperidade e riquezas. Conforme você o faça, estes serão irradiados para o exterior, rumo aos éteres magníficos e poderosos do universo, onde faz-se contato com a rica substância universal, repleta de inteligência e poder divinos.

Tais qualidades divinas passam, então, a se movimentar e trabalhar por meio das pessoas, condições e oportunidades, atraindo aquilo que corresponde às ricas irradiações que você enviou. Dessa forma, os resultados prósperos aparecem.

De fato, este maravilhoso universo é rico e amigável com todos. Ele deseja que a humanidade esteja sempre bem, próspera e feliz, e que todos os assuntos do homem e do mundo estejam em divina ordem.

Nesta altura, entretanto, não se preocupe demais com a teoria da irradiação e da atração. Apenas comece a aceitá-la e a usá-la como um segredo de prosperidade. Todas as leis da prosperidade abordadas neste livro nada são além de maneiras de invocar a lei básica da irradiação e da atração. Você descobrirá que o seu uso delas será um processo delicioso, excitante, fascinante e recompensador!

Agora, eu o convido a se elevar, lendo as próximas páginas deste livro, lembrando-se sempre destas verdades: "Eu sou um imã irresistível, com o poder de atrair para mim tudo o que eu desejo divinamente, de acordo com os pensamentos, sentimentos e imagens mentais em que me concentro, irradiando-os. Eu sou o centro do universo! Eu tenho o poder para criar o que quiser. Atraio o que irradio; atraio o que escolho e aceito para mim. Começo escolhendo e aceitando o maior e o melhor da vida. Eu agora escolho e aceito a saúde, o sucesso e a felicidade. Agora escolho uma abundância pródiga para mim e para toda a humanidade. Este é um universo rico e amistoso, e eu ouso aceitar as suas riquezas, sua hospitalidade. Desejo aproveitá-las agora!".

Capítulo 3: A lei do vácuo

Você já ouviu dizer que a Natureza abomina o vácuo. Isso é ainda mais verdadeiro no reino da prosperidade. A lei do vácuo é uma das mais poderosas, embora exija uma fé ousada e forte para ser posta em operação. Também exige um bom senso de aventura e expectativa para que seus frutos plenos sejam colhidos. Quando alguém está tentando ser próspero, usando seu pensamento prosperamente, e mesmo assim falha, em geral é porque precisa invocar a lei do vácuo.

A lei do vácuo é esta: se você deseja um bem maior e uma maior prosperidade em sua vida, comece criando um vácuo para recebê-los! Em outras palavras: *livre-se do que não quer mais para criar espaço para o que deseja.* Perceba se há roupas em seu armário ou móveis em sua casa ou escritório que não parecem mais certos para você, ou se existem pessoas entre seus conhecidos e amigos que não mais lhe pareçam compatíveis. Comece retirando essas coisas tangíveis e intangíveis de sua vida, confiando que você pode ter o que quer e deseja. Geralmente é difícil saber o que se quer até livrar-se do que não se quer.

Deixe ir o menor

Você irá descobrir com suas experiências de vida que, se o bem que você almejava não surge, isso acontece porque você precisa liberar e abrir mão de alguma coisa, a fim de criar espaço para o que virá.

Se você deseja um bem maior em sua vida, do que está abrindo mão ou se livrando a fim de criar espaço para ele? A natureza abomina o vácuo, e, quando você começa a retirar de sua vida aquilo que não quer, está criando espaço para o que deseja. Ao deixar ir o menor, cria espaço para o surgimento do bem maior.

Recentemente, um casal usou a lei do vácuo ao decorar sua nova casa. Do antigo lar eles levaram somente os móveis de que realmente gostavam e que sentiam serem apropriados ao novo ambiente. Sem medo, doaram grande parte da mobília antiga e deixaram espaços vazios na nova casa, visualizando-os sendo preenchidos com o tipo de mobília que queriam. Durante algum tempo, nada parecia estar acontecendo, mas eles continuaram persistindo em sua visão dos novos móveis, apropriados e bonitos.

Então, um dia, o marido, que trabalhava para uma grande empresa, foi colocado em um sistema de recompensa por méritos. Conforme ele produzia resultados prósperos para a empresa, seus pontos cresciam; esses pontos podiam ser trocados por várias recompensas tangíveis, uma das quais, mobília.

Um executivo tentou vender sua casa por muitos meses, porque havia sido transferido para outro estado. Ele ouviu falar da lei do vácuo e percebeu que, embora desejasse vender sua casa havia meses, não havia feito nada para criar um vácuo que permitisse que o bem desejado pudesse se manifestar. Um dia, ele se sentou calmamente em seu estúdio, imaginando cada aposento da sua casa vazio. Imaginou também como a casa ficaria depois que fosse vendida e ele já tivesse se mudado de lá. Visualizou apenas o vazio, por toda parte. Então, tomou notas sobre a companhia que ele queria que fizesse a sua mudança, elaborando um plano mental detalhado, como se a casa já tivesse sido vendida. Dentro de alguns dias, apareceu um comprador que adorou a casa, dando-lhe um cheque de milhares de dólares pelo valor excedente da hipoteca e como pagamento da entrada.

Crie um vácuo para a saúde

Sempre que você ousar criar um vácuo, a substância do universo correrá para preenchê-lo. Isso se aplica aos planos espiritual, mental e físico da vida.

Um executivo ficou muito doente, necessitando de cuidados médicos por semanas. Seu médico, um muito bom, fez tudo que a medicina podia por ele. Contudo, nada parecia adiantar, e o homem ficava cada vez mais fraco. Seu corpo estava cheio de veneno, e nada parecia conseguir dissolvê-lo. Uma noite, enquanto estava com febre alta e tossindo muito, o executivo lembrou-se da lei do vácuo e percebeu que ele provavelmente deveria liberar alguma coisa. Como sabia que a mente e as emoções exercem um efeito poderoso sobre o corpo, talvez houvesse alguma atitude mental ou sentimento que ele precisasse liberar.

Então, o homem se acalmou e pediu à Divina Inteligência que revelasse o que ele precisava liberar. De repente, lembrou-se de uma pessoa contra quem ele tinha um grave rancor. Várias coisas indelicadas já haviam sido ditas a essa pessoa, e ele não medira esforços para feri-la. Revisou, então, os eventos acontecidos entre os dois, os que haviam causado o ressentimento, e depois revisou seu desejo de ferir essa pessoa.

Pensando com cuidado sobre isso, percebeu que a outra pessoa podia nem saber que seus sentimentos tinham sido feridos por causa do que tinha acontecido, e que talvez não houvesse sequer razão para guardar ressentimentos. (Nunca há!)

Deitado na cama, com febre alta, ele começou a afirmar várias vezes: "Eu o perdoo total e completamente. Eu o libero, eu o deixo ir. No que me diz respeito, o incidente acontecido entre nós está terminado para sempre. Eu não desejo feri-lo, não lhe desejo mal algum. Eu sou livre e você é livre, e tudo está bem entre nós". Em pouco tempo, ele sentiu uma sensação de paz, quietude e liberação. Pela primeira vez em muitas noites, ele dormiu tranquilamente. Na manhã seguinte a febre tinha ido embora, e o médico declarou que o veneno tinha saído como por milagre, do dia para a noite, do corpo dele. Finalmente, o executivo estava a caminho da recuperação. Por meio do perdão, esse homem criou o vácuo necessário para que uma nova vida pudesse restaurar seu corpo à saúde, e sua mente à paz.

O perdão é a resposta

Muita gente tem medo da palavra "perdão", pensando que ela significa que eles devem fazer algo desagradável e dramático. No entanto, a palavra só significa "per-doar": "para-doar". Ou seja, significa abandonar velhas ideias, sentimentos ou condições e colocar algo novo em seu lugar. O processo de "per-doar" forma o vácuo e abre caminho para o novo bem aparecer.

Eu descobri, por meio de conversas com centenas de pessoas sobre seus problemas e de correspondência com outras centenas de pessoas que, quando um problema teima em aparecer, é porque existe a necessidade de perdão. Também descobri que, ainda que apenas uma das pessoas relacionada à questão comece o ato de perdoar, todos os envolvidos responderão, sendo abençoados, e a solução aparecerá.

Por exemplo, uma mulher muito rica se envolveu em uma questão legal a respeito das propriedades comerciais de seu finado marido. Era tudo muito constrangedor para ela, porque a pessoa que ela estava processando no tribunal era um antigo amigo da família. Muito aflita, certa noite ela foi a um grupo de oração e desabafou com eles sobre a sua complicada situação. Para sua surpresa, entretanto, os membros do grupo não ficaram nada preocupados com o problema, nem pareceram muito simpáticos. Na verdade, eles a surpreenderam, dizendo que o problema seria resolvido se ela perdoasse o homem que estava processando. Chocada, ela replicou: "Perdoá-lo? Eu só quero que vocês orem para que eu ganhe o caso no tribunal! Ele fez coisas terríveis!". Contudo, o grupo de oração continuou firme. Ela saiu desgostosa, mas voltou na semana seguinte, e mais uma vez lhe garantiram que o perdão poderia resolver tudo. Depois disso, ela começou a considerar seriamente o poder do perdão, e o fez por vários dias. Então, um dia ela estava em seu carro, pensando nesse antigo amigo da família, e gritou: "Senhor, eu não posso perdoar esse homem. Mas se o Senhor pode, por favor perdoa-o *através* de mim". Subitamente, ela sentiu uma grande sensação de paz, agradeceu e parou de pensar no assunto.

Poucos dias depois, o homem chegou à cidade e foi visitar o advogado dela. Ele perguntou ao advogado se seria possível visitá-la. Hesitante, o advogado respondeu: "Se você quer resolver o processo, deve tratar comigo, pois sou o advogado dela". O homem respondeu: "Oh, eu não quero falar com ela sobre o caso. Eu só quero visitá-la porque já fomos amigos, e eu admirava muito o marido dela. Eu só queria vê-la em nome dos velhos tempos". Assim, ele fez à mulher uma visita cordial, durante a qual a questão do processo veio à tona. Eles concordaram amigavelmente em resolver a questão fora do tribunal, com ambas as partes ficando satisfeitas.

Em resumo, o poder de liberar ideias, atitudes e opiniões fixas abre caminho para experiências muito mais agradáveis.

Uma técnica de perdão

Esta é uma técnica de perdão que pode criar um vácuo para qualquer bem de que sua vida pareça precisar: sente-se por meia hora todos os dias e perdoe cada pessoa com quem você estiver em desarmonia, indisposto ou preocupado. Se você acusou alguém de injustiça, se discutiu com alguém de modo inamistoso, se criticou ou fez fofoca sobre alguém, se está com problemas legais com alguém, peça perdão a todos eles. Eles irão responder subconscientemente.

O perdão cria um vácuo que irá desobstruir a sua prosperidade e o seu sucesso. Afirme em pensamento para as outras pessoas: "O amor indulgente de Deus nos liberta agora. O amor divino produz os seus resultados perfeitos, e tudo está bem entre nós. Eu o vejo com os olhos do amor e eu o louvo em seu sucesso, prosperidade e mais completo bem". É bom declarar para si mesmo: "Eu sou perdoado e governado pelo amor de Deus, e com isso tudo está bem".

Certa vez conversei com uma senhora que estava tendo muitos problemas no casamento. Seu marido estava a ponto de perder um bom emprego por causa do seu alcoolismo e instabilidade. Quando sugeri que ela liberasse as ideias sobre o seu marido e, por meio do perdão, formasse um vácuo para que um bem maior surgisse, ela acertadamente respondeu: "Não há por que eu tentar o perdão. Não há nada a perdoar. Eu amo meu marido!".

Então, sugeri que algum tipo de vácuo precisava ser criado. Havia muita coisa na situação daquela senhora de que ela deveria se livrar. Talvez não fosse o marido que ela precisava perdoar, mas todos nós precisamos praticar o perdão todos os dias, por conta das muitas atitudes negativas e subconscientes que guardamos em nossas emoções, algumas das quais nem sequer estamos cientes.

Um pouco relutante, ela enfim concordou em sentar-se por meia hora todos os dias para praticar o perdão. Mais tarde, ela declarou, espantada, que nomes de pessoas que ela já havia esquecido há muito tempo lhe acorriam durante as sessões, e que experiências desagradáveis e infelizes do passado pipocavam em sua memória. Para todas elas, a senhora declarava palavras e pensamentos de desprendimento, liberação e perdão, assim como o fazia para as questões relativas ao comportamento recente do seu marido. Conforme ela começou a se sentir aliviada e liberta de muitas antigas emoções e atitudes hostis, antes meio enterradas, seu marido parou de beber. Ele começou a dar duro em seu trabalho, e o sucesso veio de maneira tão avassaladora que ela pôde até parar de trabalhar para dar um belo lar ao seu marido, como era seu desejo havia muito tempo.

Eis o poder do perdão.

A liberação é magnética

Você está se apegando ao pensamento de como uma situação problemática em sua vida pode ser resolvida, a que forma essa solução poderia ter? Então libere, deixe ir, solte. Reafirme para a situação em si ou para as pessoas envolvidas: "Eu libero, solto, deixo ir". Não tenha medo de liberar coisa alguma. Nada pode ser perdido por meio da liberação espiritual. Pelo contrário: o seu próprio bem e o bem de todos os envolvidos fica muito mais livre para entrar em sua vida. Com a liberação, seu poder de atrair o bem é bastante aumentado.

Agora, vale a pena compartilhar uma palavra de precaução sobre as atitudes de liberação das coisas tangíveis. Certa ocasião, eu me senti inspirada a liberar todas as minhas roupas, dando a maioria delas para a minha irmã. As roupas estavam em perfeito estado, mas eu estava cansada delas. Como nenhuma roupa nova havia surgido, pensei que, se eu liberasse as antigas, estaria criando espaço para as novas.

Depois de colocar as roupas no correio para minha irmã, fiquei feliz e ansiosa pelas novas que com certeza iriam se manifestar. Contudo, durante várias semanas não aconteceu nada. Finalmente, percebi que ainda estava me apegando às roupas que havia mandado para ela, pensando, por exemplo: "Se eu ainda tivesse aquele vestido que mandei para ela, eu o usaria hoje".

Então, foi preciso que eu soltasse mais uma vez o que eu pensava já ter liberado. Eu repassei em pensamento cada item que havia mandado para ela, declarando para cada peça: "Eu libero você total e completamente. Eu a deixo ir e a libero. No que me diz respeito, você cumpriu seu propósito em meu guarda-roupa e eu não preciso mais de você. Eu e você estamos onde deveríamos estar".

Daí para frente, apareceram novas roupas, e muito rapidamente! Era como se uma "influência magnética" estivesse trabalhando para mim. Uma amiga, que não sabia de nada sobre o meu armário vazio, me disse: "Eu tenho um dinheiro que quero dividir com você. Quando orei sobre o que fazer com essa quantia, o único pensamento que me vinha à mente era que eu devia dá-lo a você, talvez para algumas roupas. Você parece bem fornida de roupas, mas o pensamento persistiu, então aqui está, com a minha bênção".

Isso iniciou o fluxo da substância que desde então começou a fluir de todas as partes. Eu havia escrito alguns artigos para revistas, que foram recusados. Ainda que com o espírito hesitante, porém esperançoso, eu os revisei e os submeti novamente. *Agora*, eles foram aceitos, e fui paga por eles. Muitas pessoas, enquanto faziam compras, viram itens e pensaram: "Isso é a cara da Catherine". Eles os compraram e me deram de presente. E veja: eram os itens que eu estivera imaginando em meu guarda-roupa! Uma amiga voltou para casa de uma viagem de compras. Nós não nos correspondíamos havia algum tempo, então ela não tinha como saber sobre o meu armário vazio. Apesar disso, os embrulhos chegaram com roupas de presente, resultantes da viagem que ela fizera. Mais tarde, ela escreveu: "Eu apenas fiquei com a 'sensação' de que você faria bom uso destas peças, e de algum modo não consegui resistir à ideia de dá-las a você. Ficarei muito contente se você puder usá-las".

Aprendi uma boa lição com essa experiência. Nada de bom aconteceu antes que eu liberasse as roupas que havia mandado para a minha irmã. Um presente que não é liberado depois de ser dado não é um presente de verdade. Se você não pode dar livremente, nem se incomode em fazê-lo. Contudo, se você o fizer, assegure-se de liberar o que deu. De outro modo, nenhum bem terá sido feito; nenhum vácuo terá sido criado.

Use a substância que está ao seu alcance

Outro modo de invocar a lei do vácuo é usar a substância disponível no momento sem se apegar a ela, permitindo sempre um novo fluxo de prosperidade. No entanto, você tem de fazer isso com a atitude mental correta, a fim de produzir resultados ricos.

Quando parece não haver prosperidade suficiente ao seu alcance para satisfazer as necessidades do momento, ou quando você parece estar bloqueado em seu caminho rumo a uma maior prosperidade, você deve assumir o controle da situação, de seus pensamentos e sentimentos. Em vez de sentir-se desesperançado, indefeso ou com pena de si mesmo, declare para as questões financeiras: "Paz, aquietem-se."

Pegue sua carteira, seu talão de cheques ou outras evidências palpáveis de provisão financeira e declare: "Agora mesmo estou repleto com a rica generosidade de Deus, que provê todas as minhas necessidades". Depois é hora de usar, destemida e audaciosamente, a substância que estes objetos contêm, até onde for possível na situação atual. Se houver contas a serem pagas, não espere até que apareça "dinheiro suficiente" para pagá-las: adiante-se, com fé, e pague todas as contas que puder. Essa atitude significa pegar a substância que está à mão e enviá-la ao universo, para que ela enfim possa se multiplicar.

Rumo à prosperidade

Neste ponto, é importante estabelecer e manter uma atitude próspera, como se a generosidade divina já estivesse visível em sua vida. Não é hora de falar sobre limitação ou falta de dinheiro nem de segurar as despesas ou de fazer uma economia severa. Pelo contrário, agora é hora de usar ao máximo as suas reservas financeiras, até o último centavo, se necessário. Se neste ponto você deixar de gastar ou falar sobre qualquer limitação financeira, isso lhe custará o dobro. Em vez disso, olhe sempre à frente em sua mente e agradeça a substância que você já tem para enviar ao universo. Afirme com alegria: "Esta é a generosidade de Deus e eu a envio adiante com sabedoria e alegria". Quando você olha adiante, a despeito das aparências mostrarem o oposto, você sempre estará protegido!

Talvez a pessoa que mais tenha me ensinado a respeito desse aspecto da lei do vácuo seja uma dona de casa serena e modesta que constantemente olha adiante, enviando à sua frente o dinheiro que possui na carteira, como uma rica bênção. Ela é sempre suprida, com abundância.

Muitos anos atrás, ela ficou interessada em enfeitar a igreja em que eu estava trabalhando. Veio até mim e sugeriu várias melhorias que ela gostaria de fazer, garantindo-me que tinha "fundos particulares" para fazer isso. Só meses depois fiquei sabendo que os "fundos particulares" que ela tinha eram o seu próprio dinheiro para fazer compras de supermercado, dinheiro que ela usou generosamente na compra de alguns itens adoráveis para a igreja.

Desse modo, ela começou a deixar fluir o dinheiro que tinha, com coragem. Ela continuou a olhar adiante, e cada necessidade sua foi sendo provida. Novos canais de suprimento se abriram para ela e seu marido, das maneiras mais inesperadas, tanto que, pela primeira vez na vida, ela tinha uma empregada doméstica. Além disso, recebeu as bênçãos de um carro novo e de um rendimento mensal.

Quanto à redecoração da igreja, esta cresceu como uma bola de neve, e muitos outros ricos presentes vieram em seguida. E tudo porque uma dona de casa ousou olhar adiante e usar a substância que tinha à mão, de maneira ousada, destemida e rica, ainda que essa substância fosse o dinheiro para fazer suas compras de supermercado.

Até hoje ainda me surpreende perceber a fé que ela tinha na lei do vácuo, e ver os ricos resultados que ela continua a experimentar. Esta dona de casa diz que, desde que ela iniciou o processo criando primeiro um vácuo, nunca houve uma necessidade financeira sua que não tenha sido suprida.

Esforce-se para causar uma boa impressão

Outra maneira de olhar adiante, apesar das aparências financeiras, é apresentar-se da melhor maneira possível. Você deve viver tão ricamente quanto for possível com o que já tem. Lembro-me de certa ocasião em que eu precisava de roupas novas para uma conferência para a qual fora convidada, mas não parecia haver dinheiro à mão para comprar roupas novas. Quando eu orei sobre essa questão, tive a sensação de que eu deveria começar usando as minhas melhores roupas, a fim de me ajudar a me sentir rica. Durante todos os dias, por quase uma semana, eu usei meu melhor vestido. Um dia, uma graça em dinheiro me foi enviada por alguns serviços que eu havia feito no passado. É claro que eu imediatamente comprei as desejadas roupas novas.

Depois que você aprender a liberar, formando um vácuo para a nova prosperidade, é hora de fazer o que puder para produzir uma sensação de riqueza. É hora de criar uma atmosfera rica, uma aparência rica, com a substância que estiver à mão. Não fale a ninguém sobre qualquer limitação, ou mesmo sobre o vácuo. Falar sobre limitação financeira é o que mantém certas pessoas em abrigos para pobres. Nunca pense em si mesmo como pobre ou necessitado. Não fale sobre tempos difíceis ou sobre a necessidade de fazer uma economia radical. Não pense em quão pouco você tem, mas em quanto você *já* tem. Agora é a hora de usar sua melhor porcelana e prataria e de comer à luz de velas, mesmo que o cardápio consista somente de comida enlatada.

À medida que você criar o vácuo e soltar o que não precisa, quando você passar a usar o que tem para suprir suas necessidades imediatas da melhor forma que puder, sem reter nada, e conforme você passe a viver tão ricamente quanto possível diante das aparências, então os resultados ricos começarão a acontecer. Ainda que você não entenda como, novos canais aparecerão para suprir todas as suas necessidades. Você descobrirá outros recursos financeiros a seu redor, soluções das quais não estava ciente antes. Outras pessoas, ainda que não o percebam, também farão coisas a fim de aumentar seus rendimentos.

Sua força, quando você enfrenta uma necessidade de maior prosperidade, está na calma e na confiança. Está em você ousar olhar adiante, abençoar e usar a substância à mão da maneira que lhe parecer melhor. Sempre peça a orientação divina referente às maneiras práticas, e também espirituais, pelas quais você pode criar um vácuo para a nova prosperidade, quando as limitações financeiras assomarem. Não entre em pânico; essa é apenas outra oportunidade para você provar que as leis invisíveis da prosperidade podem produzir resultados visíveis e satisfatórios. Essa é apenas a sua iniciação no poder do pensamento próspero.

Se aprender logo no início de seu desenvolvimento do pensamento próspero a criar um vácuo para o novo bem, você não entrará em pânico diante dos desafios financeiros. Você estará seguro quanto a poder vencê-los. Com o tempo, será muito mais rico, tendo aprendido a usar as leis invisíveis da provisão para satisfazer as suas necessidades visíveis.

Muitas vezes, quando você cria um vácuo usando o que já tem, descobre inclusive que o total que tem à mão já é suficiente. Percebe que muito é desperdiçado ou perdido, e que o valor, que à primeira vista parecia pequeno ou mesmo insuficiente, se torna adequado se você o usa sem medo. Se você continua a usar seus recursos sem medo, confiante de que todas as suas necessidades serão passageiras, verá que tem o suficiente para supri-lo durante o período em que nenhuma substância apareceu ainda![5]

Abra espaço para o seu bem

Todos nós queremos melhores condições financeiras, e devemos tê-las. Aqui está a maneira de consegui-las: nunca fale sobre limitação

[5] Veja o capítulo 4 do livro de Catherine Ponder *O milionário Moisés*.

financeira e comece a pensar em termos da abundância rica e universal que está em toda parte. Depois, aprenda a liberar, a abandonar, a deixar ir e a criar espaço para as coisas pelas quais orou, trabalhou e que deseja tão fortemente. Se você abrir mão e se livrar de antigas atitudes, ideias e bens dos quais não mais precisa, substituindo-os por novos pensamentos de prosperidade e de realização progressiva, suas condições melhorarão, e de modo estável.

Sempre queremos algo melhor do que o que já temos. Essa é a força motriz do progresso. Assim como as crianças crescem e suas roupas não servem mais, você deve superar antigos ideais, alargando seus horizontes de vida à medida que avança. Deve sempre haver a eliminação do que é antigo para acompanhar o crescimento. Quando você se apega ao velho, estorva o seu avanço ou o cessa de todo.

Por que não ousar criar um vácuo agora, convidando à sua vida a prosperidade e o sucesso completos, com os quais você sonha e que lhe são divinamente destinados?

Capítulo 4:
A lei da criatividade

Vamos direto ao assunto da prosperidade: agora que um vácuo foi criado, você está pronto para preenchê-lo com um novo e rico bem, por meio da lei criativa da prosperidade. Na verdade, essa lei se refere a três passos básicos, dos quais falaremos neste capítulo e nos dois seguintes:

(1) Ter um plano, definindo os desejos relativos a esse plano e expandindo-o;

(2) Imaginá-lo como já realizado;

(3) Afirmar constantemente a sua realização perfeita.

Entretanto, como discutiremos neste capítulo, a primeira parte da lei criativa é a mais poderosa, porque sem um bom plano e as definições relativas a ele, os outros dois passos serão sempre ineficientes.

Um forte desejo é um poder para o sucesso

O primeiro passo da lei criativa da prosperidade é o desejo e a capacidade de fazer algo construtivo sobre esse desejo. Recentemente, um negociante me disse que, em seu trabalho, quando um cliente chega desejando muito determinados produtos, ele sempre acha melhor vender o que esse cliente quer de verdade. Disse ainda que, mesmo que soubesse que havia produtos melhores, que serviriam aquele cliente de forma ainda mais satisfatória, ele nunca tentou mudar o desejo do freguês, porque o desejo é algo muito forte. Ele disse que um forte desejo denota fé no produto, o que acaba trazendo satisfação.

Não há nada de fraco ou de morno no desejo verdadeiro. Ele é intenso e poderoso. Se desenvolvido e expressado de forma adequada, um forte desejo sempre carrega consigo um poder para o sucesso. Quanto mais fortes forem seus desejos para o bem, maior é o poder que eles têm para gerar esse bem para você.

No aconselhamento de pessoas com problemas diversos, descobri que o tipo certo de desejo dissolve qualquer coisa que se interponha à sua realização. O desejo verdadeiro é, sem dúvida, o primeiro passo em direção à solução de problemas, na estrada para a prosperidade.

Como você pode liberar desejos profundos para a prosperidade e o sucesso? Focalizando a sua atenção em um grande objetivo por vez. Um objetivo maior sempre inclui vários desejos menores que serão automaticamente realizados em seguida. Psicólogos concordam que nós podemos influenciar pessoas e eventos sustentando grandes desejos. É como se tudo e todos entrassem em sintonia com os nossos objetivos, passando a se esforçar em nos ajudar a alcançá-los.

O surpreendente é que, das milhões de pessoas que pensam em ser bem-sucedidas, poucas têm desejos fortes e estimulantes. Elas se contentam a vagar de braços cruzados, à mercê de pequenos eventos e expectativas. Quando uma pessoa está fazendo acontecer, em geral é alguém que deseja intensamente o que há de melhor e mais importante da vida. Uma das afirmações básicas, que sugiro que todos usem, ajudando a expandir e a intensificar seus desejos construtivos, é: "Eu desejo o melhor e o mais importante da vida, e eu agora atraio o melhor e o mais importante".

Escreva os seus desejos

Seguir a lei criativa da prosperidade significa pegar os seus desejos mais profundos e começar a expressá-los de maneira construtiva, em vez de suprimi-los, tratando-os como sonhos impossíveis. Você deve defini-los, para depois fazer algo muito simples, porém muito poderoso:

ponha-os no papel! Faça uma lista, elabore um plano para o seu desejo. Depois, você pode se sentir à vontade para alterá-lo, reformá-lo ou reorganizá-lo conforme desenvolve suas ideias. Definir seus desejos e formular um plano *por escrito* clarifica os objetivos em sua mente, que só produz resultados definitivos quando recebe ideias também definitivas, com as quais pode trabalhar.

Muitas pessoas trabalham duro para alcançar a prosperidade, mas erram o alvo porque têm medo de serem definitivos internamente, em seus pensamentos e desejos. Essas pessoas querem viver melhor e ter mais dinheiro, mas nunca são precisas em seus desejos: *como* querem viver melhor, de *quanto* mais dinheiro precisam?

Na verdade, muitas pessoas hesitam em ser definitivas, receando que, com isso, estejam dizendo a Deus o que Ele deve fazer. Mas a Dra. Emilie Cady escreveu certa vez: "O desejo nada mais é que Deus batendo à porta de sua mente, tentando dar a você o seu bem maior".[6] Quando você suprime seus desejos mais profundos, estes não podem se realizar de maneira construtiva. Dessa forma, se transformam em canais destrutivos, expressos por meio de tendências neuróticas, de fobias, de tensão, ou até mesmo de repressão, manifestada por meio do alcoolismo, de doenças mentais, do vício em drogas, de desequilíbrios sexuais ou de outras ações negativas.

Pude comprovar o poder que há em escrever os desejos e em elaborar um plano detalhado com a ajuda de um procurador para quem eu trabalhei, há muitos anos. Certo dia, logo após ter sido derrotado em uma eleição para o Congresso, em vez de ficar sentindo pena de si mesmo, ele imediatamente se ocupou de um novo plano. Afirmou seu desejo por um escritório maior, pela expansão da sua pequena firma com dois funcionários para uma empresa com cinco ou seis empregados; afirmou também o aumento de receita anual desejado para sua companhia, ano a ano, pelos cinco anos seguintes.

Naquela época eu não sabia que esse é um dos métodos mais poderosos para se chegar ao sucesso. Parecia tão simples! Para minha surpre-

---

[6] CADY, Emilie. *Lições sobre a Verdade.* Unity Village, MO: Unity Books.

sa, vi aquele plano virar realidade e ser usufruído. A firma de advocacia cresceu aos poucos até acomodar cinco advogados, sendo cada um deles especialista em certos aspectos da prática legal. A empresa se mudou de um escritório de duas salas para uma nova e espaçosa sede, ocupando um andar inteiro de um moderno edifício.

O ditado "Nada faz prosperar como o sucesso" foi manifestado por aquele promotor, depois que ele criou o plano, ousou colocá-lo no papel e começou a se movimentar para concretizá-lo.

A prosperidade é um resultado planejado

A história de um corretor de ações também comprova o poder de formular planos para a prosperidade e o sucesso. Poucos anos atrás, o presidente de uma grande corporação morreu. Na época de sua morte, a empresa estava em dificuldades financeiras. O vice-presidente, que era considerado excelente em assuntos financeiros, assumiu o comando. Imediatamente a empresa começou a prosperar, e hoje suas ações estão entre as melhores do mercado. Seus registros de vendas nos últimos anos ultrapassaram todos os seus concorrentes famosos.

O segredo de tamanha prosperidade? Bem, parece que esse vice-presidente tinha trabalhado *durante anos* em um plano que achava ótimo para o crescimento financeiro de sua empresa. No dia em que se tornou presidente, tirou esse plano da gaveta e começou a executá-lo. Hoje, essa corporação não é mais uma empresa medíocre, com dívidas a estorvar o seu progresso. Pelo contrário, é uma das empresas mais prósperas do país! *Ele provou que a prosperidade é um resultado planejado.*

A prosperidade é o resultado de pensamentos e ações deliberados. Não há nada de "tentativa e erro" quando se fala em uma maneira próspera de se viver. Ser bem-sucedido é algo fruto de planos bem definidos, assim como uma ponte ou um prédio. Sem planejamento deliberado, não há resultados prósperos permanentes e consistentes.

A lei criativa da prosperidade era uma das que meus alunos nos cursos de prosperidade mais prontamente assimilavam. Muitos dos homens e mulheres de negócio que iam aos meus cursos me diziam que essa única ideia já havia sido suficiente para transformar seus esforços, antes ineficientes, em surpreendentes resultados bem-sucedidos. Eles haviam dado duro durante muito tempo, mas não de maneira precisa. Então, descobriram que não havia por que ter receio de pedir o que *realmente* queriam. A Bíblia promete: *Pedi, e dar-se-vos-á; buscai, e encontrareis; batei, e abrir-se-vos-á* (Mt 7:7).

Talvez você possa estar pensando: "Eu não sei exatamente o que quero". Pode ser que seus desejos ainda não estejam definidos. Nesse caso, comece pensando sobre isso, fazendo uma lista das coisas da sua vida que você não deseja mais. Relacione quais coisas você quer que sejam limpas ou erradicadas de sua vida. Afirme para essa lista: "Isso também passará", ou então: "Dissolva-se".

Conheço um homem do ramo de materiais elétricos que sabia disso. Seu sócio havia falecido alguns meses antes, deixando a sua parte na empresa nas mãos de herdeiros não cooperativos, que não queriam nem vender nem comprar. Foi quase em desespero que esse homem começou a usar o pensamento próspero. Seu desejo era comprar a parte do seu finado sócio ou vender a sua. Ele queria resolver o impasse que estava trazendo grandes prejuízos à firma; queria remover a desarmonia, a confusão e a incerteza dessa situação comercial.

Um mês após ele ter escrito suas notas sobre a dissolução da desarmonia e a da incerteza, recebeu notícias do advogado dos herdeiros do seu sócio, dizendo que gostariam de vender a parte deles! E eles assim o fizeram, sem demora.

Uma fórmula de prosperidade

Um grupo de executivos provou, comigo, o poder do pensamento próspero em tempos de crise. Primeiro, puseram no papel o que desejavam realizar nos seis meses seguintes. A cada semana, eles acrescentavam realizações ou mudavam algo em sua lista de resultados desejados, conforme se sentiam impelidos a isso. Em alguns casos, a lista mudava completamente, aumentando em número de desejos ou tendo outros retirados, quando não havia mais interesse.

Depois, os membros da turma trouxeram, todas as semanas, essas listas de desejos para a aula. Nenhum deles via a lista dos outros; cada um mantinha sua lista para si. Nós começávamos a aula tomando as listas nas mãos e afirmando juntos: "Eu sou um rico filho de um Pai amoroso. Tudo o que o Pai possui é meu para compartilhar e vivenciar. A divina inteligência agora está me mostrando como reclamar minha riqueza, minha saúde e minha felicidade, concedidas por Deus. A divina inteligência está neste momento abrindo caminho para bênçãos imediatas. Eu tenho fé e acredito que tudo o que é meu por direito divino está, agora mesmo, vindo para mim, e em rica abundância. Minhas ricas bênçãos não interferem no bem de ninguém, pois a rica substância divina é ilimitada e está em toda parte, disponível. Não há obstáculos! O que não é para o meu mais alto bem se dissolve em mim neste momento, e eu não mais o desejo. Agora, meus desejos, concedidos por Deus, são ricamente satisfeitos, da maneira divina mais maravilhosa".

Os alunos também foram instruídos a passar pelo menos quinze minutos por dia lançando suas bênçãos e orações verbais (das quais falaremos no capítulo 6), trabalhando todos os dias com suas listas de desejos, revisando, alterando e expandindo-as. Eles foram solicitados a tomar atitudes bastante precisas, como relacionar claramente quanto de dinheiro desejavam receber a cada dia, semana ou mês. Também foram instruídos a estabelecer uma data limite bem determinada, indicando quando esperavam que seus desejos fossem realizados. Além disso, não deveriam ficar imaginando, duvidando ou questionando *como* o seu rico bem iria se concretizar; pelo contrário, deveriam apenas se ocupar em colocar as leis criativas da prosperidade em ação, de maneiras simples.

Os resultados atingidos foram fabulosos. Tenho, além disso, recebido cartas de pessoas do mundo inteiro que, após lerem sobre esse método criativo para a prosperidade, o experimentaram, chegando a resultados prósperos semelhantes!

Conforme o grupo ia trabalhando nas listas, revisando e alterando-as, nós afirmávamos as palavras de Goethe: "Tudo o que podemos conceber, podemos alcançar com a ajuda de Deus". E nós nos lembrávamos desta verdade: "Todo obstáculo sai correndo do caminho daquele que sabe para onde está indo; e o mundo inteiro parece estar do lado daquele que tenta se elevar".

Parece haver um poder quase mágico em pensar sobre desejos, expressando-os de forma construtiva, escrevendo-os em uma folha de papel, estabelecendo uma data para a sua realização, e depois orando para que o bem divino seja feito. Parece tudo muito simples para funcionar? As grandes verdades e os segredos mais poderosos geralmente parecem simples. Tão simples, na verdade, que é comum encontrar quem os negligencia, tentando encontrar uma maneira mais difícil para chegar ao mesmo objetivo.

Escreva uma carta a Deus

Uma mulher de negócios invocou o método criativo de prosperidade de um modo um pouco diferente. No primeiro dia do ano, em vez de fazer suas resoluções de Ano Novo, ela escreveu uma carta a Deus em que relacionava todos os seus desejos para o ano que começava. Então, colocou a carta dobrada dentro de sua Bíblia. Perto do fim do ano, essa executiva me mostrou a carta, em que estavam relacionadas muitas coisas, e de forma muito específica. Todos os grandes desejos ali contidos haviam sido concretizados. Ela era viúva, e tinha expressado o desejo de se casar de novo: perto do fim do ano, eu mesma realizei uma cerimônia particular de casamento para ela e seu noivo, que havia conhecido por meio de amigos. Ela também havia declarado na carta seu desejo por uma casa melhor: seu noivo lhe deu essa casa! Outro grande desejo era um trabalho melhor: em meados daquele ano, ela também conseguiu uma posição confortável, satisfatória e com um bom salário.

Mas eu devo alertá-lo: seja honesto consigo mesmo quando escrever os seus desejos. Expresse, como a mulher fez, os seus desejos mais profundos. Não escreva o que outra pessoa quer para você, ou o que você acha que deveria querer. Seja honesto consigo mesmo e com o seu Criador, se quiser resultados felizes.

Conheço outra empreendedora que escreveu uma carta semelhante a Deus no primeiro dia do ano. Porém, em vez de escrever os seus maiores e mais profundos desejos, acabou relacionando alguns de seus desejos menores e mais superficiais, de modo indolente e indiferente. As coisas que corroíam seu coração nem sequer foram mencionadas. E, então, nada aconteceu.

Ela manteve seus desejos mais profundos trancados dentro de si, e por isso não havia um canal aberto pelo qual a substância de Deus poderia derramar o rico bem sobre ela. Um Pai amoroso sempre quer para você algo melhor do que o que tem agora: "o reino dos céus está ao seu alcance". Caso você queira o auxílio de Deus para viver nesse reino, pelo menos pode ser honesto com Ele, e consigo mesmo. De outro modo, você bloqueia qualquer possibilidade de concretização.

Talvez você esteja pensando: "É, mas e se os meus desejos não forem pelo que há de mais elevado? Eu ainda devo ser honesto e relacioná-los em minha lista?". Certamente, porque, sendo honesto, você os estará liberando, ao invés de suprimi-los; conforme você os libera e os enfrenta, um Pai amoroso pode ajudá-lo a retificá-los para o bem.

Tenho visto esse princípio funcionar com sucesso nas vidas daqueles que encontrei em minhas sessões de aconselhamento. Conheci pessoas que até esperavam auxílio espiritual, mas que talvez sentissem que o seu problema era embaraçoso ou chocante demais. Elas, assim, preferiam falar de seus problemas menores; queriam manter trancado dentro delas aquilo que as incomodava.

Em todos os casos, a solução divina só podia surgir quando essas pessoas chegavam ao cerne de seus problemas.

Faça uma lista diária

O método criativo de escrever os desejos se provou tão eficaz para uma amiga, dona de uma escola de modelos, que ela resolveu registrar em gravações as instruções específicas sobre a confecção das listas, sobre como revisá-las diariamente etc. Agora, ela usa a fita como parte do seu curso na escola.

O resultado? Muitas de suas alunas já conseguiram bons empregos no ramo da moda, no rádio e na televisão, tudo depois de confeccionarem, com confiança, listas em que especificavam que trabalho desejavam ter, quanto queriam receber, quantas horas esperavam trabalhar e a que condições de trabalho almejavam.

Outro exemplo simples, mas efetivo, de invocação da lei criativa da prosperidade é começar e terminar o seu dia tomando notas e fazendo listas. Pela manhã eu sempre me sento por alguns minutos, geralmente com uma xícara de café, enquanto penso no meu dia e nas grandes e pequenas coisas que quero conquistar para mim mesma e para os outros. Faço uma lista de todas as conquistas que desejo. Isso só leva alguns minutos, o que é um tempo bem gasto, porque sinto, dessa forma, que estou no controle do meu dia. Muitas vezes escrevo uma nota de agradecimento a Deus no fim da lista, "pela concretização divina e por minhas conquistas". Pode parecer extraordinário, mas muitas coisas são conquistadas por mim sem que eu tenha feito nada além de colocá-las na minha lista e de agradecer pela manifestação divina.

De modo semelhante, à noite, passo mais alguns minutos revisando meu dia e escrevendo notas de agradecimento a Deus pelas bênçãos e pelo bem recebidos. Começo também a pensar no dia seguinte, tomando notas relativas a uma realização perfeita. Isso me garante paz interior e um sono tranquilo. Sempre havia mais bênçãos a relacionar do que eu esperava e, a partir do momento em que descobri que a prática de fazer listas pela manhã e à noite era assim tão satisfatória e iluminadora, passei a sentir como se estivesse perdendo algo quando não observava esse ritual diário. Agora, quando faço as minhas listas, as coisas raramente saem errado no meu dia.

Muitas pessoas usam esse método

Caso a técnica de fazer listas esteja começando a lhe soar trivial, deixe-me garantir uma coisa: essa é uma técnica usada por inúmeras pessoas para chegar ao sucesso. E mais do que a maioria de nós percebe, porque as pessoas bem-sucedidas quase nunca fazem propaganda de seus segredos de sucesso.

Dois engenheiros de sucesso me mostraram pequenos bloquinhos que eles mantinham dentro do bolso interno de seus casacos e que eles sacavam quando as coisas ficavam frenéticas durante o dia de trabalho.

Neles, faziam anotações rápidas sobre o modo como queriam que as coisas funcionassem. Ninguém suspeitava do que eles estavam fazendo, e, assim, em meio às pessoas ao seu redor, eles rapidamente reconquistavam o controle dos vários problemas com que se defrontavam.

Recentemente, uma mãe perguntou ao seu filho, um jovem executivo, sobre um curso que ele estava fazendo na empresa. O rapaz explicou que tinha sido instruído a usar uma nova técnica psicológica especial para solucionar seus problemas no trabalho. O curso o havia ensinado que o método apropriado para solucionar seus problemas era sentar-se, escrever o problema, anotar o que ele considerava ser a melhor solução e depois rasgar o papel em pedaços e relaxar, pois ele tinha conseguido pensar em uma solução possível tanto por escrito quanto mentalmente! Esse executivo ficou bem espantado quando sua mãe lhe disse que já usava esse método havia muitos meses, depois de aprendê-lo em um curso.

Os rendimentos de um médico aumentaram muito em poucas semanas, depois que ele começou a escrever o valor exato que esperava de sua atividade a cada semana. Antes, ele havia tentado pensar em termos de aumentar a sua renda mensal, mas os números lhe pareceram muito altos para poder aceitar em sua mente. Quando trouxe tudo ao nível semanal, pareceu mais fácil que sua mente aceitasse a ideia de um aumento, e assim isso se manifestou de forma bastante rápida.

Eu concordo com o autor dos Provérbios, quando este nos instruiu: *Não te desamparem a benignidade e a fidelidade; ata-as ao teu pescoço; escreve-as na tábua do teu coração. E acharás graça e bom entendimento aos olhos de Deus e do homem* (Pv 3:3-4). Quando você estiver tentando obter o favor e a compreensão aos olhos de Deus e do homem, a técnica de escrever é, de fato, muito poderosa.

Escreva aos anjos

Se você busca a solução a respeito de assuntos financeiros, é bom escrever recados em segredo, destinados a cada uma das pessoas envolvidas nesses assuntos, selando-os e colocando-os em sua Bíblia. Os místicos costumam ensinar que todos têm um "anjo" ou um ser superior que os guarda e que, quando não é possível alcançar esse anjo de maneiras diretas, podemos escrever em segredo para eles. De fato, os místicos vão ainda mais longe: descrevem sete tipos de pessoas com quem é mais fácil e eficaz lidar escrevendo para seus anjos do que tentando argumentar diretamente com elas.[7]

Talvez você esteja pensando: "Tenho certeza de que é um misticismo excelente, mas quão prático é o método de escrever cartas aos anjos?". Bem, você deve concordar que, se está tendo dificuldades com alguém, é porque não foi capaz de alcançar essa pessoa da maneira habitual. Então, o que terá a perder tentando alcançá-la em segredo, por meio do ser superior por ela responsável, ou de seu "anjo"?

Um executivo estava tendo problemas em fechar um negócio, pendente havia muito tempo. Todos os envolvidos estavam cooperativos e queriam concluir o assunto, com exceção de um deles, que ficava mudando de ideia e parecia muito incerto sobre tudo. Esse único homem mantinha todas as coisas suspensas. Desesperado, o executivo decidiu tentar o método de escrever aos anjos. Aparentemente, o homem que estava causando o problema era tímido, apreensivo, sempre temeroso de alguma coisa. O executivo escreveu, em segredo, o oposto: "Ao anjo de (digamos) John Brown: eu o abençoo e agradeço por estar trazendo uma solução perfeita a essa questão comercial, para a satisfação e bênção de todos os envolvidos". Escreveu essa declaração quinze vezes, porque tinha aprendido que os antigos acreditavam que o número quinze dissolve e dissipa situações difíceis.

Em poucas semanas, o executivo fez um interurbano para me contar que a pessoa que estava causando o problema tinha ido ao seu escritório e dito: "Venha ao meu escritório amanhã de manhã, e os papéis estarão prontos para serem assinados. Esta situação já foi muito protelada, e estou ansioso para concluí-la". A transação foi então encerrada.

---

[7] Veja os capítulos 5 e 6 do livro *O poder próspero do amor*, Ed. Novo Século.

Escrever notas pagou as contas

Outra técnica de escrever notas é também útil para ajudar as contas a serem pagas. Quando suas contas começarem a chegar pelo correio, em vez de se ressentir delas silenciosamente, você deve escrever nos envelopes: "Eu agradeço pelo seu pagamento total. Você é imediata e completamente paga, por meio das ricas avenidas da substância divina". Quando as contas já estiverem acumulando, também é bom fazer uma lista das que já venceram e do total devido e, acima ou abaixo de cada uma, escrever a mesma declaração relativa ao seu pagamento imediato.

Um homem de negócios certa vez trouxe uma pasta cheia de contas e me disse: "Como eu poderia usar o poder do pensamento próspero para conseguir pagar todas essas contas? Algumas delas estão vencidas há vários meses". Nós então nos sentamos por uma hora ou mais, fazendo uma lista dos valores devidos e para quem. Listamos primeiro as que estavam vencidas há mais tempo e as mais urgentes. Então, escrevemos no papel a declaração acima, relativa ao seu pagamento imediato. Como parecia impossível pagar todas as contas naquele momento, também fizemos uma segunda lista, mostrando aquelas que deveriam ser pagas de qualquer maneira na semana seguinte, junto com a declaração: "Agradeço por serem imediata e completamente pagas até xx/xx/xxxx", colocando a data de sete dias depois.

Uma vez por semana esse executivo vinha com a sua pasta de contas, e nós as vimos sendo pagas, passo a passo. Levou cerca de dois meses para que todos os seus assuntos financeiros se resolvessem. Quando isso finalmente aconteceu, concordamos que ele usaria a mesma técnica no primeiro dia de cada mês, para sempre pagar as contas em dia. Esse método pareceu ajudá-lo a ter controle mental de seus assuntos financeiros. Quando ele conseguiu o domínio de seus pensamentos, foi capaz de cumprir suas obrigações financeiras no prazo.

Ai daquele que escreve sobre seus problemas

Foi Isaías quem nos aconselhou: *Ai dos que decretam leis injustas, e dos escrivães que prescrevem opressão* (Is 10:1). Isso com certeza se aplica às questões financeiras do indivíduo.

Um homem que eu conheço estava tendo dificuldades financeiras. No começo, elas não eram tão prementes: com uma pequena mudança de atitude, sem dúvida poderiam ter sido resolvidas. Mas, sem perceber isso, em seu preocupado estado mental, esse homem começou a escrever sobre seus problemas, em detalhes, a seus amigos. Conforme amplificava a dificuldade em sua mente e nas mentes de outras pessoas, ele multiplicava seus problemas. Depois que começou a aplicar o pensamento próspero à situação, levou vários meses para limpar a situação. Descobriu que era preciso parar de falar dos seus problemas para os outros e parar de pôr no papel tudo que era negativo. Quando ele começou a reverter o processo, escrevendo secretamente como queria que seus negócios seguissem dali em diante, suas dificuldades começaram a diminuir pela primeira vez em meses.

De modo semelhante, é bom escrever todos os dias sobre como você quer que as coisas sejam, em contraste com como elas se apresentam no momento. Isso não só ajuda sua mente a aceitar a melhora que você deseja, mas também é por meio da escrita que o seu desejo vai ao éter e é sintonizado por todos os envolvidos, que, então, começam a cooperar e a ajudá-lo. Repito: pode parecer um método místico, mas, se esse método produz resultados práticos e úteis para você, por que não ousar ser um místico moderno?

Assuma o controle de seu passado e de seu futuro

Também é bom ganhar controle sobre o passado ou futuro, escrevendo afirmações sobre eles. Descobri em minha atividade de aconselhamento que muitas pessoas ainda vivem no passado, arrependendo-se de erros. O olhar para o passado impede que essas pessoas sigam adiante e que façam progresso no presente e no futuro. Percebi, também, que muitas pessoas excelentes têm medo do futuro.

Em qualquer caso, você deve escrever como desejaria que as coisas tivessem sido, referente a algum erro passado, ou como deseja que sua vida seja agora e no futuro. Quando escreve afirmações sobre como queria que os eventos desagradáveis do passado tivessem acontecido, isso parece remover a "agulhada" que a lembrança desses eventos pode trazer.

Conheço vários exemplos em que pessoas envolvidas em experiências infelizes no passado escreveram, telefonaram ou apareceram para dizer que o incidente não importava mais, e que tudo estava perdoado. Em alguns casos, bons relacionamentos foram felizmente restabelecidos entre aqueles que haviam vivenciado amargos problemas e mal-entendidos.

De modo similar, se há algum evento no futuro que parece ameaçá-lo, assuma o controle sobre ele em seu pensamento, fazendo listas sobre como você quer que ele aconteça. Escreva os nomes de todos os envolvidos e escreva afirmações definitivas de harmonia, de compreensão e de resultados perfeitos que você deseja ver realizados. Como o fator tempo não existe no reino mental, sua mente pode se projetar ao futuro e retificar os resultados ainda por vir, para que, assim, tudo corra com facilidade, rapidez e sucesso. A mente é um servo maravilhoso, quando o homem percebe isso e treina sua mente para trabalhar por ele.

Um dos mais bem-sucedidos jovens executivos que eu conheci me contou que, quando adolescente, escreveu um plano detalhado de doze anos para o seu progresso pessoal. Esse plano foi manifestado por ele. Embora ainda não tenha sequer trinta anos, é considerado rico, e prevê-se que se tornará milionário em poucos anos.

Esse método é extremamente poderoso!

A lei criativa da prosperidade pode ser extremamente poderosa para produzir o sucesso e a felicidade, tanto para o seu passado, seu presente e até mesmo seu futuro. Existem certos desejos que todos queremos ver manifestados de forma visível, florescendo em excelentes resultados.

Então, por que não se juntar a incontáveis outras pessoas, produzindo o bem maior em sua vida por meio dos métodos que criam prosperidade? Comece agora mesmo se perguntando, em primeiro lugar, o que você mais deseja em sua vida. Faça isso honestamente, e seja específico, definitivo e sincero consigo mesmo. Em seguida escreva seus desejos principais. Em seguida, afirme em segredo a realização divina dos seus desejos, sem contar a ninguém o que está fazendo. Afirme: "Eu agradeço pela imediata e total realização desses desejos. Tudo isso, ou algo ainda melhor, acontecerá em um tempo divino, de acordo com o rico bem de Deus para mim". Depois, mude e revise suas listas, conforme se sentir inspirado.

Passe pelo menos quinze minutos por dia com sua lista. Ouse persistir nesse procedimento simples e depois se prepare para uma vitória esmagadora, repleta de resultados felizes. Mais coisas do que você sequer imagina chegarão à sua vida, porque o universo amistoso de Deus deseja que você prospere e seja abençoado.

Eu gostaria de relembrá-lo da promessa de Goethe: "O que você pode, ou sonha que pode, comece; a ousadia tem dentro de si o gênio, o poder e a magia". Por que não comprovar isso agora? Como um pensador próspero costumava me dizer: "Eu descobri que os resultados começaram a surgir para mim só depois que eu me movimentei na direção deles".

Os métodos criativos que apresentei aqui são maneiras simples, mas comprovadas, de ajudar você a "se movimentar" na direção do seu bem. Depois que você começar esse movimento para o bem, não se surpreenda se ele correr em sua direção: você poderá encontrá-lo antes mesmo da metade do caminho!

Capítulo 5:
A lei da imaginação

Uma vez que você tenha feito as suas listas e trabalhado nelas todos os dias, alterando seus desejos e objetivos, expandindo-os e fazendo revisões, há outro passo que agora você está pronto para dar. Nesta altura, o poder imaginativo da mente, quase mágico, deve ser invocado para trabalhar por você.

Em nossa época, os estudiosos da mente dizem que o homem pode criar qualquer coisa que possa imaginar; dizem que a imagem mental realmente *cria* as condições e experiências da vida e dos assuntos humanos, e que a única limitação da mente humana está no uso negativo da imaginação. Em outras palavras: se há alguma necessidade ou limitação em sua vida, isso é porque você a imaginou inicialmente. Você cria as suas limitações em sua mente, e é na sua mente que deve começar a dissolvê-las, reorganizando sua vida na direção de algo que deseja ter.

O médico francês Emile Coulé foi o primeiro a declarar que a imaginação é muito mais poderosa que a força de vontade e que, quando a imaginação e a vontade estão em conflito, a imaginação sempre vence.

Temos visto isso ser provado na hipnose. Geralmente, quando uma imagem é sugerida, a vontade não quer aceitá-la. Mas quando a imagem mental é suficientemente repetida, a imaginação não tem outra escolha senão aceitá-la e fazê-la acontecer, sem importar quão improvável essa imagem pareça à racionalidade da força de vontade.

Quando estudamos as várias leis do pensamento próspero, não estamos sendo hipnotizados, no entanto. Em vez disso, estamos sendo "des-hipnotizados" das crenças ignorantes, supersticiosas e limitadas de séculos de pensamento "pobre".

Se você está esperando o bem maior em sua vida, deve começar já a formar a imagem mental dele. O seu raciocínio pode lhe dizer que isso nunca acontecerá, mas isso pouco importa. Sua vontade pode lhe dizer que seu sonho é grande demais para ser verdade, que é impossível de acontecer. Porém, se, de qualquer maneira, você ousar continuar imaginando o seu sonho, sua imaginação trabalhará por você, produzindo, então, o resultado visível e material daquilo que você imaginou. No devido tempo, sua vontade também trabalhará para você. Qualquer coisa será construída, produzida e trazida para você, desde que sua mente seja ensinada a desejar da maneira certa.

A História comprova o poder da imaginação

A História já comprovou isso muitas vezes. Talvez você se lembre dos fatos relacionados à Guerra do Peloponeso, na Grécia Antiga. Tal guerra foi bastante importante, durando 27 anos. Você provavelmente se recordará de por que, segundo dizem, ela durou tanto. Os historiadores indicam que os dois lados não tinham nem propósito nem estratégia; eles não tinham um plano particular para a vitória, então apenas foram sendo levados pelas circunstâncias, nem perdendo, nem ganhando a guerra, apenas lutando.

Eis que, finalmente, entrou em cena um espartano hábil e de visão. Era um homem que sabia como imaginar a vitória e o sucesso, agindo e liderando seus companheiros rumo à vitória. Segundo historiadores, em apenas uma hora ele levou a guerra ao fim. E como ele fez isso? Foi por meio de batalhas e do derramamento de sangue? Certamente que não. Ele levou o inimigo a acreditar que eles tinham navios e homens emboscados no Estreito de Dardanelos. Lá, esperou por quatro dias, até que seu inimigo achasse e tivesse certeza de que seu silêncio significava fraqueza e incapacidade para lutar. No quinto dia, quando os inimigos mandaram a maioria da tripulação à costa para pegar comida, o almirante Lisandro apareceu subitamente, lançou os barcos ao mar e capturou quase toda a frota de 180 navios, sem disparar um único tiro.

Nós somos como os antigos gregos: não temos um plano para a vitória, apenas tocando a vida para frente, sem perder, mas também sem ganhar. Simplesmente lutamos. Em 500 a.C., o grande estrategista Sun Tzu escreveu: "Em toda batalha, o método direto pode ser usado para iniciar a luta, mas os métodos indiretos serão sempre necessários para garantir a vitória".

Quando usa o enorme poder mental da imaginação para idealizar o seu bem, você está usando o método indireto, assegurando sua vitória sobre os problemas da vida. Em lugar de lutar contra a pobreza, o fracasso e a limitação financeira, o que apenas multiplica os problemas, comece a usar o método indireto: imagine silenciosa, deliberada e persistentemente o seu bem.

O sucesso é criado primeiro na mente

No Gênesis, temos com José uma boa prova do poder da imaginação para o sucesso e a prosperidade. Aprendemos com ele o que devemos e o que não devemos fazer com a nossa imaginação.

Aos 17 anos, José acreditou ter poder sobre as situações com as quais sonhava. Em um de seus sonhos, os feixes de trigo dos seus irmãos se curvavam sob o feixe de José. Em outro sonho, o sol, a lua e as estrelas honravam José. Esses sonhos eram símbolos do domínio que José teria mais tarde, quando seria o primeiro-ministro do Egito.

José sonhou com o poder, e você também deve fazer isso. Ele sonhou com o poder absoluto quando parecia não ter poder algum, e você também deve fazer isso. O sucesso é criado primeiro na mente. Porém, José cometeu o erro de contar seus sonhos aos seus ciumentos irmãos, que se ressentiram de suas pretensões e o venderam a alguns mercadores ismaelitas que estavam a caminho do Egito, por meras vinte peças de prata. Você não deve contar a ninguém os seus sonhos e as imagens mentais que faz de um bem maior; as outras pessoas só tentarão derrubá-los com as suas dúvidas e descrenças.

Depois que José foi vendido como escravo no Egito, ele aparentemente continuou a imaginar coisas melhores do que as que ele estava vivendo. Ele provou que conceber uma imagem de sucesso é sinal de vitória; provou também que a vítima pode se tornar um vencedor! Quando chegou ao Egito, José teve de lidar com muitas experiências injustas, até que a maré virasse a seu favor. Só depois de anos na prisão e de muitas adversidades José se tornou primeiro-ministro do Egito, o segundo em comando do mais poderoso império daquela era.[8]

Persista na sua visualização do sucesso

Por vezes, o poder mental da imaginação pode produzir resultados imediatos em sua vida. Contudo, mesmo se demorar mais tempo (assim como aconteceu com José), pode acreditar que os resultados serão ainda maiores quando chegarem, desde que você não desanime nem desista. Quanto mais tempo levar para que os resultados de suas imagens mentais apareçam, maiores eles serão, se você se mantiver firme.

A verdade sobre isso foi trazida à minha atenção por um executivo. Certa vez, esse homem me revelou como a lei da imaginação foi capaz de levá-lo de um trabalho de motorista de caminhão a uma rica aposentadoria em dez anos!

Em 1940 esse homem era motorista de caminhão. Ele vivia em uma casa alugada com sua esposa e filhos; eles não tinham nem mesmo um carro. Ganhava 25 dólares por semana e, com isso, a família mal conseguia pagar as suas contas. Então, ele tomou conhecimento do poder mental da imaginação e resolveu descobrir se este era tão forte como diziam.

Ele começou a conceber mentalmente o padrão de vida que desejava para si mesmo e para a sua família. Decidiu que queria ter seu próprio negócio, uma casa confortável e espaçosa e pelo menos dois carros. Decidiu desejar que sua esposa se sentisse livre para comprar qualquer coisa que quisesse, sem ter de catar moedinhas do dinheiro do mercado

---

[8] Veja o capítulo 7 do livro *Os milionários do Gênesis*.

ou de fazer dívidas nos bancos da cidade inteira. Ele imaginou de todos os modos possíveis um alto padrão de vida e um alto rendimento para si mesmo e para a sua família. Em um ano ele já era gerente de vendas da empresa, e não mais motorista!

Porém, ele ainda não possuía a casa, o carro, o negócio próprio nem independência financeira. Quando chegou o Natal daquele ano, ele disse à família: "Acho que no ano que vem, nessa mesma época, nós teremos nossa casa e nosso carro na garagem". Contudo, no Natal do ano seguinte eles ainda viviam em uma casa alugada e não tinham um carro. Os filhos o lembraram da previsão do ano anterior, e ele respondeu: "Não percam a esperança. Talvez eu tenha feito a previsão cedo demais, mas nós *teremos* essas bênçãos, e logo".

No Natal seguinte, a família já tinha se mudado para uma casa nova e não havia apenas um, mas *dois* carros na garagem. Esse homem declarou que, depois que passou a imaginar o padrão próspero que desejava, enquanto ainda era um motorista de caminhão e ganhava 25 dólares por semana, foram necessários dois anos para convencer sua própria mente de que aquilo era possível, aceitando essas ricas imagens mentais. Disse também que, depois que sua mente ficou completamente convencida de que ele podia ser próspero, foi como quebrar uma casca; o sucesso começou a chegar tão rápido que ele mal conseguia acompanhar. Foi então que a casa e os dois carros apareceram. O homem também disse que ele levou seis anos para atingir o seu objetivo. Porém, seis anos depois de começar a imaginar a prosperidade em grande escala, ele o tinha conseguido no ramo de seguros. Em dez anos, ele já havia ganhado tanto dinheiro que se aposentou!

Concluiu, assim, a sua história sobre o poder mental da imaginação dizendo:

> Em dez anos passei de motorista sem um tostão furado a uma fortuna feita com seguros. Mas essa foi só a minha primeira fortuna. Agora eu me cansei da aposentadoria, e tenho planos de fazer minha segunda fortuna no próximo período de dez anos, usando o mesmo método: imaginando!

O poder do plano mestre

Charles Fillmore certa vez descreveu o fantástico poder da imaginação quando escreveu: "A imaginação dá ao homem a capacidade de se projetar no tempo e no espaço, elevando-se sobre todas as limitações".

Um dos filhos do Sr. Fillmore, que era arquiteto e dirigente da Escola Unida da Cristandade, provou que isso podia ser feito. Em 1926, Rickert Fillmore fez um plano mestre para o crescimento da *Unity Village*. Nesse plano, projetou todos os prédios, ruas, fontes e até os arbustos que iriam embelezar a *Unity School*. Em 1929, dois dos edifícios, o *Unity Tower* e o *Silent Unity*, ficaram prontos. Por causa das condições econômicas no período de depressão americano, nenhum outro edifício foi terminado, pelo menos não pelos onze anos seguintes. Ainda assim, Rickert Fillmore persistiu em sua visão, prosseguindo e trabalhando com paisagismo, até mesmo cobrindo com arbustos o local dos futuros prédios.

Lembro-me de ouvi-lo contar na Conferência de Ministros como ele se sentava em seu escritório, localizado na *Unity Tower*, durante todos esses anos em que nada foi construído, e como olhava os terrenos vazios da *Unity*. Ele os imaginava como se todos os prédios já estivessem lá, visualizando cada um deles em detalhes. Depois de anos de sua imaginação fiel, a partir de 1940 vários outros belos edifícios foram construídos. A beleza da *Unity Village* é hoje apreciada por visitantes do mundo inteiro, que podem ver ali o que o poder mental da imaginação é capaz de realizar.

Os seus resultados de uma Roda da Fortuna

Na verdade, não há nada que a imaginação não possa conseguir. Mas talvez você esteja se questionando: "Eu não sou um perito no poder mental da imaginação para conseguir os resultados que você descreveu. Não há um método simples com o qual eu possa começar a treinar a minha imaginação para produzir resultados assim?".

Sim, há!

Um engenheiro da minha primeira turma de prosperidade inventou um método prático para treinar a imaginação a fim de gerar ricos resultados. Ele criou uma "Roda da Fortuna", ajudando a projetar sua mente pelo tempo e pelo espaço para usá-la como uma plataforma de onde é possível se elevar acima das limitações e alcançar grandes resultados. Depois que esse engenheiro começou a usar o poder mental da imaginação com a sua Roda da Fortuna, ele conseguiu um contrato multimilionário de construção.

Essa Roda da Fortuna que ele criou tem fascinado muitas pessoas. Por exemplo, alguns dos meus amigos ministros me disseram que usaram a Roda e, mesmo tendo-a usado por um curto período, conseguiram realizar um sonho, viajando para a Europa.

Outra amiga ministra me disse que, depois de fazer uma Roda da Fortuna para suas férias, ela conseguiu levar sua mãe doente para a Flórida, em pleno inverno, para que ela pudesse receber os quentes raios solares que os médicos lhe haviam recomendado. Vários acontecimentos conspiraram para isso: um amigo ofereceu sua casa na praia da Flórida durante o inverno; elas, mãe e filha, ficaram amigas dos vizinhos, que as convidaram para alegres eventos sociais durante a sua estadia. Outro rico resultado foi que, mais tarde, elas receberam um lindo casaco de pele de um desses novos amigos, pouco antes de voltarem para casa, onde fazia muito frio.

Como fazer uma Roda da Fortuna

Na verdade, a ideia da Roda da Fortuna é um método muito simples de colocar a imaginação para trabalhar a seu favor. O engenheiro explicou sua Roda da Fortuna desta maneira: em uma grande folha de papel ele desenhou um círculo que englobava a maior parte do espaço da folha. No centro desse círculo, colocou alguma imagem religiosa ou cena que denotasse o Poder Maior (uma imagem da Bíblia, de Cristo, do Pai Nosso, ou qualquer outro símbolo religioso que tenha grande significado para você). Embaixo do círculo central ele escreveu em letra de forma as seguintes palavras: "A divina inteligência está no comando da minha vida. Agora eu estou aberto, receptivo e obediente à sua rica instrução e orientação". Isso era a parte mais importante da sua Roda da Fortuna. Essa ideia era a sua "plataforma de lançamento".

A partir do centro do círculo, ele desenhou quatro linhas, indo até a borda da circunferência, dividindo-a assim em quadrantes. Então, ele deu um título a cada uma das quatro partes: (a) *negócios,* (b) *família,* (c) *social e diversão,* e (d) *espiritual.* Em cada uma dessas áreas, colocou imagens dos resultados que desejava conseguir, em todos os aspectos da sua vida.

Por exemplo, na parte dos *negócios*, colocou imagens relativas ao "cargo perfeito no ramo da engenharia" que ele queria conseguir como resultado de uma transferência de emprego que estava pendente. Abaixo dessa imagem, colocou estas palavras: "Agora eu sou ativado e guiado pelo poder divino ao meu emprego perfeito, que eu realizo com perfeição e pelo qual recebo o pagamento perfeito. Agora o plano divino da minha vida toma forma em experiências concretas definitivas, conduzindo à perfeita saúde, felicidade, sucesso e prosperidade".

Na área da *família* da sua Roda da Fortuna, colocou uma imagem de sua casa atual e, embaixo dela, escreveu estas palavras: "A divina inteligência direciona o comprador certo para esta propriedade. Todos os envolvidos são abençoados por uma troca justa e tranquila de valores", pois seria necessário vender a casa por causa da transferência do emprego. Ele também colocou a imagem de uma nova casa, acrescentando as seguintes palavras: "A divina inteligência conhece a nossa necessidade, sabe onde está a casa certa e como manifestá-la para nós no tempo certo". Para ajudar sua esposa durante o período de transição e adaptação que resultaria da sua transferência de emprego, o engenheiro também colocou em sua Roda da Fortuna uma imagem dela, com as palavras: "Agora minha esposa está motivada pela inteligência e pelo amor divinos. Ela também é guiada pelo poder divino, que agora se manifesta em cada experiência sua como perfeita saúde, felicidade, abundância e sucesso". Para sua própria habilidade de seguir adiante com fé nas suas novas experiências, ele colocou em sua Roda da Fortuna a imagem de uma porta e, embaixo dela, escreveu: "Quando uma porta se fecha, outra maior e melhor se abre".

Na parte intitulada *social* e *diversão* da sua Roda da Fortuna, colocou a imagem de uma praia com um oceano ao fundo, sobre a qual pôs as seguintes palavras: "Nós damos graças pelas férias divinamente planejadas, em condições divinamente planejadas, com provisão divinamente planejada e manifestada". Para sua prosperidade em geral, acrescentou: "Agora eu sou guiado pela inteligência divina. Assim, a ordem divina é estabelecida e mantida em todos os meus assuntos financeiros".

Na última parte de sua Roda da Fortuna, a *espiritual,* ele colocou a imagem de uma igreja, escrevendo: "Sou grato porque a fé habita em meu coração e porque sou divinamente guiado para a igreja certa na minha vizinhança".

Então, ele colocou sua Roda da Fortuna, com todas as imagens e palavras, em um lugar onde podia olhar para ela todos os dias, com privacidade. Essas palavras e imagens simples ajudaram o poder mental da sua imaginação a trabalhar por ele. Em poucas semanas, foi informado de que sua transferência seria a maior promoção que já recebera! Pela primeira vez em sua carreira de engenheiro, ele gozaria de total liberdade de ação, respondendo somente ao vice-presidente da empresa.

Ele continuou a olhar para a sua Roda da Fortuna, tão confiante que sua casa atual seria vendida a tempo que ele e a esposa seguiram rumo ao novo emprego em um estado distante. Lá, encontraram um novo lugar para viver. Marcaram, então, uma data para voltar e ajeitar a mudança de sua mobília, uma data em que eles esperavam, com confiança, que sua antiga casa já tivesse sido vendida. Eles tinham tanta certeza de que isso aconteceria que até fizeram reservas do voo de volta, para poderem estar presentes na venda de sua casa.

Depois de marcar as datas e fazerem seus planos, tudo que eles esperavam começou a funcionar, e dentro do prazo. A casa foi vendida a tempo, os móveis foram levados para o novo lar na data planejada. Depois de estarem estabelecidos, tiraram férias em uma linda região tropical, onde havia praias arenosas ao longo do oceano, assim como fora indicado na Roda da Fortuna.

Em seguida, foram guiados à igreja perfeita para eles em seu novo bairro, como imaginado na sua Roda da Fortuna. Esse engenheiro provou, ao trabalhar com o poder da imaginação, o que ele já sabia ser verdade em sua profissão: os resultados têm de ser planejados e depois visualizados, antes que possam se tornar realidade.

Napoleão usava a lei da imaginação

Antes que você possa menosprezar esse exemplo, o de um homem fazendo sua imaginação trabalhar por ele, deixe-me garantir que uma das figuras mais poderosas da História usou a ideia da Roda da Fortuna para ganhar muitas batalhas e conquistar fama mundial. Napoleão mantinha um mapa enorme à sua frente, com bandeiras coloridas, indicando os vários movimentos que seus exércitos iriam fazer, meses antes que eles ocorressem. Ele chegou também a usar a técnica de tomar notas sobre seus planos, colocando suas ideias e desejos no papel, a fim de deixá-los mais claros e de permitir que já começassem a agir no plano mental. Certa vez, segundo historiadores, Napoleão ditou detalhadamente a ordem e o tamanho das marchas, os locais onde os exércitos iam se encontrar, o ataque, o movimento do inimigo e até os erros que ele esperava que os adversários cometessem... Dois meses antes de tudo isso acontecer, e a uma distância de mil quilômetros! Mas Napoleão encontrou o seu *Waterloo*, porque usou de modo destrutivo essas técnicas, tão poderosas para o bem, quando usadas de maneira positiva.

Isso virará a maré a seu favor

Portanto, se você quiser muito algo que parece fora de alcance, faça uma Roda da Fortuna! Esse é um método bastante poderoso, porque pode virar a corrente de seus pensamentos e expectativas de "eu não posso ter" para "eu posso ter"; do desespero para a esperança; do desânimo para a coragem; do fracasso para o sucesso. Se você não quer fazer uma Roda da Fortuna para todas as áreas da sua vida, faça-a pelo menos para o seu principal desejo, para a maior coisa que você gostaria de viver na sua vida, algo que até então lhe tenha escapado. Uma amiga minha faz o que ela chama de "Rodinhas da Fortuna", para o período de um mês. Nelas, coloca imagens e frases relativas ao que ela precisa para aquele curto período de tempo. Ela diz que, ao esperar resultados imediatos, sua mente parece ir atrás e trabalhar muito mais rápido para produzi-los; ao passo que, se ela faz Rodas da Fortuna para períodos mais longos, de algum modo sua imaginação não fica estimulada a fazer algo a respeito.

Faça um caderno com os seus desejos

Se você não tiver tempo para fazer uma grande Roda da Fortuna para ajudá-lo a mudar suas imagens mentais, talvez você prefira fazer como uma professora primária que eu conheço. Ela fez um caderno, semelhante ao que carregava consigo o tempo todo em seu trabalho. Esse caderno, porém, continha imagens, recortadas de páginas de revista, do bem que ela desejava, junto a frases atraentes, que ela também reuniu e colou sobre elas. Quando tinha um tempinho livre em seu dia, ela passava os olhos em seu caderno de desejos, o que mantinha sua imaginação inspirada, na expectativa e trabalhando pelo bem maior. Ninguém perto dela sabia o que ela estava fazendo, e, desse modo simples, ela conseguia evitar ficar deprimida, desanimada ou em dúvida.

Imagine detalhadamente

Uma dona de casa habituada a usar o poder mental da imaginação com resultados espantosos costumava me dizer que teve de trabalhar um longo tempo para fazer sua mente imaginar *detalhadamente* o resultado desejado. Ela disse que, quando conseguia imaginar o resultado completo e detalhado, ela podia então descartar o assunto em sua mente, sabendo que ele logo se manifestaria. Essa mulher descobriu que valia a pena o tempo e o esforço de imaginar todos os dias tantos desejos. Com o tempo, sua imaginação se tornou capaz de criar a imagem completa, e em detalhes. Na verdade, ela disse que, em geral, não precisava tomar nenhuma ou quase nenhuma atitude física para gerar o resultado. Imaginando, ela já havia feito quase tudo o que era necessário para conquistar seus desejos, sendo, então, o resultado facilmente atingido.

Estou convencida cada vez mais de que a lei da imaginação é uma das mais fascinantes e poderosas. Quanto mais você a desenvolve, mais parece que o mundo inteiro se junta a você de maneira amistosa para, alegremente, assegurar que seus desejos sejam realizados.

Você está imaginando o tempo todo

Certa ocasião, uma mulher um tanto quanto "cheia de si", muito indignada depois de uma palestra que eu dei sobre a imaginação, disse: "Eu não acredito em fazer imagens mentais; isso não é nada mais que a força da mente". Tentei explicar que ela estava criando imagens mentais constantemente, quer estivesse ciente disso ou não, porque a mente pensa através dessas imagens. É a ação natural do pensamento. Mas essa mulher indignada apenas saiu. Mais tarde, comecei a receber relatos das dificuldades financeiras pelas quais ela estava passando. Finalmente, quando ela falou com um conselheiro da igreja sobre suas adversidades, ele lhe disse: "Você continuará a ter problemas financeiros até que mude suas imagens mentais. Você está pensando, falando e imaginando a limitação financeira, e colhendo os frutos dessa atitude. Mude as suas imagens e pense, fale e imagine a abundância. Assim, você a terá". Dessa vez, a mulher estava desesperada e, assim, começou a imaginar resultados prósperos. Em pouco tempo, ela começou a experimentá-los. No devido tempo, sua atitude mudou completamente, e ela se tornou uma pessoa bela, harmoniosa e próspera, a quem todos amavam, ao passo que antes ela era evitada por todos, de todas as maneiras, por causa da constante recitação da ladainha de suas angústias financeiras.

Eu concordo com essa senhora em um ponto: nós podemos usar a lei da imaginação como uma força mental, tentando forçar para nós um bem que pertence a outra pessoa. Se imaginamos como nosso algo que pertence a outros, estamos arrumando problemas para nós mesmos. Nunca precisamos imaginar o bem de outra pessoa sendo tomado dela e vindo para nós. O que pertence ao outro não é nosso por direito divino. Se assim fosse, esse bem nos teria sido dado, em primeiro lugar. E como esse objeto de desejo não é nosso por direito divino, não nos fará nenhum bem se o tivermos.

Como imaginar altruisticamente

Você não precisa cobiçar as bênçãos de outra pessoa, porque tais bênçãos não o iriam satisfazer, mesmo que você as tivesse. O que pertence aos outros nunca se encaixa em nossas necessidades.

Em vez disso, quando você vir algo que outra pessoa tem e que você deseja, não deve cobiçá-lo mentalmente nem imaginá-lo vindo à força para você. Você precisa perceber que o bem que aquela pessoa tem, este que exerce fascínio sobre você, é apenas uma indicação de que um bem semelhante está a caminho para você: você *também* pode ter aquilo.

Para ajudar isso a acontecer, declare a si mesmo: "Eu também estou em contato com a fonte dessa prosperidade, e seu equivalente divino está vindo agora para mim. Eu o aceito, com gratidão. Bênçãos semelhantes, indicadas por Deus, aparecem agora em meu caminho. Elas são satisfatórias e apropriadas, e, por isso, eu agradeço".

Em verdade, não há perigo em usar o poder mental da imaginação, quando você o faz de forma altruísta. Só quando você o usa com egoísmo, tentando obter algo que quer à força, é que pode acabar se dando mal.

De modo semelhante, você nunca deve imaginar para outra pessoa o que não quer para si mesmo, pois a imagem mental que você envia sempre voltará para você. Em vez disso, você deve sempre imaginar a saúde, a felicidade e a riqueza para os outros, assim como o faz para si.

Imaginando o sucesso em problemas familiares

Uma mãe atormentada, cujo filho estava tendo um comportamento especialmente perturbador, começou a sentar-se todos os dias, imaginando-o como ela queria que ele fosse. Ela pensava nele em pé, cercado por luz e amor, calmo, pacato, confiante, harmonioso e feliz. Essa mãe parou de *tentar obrigar* seu filho a ser do jeito que ela queria, fosse por meio de palavras ou atitudes. Aos poucos, ele começou a expressar as qualidades imaginadas por sua mãe, tornando-se calmo, pacato, confiante e harmonioso como ela desejava. A mudança foi tamanha que, em poucos meses, ele mal parecia a mesma criança.

Observei, conversando com várias mulheres cujos maridos tinham cometido erros, interessando-se por "uma outra mulher", que isso quase sempre havia acontecido depois que a esposa começara, de fato, a imaginar que seu marido estava "interessado em outras mulheres". Uma dessas mulheres, cujo marido já havia cometido esse erro no início do casamento, veio até mim com muita pena de si mesma: ela já estava passando pela terceira experiência da "outra mulher". À medida que eu lhe fazia perguntas, percebi que ela sempre tinha imaginado o que faria se tal coisa acontecesse, desde o início do seu casamento. Em pouco tempo, aconteceu. O padrão se repetira três vezes antes que ela percebesse que já havia imaginado cada experiência do marido, ajudando, com isso, aquilo a acontecer.

Tenha cuidado com o que você imagina para si mesmo e para aqueles que são receptivos às suas imagens mentais, pois isso certamente acontecerá!

Você sempre deve destinar aos outros apenas imagens mentais positivas. Geralmente, os resultados que alcançamos na vida são o fruto da diferença entre as imagens construtivas e as destrutivas que criamos para nós mesmos e para os outros.

Um certo escritor poderia estar descrevendo o poder das imagens mentais, quando escreveu: "Dois homens olhavam pelas grades de uma prisão. Um via a lama; o outro, as estrelas". O que vemos depende daquilo que procuramos para nós mesmos.

Imagem do sucesso em questões financeiras

Eu também gostaria de fazer mais uma sugestão: você deve começar a desenvolver seu poder de imaginação próspera diariamente, reservando um tempinho no início ou no fim do dia – talvez quando estiver escrevendo seus planos e notas – para criar uma imagem mental definitiva. Em outras palavras, se você estiver listando contas a serem pagas, sente-se calmamente depois de fazer as suas anotações e imagine os cheques já escritos com as quantias específicas que você deve, e para quem você deve. Imagine-se pagando cada uma dessas contas no banco. Se existe uma necessidade de dinheiro para que você pague essas dívidas, imagine um cheque com o valor necessário, em seu nome. Sua imaginação adora ter imagens concretas com as quais possa para construir e criar. Uma vez lá, seu subconsciente então as aceitará e se manterá ocupada, produzindo resultados igualmente concretos.

Na verdade, você usa esse poder o tempo inteiro. Porém, talvez o esteja usando para imaginar justamente a falta de dinheiro, a falta de sucesso e todas as coisas que você não deseja em sua vida. Pegue em suas mãos sua carteira e seu talão de cheques, numa hora em que esteja mais tranquilo. Feche os olhos e imagine notas de grande valor salientes, quase saltando de sua carteira. Imagine comprovantes de depósito, mostrando grandes valores de dinheiro sendo depositados em sua conta bancária. *Imagine, imagine, imagine*, visualize todos as bênçãos que você deseja experimentar.

Eu conheço um homem de negócios que passou por um período de extrema dificuldade, e que sentia que não podia mais suportar privações. Percebendo o poder mental da imaginação, ele comprou um pouco de "dinheiro de brinquedo", colocando, em seguida, notas de grande valor em sua carteira. Assim, sempre que ele a abria, seus olhos viam primeiro essas notas. Esse homem declarou, em pouco tempo, que sua imaginação havia aceitado a imagem de muito dinheiro em sua carteira, substituindo a imagem anterior, de falta. Mais tarde, relatou que nunca mais se viu sem dinheiro suficiente para suprir suas necessidades.

Imaginação para viagens

Uma amiga minha lembrou-se do poder mental da imaginação quando quis viajar ao redor do mundo. Ela comprou um vestido, cujo padrão mostrava um mapa-múndi. Ela usava o vestido com frequência, pensando nas viagens que faria. Logo, alguém começou um "fundo de viagem" para ela, com um presente em dinheiro. Conforme o fundo crescia, ela falou com um agente de viagens, decidindo-se por uma viagem à Europa, como experiência. Seis meses depois que ela começou a usar o "vestido mapa-múndi" sua viagem à Europa aconteceu. Nos anos seguintes, ela continuou usando o seu "vestido de viagem". O resultado: agradáveis viagens para outras partes do mundo.

Imagine a beleza e o bem-estar

Imagine como você deseja se vestir, aparecer, agir, reagir. Dê a outras pessoas um verdadeiro tratamento de prosperidade e beleza, imaginando-as como prósperas e bem-sucedidas. Eu geralmente dou às pessoas um tratamento desse tipo, vendo-as na minha mente vestidas com as mais belas roupas. É surpreendente a frequência com que elas logo apareciam com as mesmas roupas que eu havia imaginado!

Quanto mais você usar o poder mental de seu pensamento, mais prazerosamente ele trabalhará por você. Você está imaginando o tempo todo, quer saiba disso ou não. Então, por que não ter controle consciente do poder da imaginação, produzindo, então, a saúde, a riqueza e a felicidade, que são suas por direito divino?

Imagine os seus verdadeiros desejos

Deixe-me relembrá-lo de algo que mencionei no capítulo anterior: não comprometa suas imagens mentais. Imagine o que quer, e não o que você pensa que pode ter. Não preste atenção à sua vontade e à razão, que provavelmente tentarão levá-lo na conversa. A sua imaginação ativa logo tomará o controle da sua vontade, alimentando-a com as imagens que você quer profunda e sinceramente.

Se você alimentar sua imaginação com imagens mentais vagas, nas quais não esteja seu coração, é esse tipo de resultado que você conseguirá. O que você conquistar por esse caminho não será satisfatório, e você terá sempre que recomeçar do zero. Comece, portanto, do jeito certo e, assim, poupará um grande trabalho.

A imagem constrói o resultado concreto, mas cabe a você construir a imagem. Percebendo isso, você verá que não é necessário lutar ou forçar as situações, para que seus desejos se realizem. Em vez disso, ocupe-se e, calmamente, imagine o que espera para sua vida, *em detalhes*. Declare, então: “Isso ou algo melhor, Pai! Seu Bem divino e infinito será feito!”.

É verdade que nos tornamos o que imaginamos, e que nossa imaginação tem o poder de remodelar e criar qualquer coisa! Mas você não precisa acreditar em minhas palavras. Em vez disso, junte-se a mim e a muitos outros, descobrindo ser a lei próspera da imaginação uma das mais encantadoras e poderosas de todas as leis!

Capítulo 6:
A lei do comando

Shakespeare escreveu: "Os negócios humanos apresentam altas como as do mar: aproveitadas, levam-nos as correntes à fortuna". É através da lei do comando que você libera essa maré cheia, repleta de bênçãos, construída por meio de suas listas e imagens mentais.

A lei do comando é a sua chave para o controle, para o domínio. O verbo "comandar" quer dizer "ter autoridade ou controle sobre". Adotando uma atitude de autoridade, você pode assumir o controle do bem que deseja experimentar em sua vida. Muitas pessoas olham a vida de baixo para cima, como se esta permanecesse em um lugar muito alto, distante, inatingível. A vida seria como uma montanha, que observa tudo do alto, admirando nossa insignificância. A lei do comando o ajuda a escalar essa montanha até o topo para, então, olhar seu mundo de cima, com uma sensação de autoridade e controle que produz bons resultados.

O segredo da lei do comando é este: uma declaração positiva do bem que deseja experimentar geralmente é tudo o que você precisa para virar a maré de eventos a seu favor, produzindo o bem para você, de maneira fácil e rápida. É extraordinária a rapidez com que as portas se abrem para nós quando ousamos assumir o controle de uma situação, ordenando que nossas mais altas expectativas se manifestem! Todavia, não há nenhuma novidade na lei do comando: em Gênesis somos informados de que Jeová criou a Terra comandando: *E disse Deus: Haja luz; e houve luz* (Gn 1:3).

Na verdade, a lei do comando é uma das mais fáceis de usar. Depois de ter feito listas dos seus desejos e de ter visualizado, em sua mente, esses desejos realizados, chegou a hora de você liberar a essência neles contida, em forma de palavras de determinação e de comando, colocando o éter divino em ação. O que você decreta, você consegue, como a Bíblia promete: *Determinarás tu algum negócio, e ser-te-á firme, e a luz brilhará em teus caminhos* (Jó 22:28).

O seu comando através das palavras

Você está sempre usando a lei do comando, porque você está sempre fazendo decretos, ainda que eles sejam o tipo errado de decretos, produzindo o que você não deseja. Uma executiva recentemente me contou a história de um conhecido dela, que tinha tido problemas com o braço direito. Os médicos o examinaram e disseram que, fisicamente, não havia nada de errado com ele. Então, esse homem, que conhecia o poder das palavras, percebeu que andara exclamando repetidas vezes: "Eu daria meu braço direito se...". Ele parou de usar essa expressão, e o braço dele voltou a ficar bem. Isaías já havia nos prevenido: *Ai dos que decretam leis injustas, e dos escrivães que prescrevem opressão* (Is 10:1). Pode-se traçar uma linha direta entre nossas aflições e o que dizemos sem pensar.

Certa ocasião, orei por uma mulher que estava tendo problemas com seus pés e pernas. Sua necessidade de cura parecia bastante forte. O médico lhe disse que tinha feito todo o possível por ela. Depois que essa mulher começou a orar, sua condição melhorou, mas, ainda assim, uma cura total não foi alcançada. Um dia, em nosso horário de oração, eu lhe disse: "Peça, apenas: 'Pai, qual é a verdade sobre essa situação? O que eu preciso fazer para ser curada completamente?'". E foi isso que ela fez. Dentro de instantes, ela disse:

> Eu tenho a resposta! Recentemente, comecei um novo negócio, e ainda não alcancei sucesso com ele. Eu andava dizendo, de maneira

> tola: “Ah, se eu pudesse caminhar com meus próprios pés neste negócio...”. Quando comecei a dizer isso, estava em pé, literalmente falando. Minha mente deve ter tomado a expressão a sério, e isso afetou meus pés. Afinal, era isso o que eu estava decretando com minhas palavras impensadas.

Então ela declarou: “Eu vou mudar minha declaração. Vou afirmar a partir de agora que estou segura financeiramente, que estou ‘andando com meus próprios pés’”. E em pouco tempo ela estava mesmo fazendo isso, tanto física quanto financeiramente!

Conheço uma mulher que é surda de um ouvido. Ela costuma dizer, quando ouve algo que não quer: “Vou fingir que nem escutei”.

Estudantes da mente têm sido sempre ensinados sobre o poder das palavras. Todos os líderes espirituais do Egito, Índia, Pérsia, China e Tibete ensinam seus alunos a falar somente quando têm algo construtivo a dizer. Sabendo do perigo da palavra indolente, estabeleceram um critério para determinar quando e se é sábio dizer algo: “O que vai ser dito é verdade? É gentil? É necessário?”. Mesmo que seja verdadeiro, se não for gentil, não será necessário!

Por meio do aconselhamento a centenas de pessoas com problemas financeiros, descobri que em 99 de cada 100 vezes os problemas não são resolvidos até que os envolvidos não somente conheçam, mas *usem* a lei do comando. Quando o bem que desejam é reafirmado, consciente e intencionalmente, seus comandos parecem dar resultados.

Afirmações são uma forma de comando

Nos tempos modernos ouvimos falar de “afirmações”, que são um tipo de comando. Muitas pessoas já comprovaram que a prática diária da afirmação, verbal ou silenciosa, é a forma mais fácil de invocar a lei do comando para criar o bem. Na verdade, o uso das afirmações é uma maneira tão simples de trazer à tona ricos resultados que muitas pessoas desconfiam dessa técnica, buscando um caminho mais complicado para a prosperidade.

A palavra "afirmar" quer dizer "tornar firme". Afirmando ou declarando verbalmente o bem que deseja, em vez de continuar falando sobre o que não quer, você começa a "tornar firme" seus desejos, em sua mente e no éter invisível. Quanto mais se afirma o bem desejado, mais rápido ele virá à luz, como um resultado concreto.

Você cria o seu mundo com palavras

Nunca subestime o poder das palavras. Você cria o seu mundo com suas palavras, como fez Jeová no início de tudo. Mas se não gosta do mundo que vem criando até agora, com palavras de discórdia, de limitação, de carência e que ressaltem tempos difíceis, você pode começar já a construir um mundo novo, de bem ilimitado e de prosperidade, apenas mudando suas palavras de comando e de decreto.

As pessoas em minhas aulas de prosperidade acham a lei do comando uma das mais fáceis e rápidas para produzir ricos resultados. Essas pessoas passam a usar as declarações afirmativas que supram suas necessidades, declarando-as e reafirmando-as diariamente por pelo menos quinze minutos, ou talvez durante cinco minutos, três vezes por dia. Se não estão em uma situação que lhes providencie a privacidade para falar as declarações em voz alta, então as escrevem, dezenas de vezes. Uma das declarações de comando que usam com frequência é: "Eu amo e desejo o melhor e o mais elevado para todos. Agora, eu atraio para mim as melhores e mais elevadas pessoas (clientes, pacientes, fregueses etc.)".

Um vendedor descobriu que, usando essas palavras, ele atraía ao seu departamento somente as pessoas que realmente queriam comprar sua mercadoria. O uso consistente da sua declaração de comando também o ajudou a fechar vendas que antes dava por perdidas.

Em outro exemplo, uma vendedora usou essa declaração durante 15 minutos por dia, durante várias semanas, com tanto sucesso que se tornou a líder de vendas da loja inteira. Ela foi homenageada pelos seus chefes por ter vendido 44 mil dólares de mercadorias em um breve espaço de tempo. Somente outros três vendedores (todos homens) tinham conseguido vender 30 mil dólares no mesmo período. Os produtos vendidos no departamento dessa moça eram, em sua maioria, itens de baixo valor, o que exigiu que ela fizesse muito mais vendas que os demais vendedores.

Outra declaração de comando que as pessoas de meus cursos de prosperidade acham bastante poderosa é: "Agora tudo e todos me fazem prosperar, e eu faço prosperar a tudo e a todos". O uso verbal diário e consistente dessa declaração fez que um funcionário público fosse informado que havia uma herança disponível para ele há vários anos, porém ainda não reclamada. Outro aluno, que também usou essa afirmação, se tornou um dos onze herdeiros de uma mina de cascalho. Por causa da quantidade de herdeiros, previa-se que o valor a ser recebido era bem pequeno. Contudo, ele continuou a declarar: "Agora tudo e todos me fazem prosperar, e eu faço prosperar a tudo e a todos". Os cheques da cascalheira começaram a chegar mensalmente, com valores substanciais. Durante os meses de inverno, quando os negócios da mina supostamente deveriam "despencar", esse aluno recebeu os maiores cheques de todos!

Ordene que o seu bem apareça

Há centenas de declarações afirmativas que você pode usar, ordenando que o seu bem apareça. Porém, declarações precisas devem ser usadas para suprir necessidades precisas. Você não deve hesitar em usá-las. Por exemplo, se você acha que seu dinheiro está baixo e que sua bolsa parece vazia, pegue-a em suas mãos e declare em voz alta, várias vezes (em particular, é claro): "Eu a abençoo, eu a abençoo pelas riquezas divinas que agora estão sendo manifestadas em você e através de você!". Enquanto estiver apreciando suas refeições, é bom pensar em declarações de bênção e de apreciação delas, além do hábito de dar graças à mesa. Quando você se vestir, é bom ter pensamentos de apreciação e de bênção pelas suas roupas.

Certa vez, em uma palestra, eu falei sobre uma série de declarações para uso específico, e fiquei maravilhada com quantas pessoas do ramo comercial comentaram sobre elas, pedindo pelas palavras exatas.

Para que se consigam roupas perfeitas e um guarda-roupa adequado, que todo pensador próspero deveria ter: "Eu agradeço porque sou belo e apropriadamente vestido com a rica substância de Deus".

Para que se tenha um lar perfeito, lindo e confortável, quer seja um quarto, apartamento ou casa: "Eu agradeço porque sou belo e apropriadamente abrigado pela rica substância de Deus".

E para conseguir o meio de transporte perfeito, que cada pensador próspero deveria ter: "Eu agradeço porque sou belo e apropriadamente transportado pela rica substância de Deus."

As moças costumam gostar desta declaração de comando: "Eu agradeço por minha saúde, minha beleza e minha juventude, sempre crescentes".

Muitas pessoas devem me considerar uma radical na questão das declarações afirmativas, porque eu as grudei com fita adesiva em vários lugares na minha casa. Alguns dos filhos dos meus vizinhos ficaram tão fascinados com elas que passam em minha casa de vez em quando só para ver se mudei alguma delas ou para pedir cópias. A declaração sobre as roupas fica grudada na porta do meu *closet*. A declaração sobre a saúde, beleza e juventude está fixada no meu espelho. A declaração que eu pus na porta da copa é: "Eu me regozijo com a generosidade divina, que se manifesta constantemente, aqui e agora, trazendo sempre a abundância de mantimentos". Para reduzir as ligações telefônicas desnecessárias, que podem ser uma verdadeira perda de tempo, perto do meu telefone está esta declaração de comando: "A ordem divina é agora estabelecida e mantida. A harmonia reina suprema".

É bom começar o dia com declarações afirmativas que o ajudem a assumir o controle sobre ele. Eu sugiro esta: "Hoje eu envio as riquezas divinas à frente, com louvor e apreciação, para que me guiem, governem, protejam e me façam prosperar. Tudo o que é preciso é providenciado agora. Meu rico bem se torna visível hoje!".

Para você proferir palavras de prosperidade todos os dias, o que é uma maneira de ordenar que ela surja em sua vida, eu sugiro esta afirmação: "Minhas palavras são carregadas com o poder da prosperidade".

Outras declarações prediletas das minhas turmas de prosperidade são:

Para aumento da receita: "Eu dou graças, pois minha receita está agora aumentando vigorosamente, devido à ação direta do rico bem divino".

Para o pagamento de contas, dívidas e obrigações financeiras: "Eu dou graças pelo pagamento total e imediato de todas as minhas obrigações financeiras, por meio da maravilhosa intervenção de Deus."

Para o aumento do sucesso em todas as frentes: "Eu agradeço, porque todos os dias, e de todas as maneiras, estou ficando cada vez mais rico".

Uma declaração de comando que as pessoas de negócios consideraram muito útil para a harmonia de suas casas e negócios foi esta: *Haja paz dentro de* meus *muros, e prosperidade dentro dos* meus *palácios* (Sl 122:7).

Afirmações úteis em seu trabalho

Um empregado da indústria férrea me contou que ele usava declarações de comando para ajudá-lo em seu trabalho. Pediram-lhe que consertasse um motor de trem que ninguém mais tinha sido capaz de consertar. Quando soube que vários bons mecânicos haviam falhado em consertá-lo, ele ficou apreensivo. Então, lembrou-se da lei do comando. Antes de começar a trabalhar no motor, afastou-se até um local tranquilo. Tirou de sua carteira uma declaração e a repetiu várias vezes: "Eu sou filho do Deus vivo, portanto eu e a sabedoria somos um só. E essa sabedoria agora me conduz pelos caminhos da retidão, da paz e do sucesso verdadeiro". Enquanto pensava nessas palavras, deixando que elas preenchessem a sua mente com paz e confiança, outro empregado passou por ali e perguntou o que ele estava fazendo. O homem respondeu que estava bolando o "plano" que ia usar para o conserto. Pouco depois, voltou ao trabalho e consertou rapidamente o motor problemático. O outro empregado, surpreso, aproximou-se dele e pediu uma cópia de tal "plano", usado com tanto êxito!

Um funcionário dos Correios foi solicitado a fazer um teste de eficiência. Ele resolveu assumir o controle da experiência em vez de temê-la, declarando: "A divina inteligência agora me mostra o que eu preciso saber". O teste provou que ele era o mais eficiente da agência, e aquela foi uma experiência fácil para ele.

Recentemente, um nova-iorquino decidiu usar várias declarações de comando. Depois de ler um artigo meu sobre o assunto, relatou os seguintes resultados:

> Na época em que eu li sobre o poder afirmativo do comando, meu negócio estava muito incerto. Descobri que teria de me mudar do escritório alugado que eu usava. Por meio da graça, eu encontrei um novo escritório conveniente, e a um preço razoável. Contudo, não havia novos negócios à vista. Ficou claro para mim que eu devia ter fé absoluta em Deus e seguir em frente com o programa de rádio que eu estivera planejando, embora não tivesse a mínima ideia de onde tirar o capital para financiá-lo. E ainda havia dívidas pessoais e comerciais para serem pagas!
>
> Então, um dia eu estava no metrô, a caminho do trabalho, e li o seu artigo contendo várias declarações afirmativas definitivas para a prosperidade e o sucesso. Comecei a usar imediatamente as afirmações do artigo e, quando cheguei ao escritório, eu as copiei e continuei usando.
>
> No dia seguinte, fui inspirado a ligar para um conhecido do ramo financeiro, que havia sugerido um ano antes que eu aparecesse para vê-lo qualquer dia (o que eu tinha tomado como uma observação casual). Quando nos falamos, ele quis me ver. Almoçamos, e eu lhe contei meus planos, mencionando a quantidade de capital de que eu precisaria. Ele concordou na hora com todas as minhas propostas, com uma exceção: recusou uma grande parcela dos lucros, que eu estava pronto para lhe dar; e o empréstimo de que eu precisava, ele insistiu, seria sem juros.
>
> Uma semana depois, nosso contrato estava registrado em Albany, um cheque para o trabalho inicial chegou pelo correio, e eu estava assinando ações como presidente da minha nova empresa!

Eis aí um executivo comprovando a lei do comando.

As afirmações produzem resultados satisfatórios

Eu nunca conheci uma pessoa que tivesse seguido conscientemente o método de afirmações e declarações de comando, mesmo que por pouco tempo, sem que tenha gerado resultados satisfatórios em sua vida. Tampouco conheci algum aluno que tenha atingido a prosperidade sem usar as palavras de comando.

Conheci muitos estudantes que acreditavam poder contar tudo sobre o sucesso, mas que não o experimentavam em suas vidas. Ao questioná-los a respeito, descobri que eles não usavam justamente a lei do comando. Muitos deles pensavam que falar declarações e palavras precisas e afirmativas para o sucesso, durante quinze minutos por dia, está "aquém de sua dignidade", embora não considerassem abaixo de sua dignidade proferir palavras sobre as adversidades, a carência e a dificuldade financeira; também não achavam que viver com dívidas e constrangimento financeiro está "aquém da sua dignidade".

Você pode fazer a sua escolha e seguir o caminho mais elevado ou o caminho mais baixo da vida. A lei do comando próspero o leva à estrada mais elevada, ao real caminho do sucesso. Uma mente nutrida na miséria e no fracasso durante anos precisa de auxílio diário para se elevar a pensamentos, atitudes e expectativas mais ricas. Diante de situações extremas, são precisos métodos especiais para gerar resultados. Se proferir palavras de sucesso e prosperidade parece a você um método estranho, então que seja! Mas vá em frente e tente, caso deseje virar a maré do seu pensamento, da pobreza e do fracasso para a prosperidade e o sucesso.

Em meio a experiências que fujam do ordinário, você descobrirá que é preciso produzir um esforço extra para produzir resultados satisfatórios. Jacó descobriu que era necessário lutar com o anjo até o raiar do dia, ou até que o bem fosse trazido a ele, a fim de obter a sua bênção. Às vezes, é preciso fazer o mesmo, como você verá.

Essa lei não é nova

Jesus usava a lei do comando, assim como muitas outras grandes figuras da Bíblia. Ele provou o poder do comando quando disse à figueira:

Nunca mais nasça fruto de ti! E a figueira secou imediatamente (Mt 21:19). Quando Jesus foi tentado três vezes no deserto, enfrentou o desafio com ajuda da lei da afirmação positiva. Cada vez que o demônio o tentava, Jesus usava declarações firmes e positivas das Escrituras, até que finalmente pôs o demônio em seu lugar, declarando: *Vai-te, Satanás* (Mt 4:10). Essa é uma declaração de comando poderosa, a ser usada em uma situação problemática.

Você descobrirá que, quando você usa a lei do comando, mas ainda assim não consegue os resultados desejados, talvez tenha sido gentil demais no uso das palavras. Quando Jesus fez Lázaro levantar do túmulo, ele não usou métodos gentis. A passagem diz: *E, tendo dito isto, clamou com grande voz: Lázaro, sai para fora* (Jo 11:43). De maneira semelhante, tentar usar métodos suaves em circunstâncias gritantes e rudes de pobreza e fracasso é tão ineficaz quanto tentar falar inglês com um francês que não entende aquele idioma. Não há comunicação entre eles, e não se pode estabelecer um contato.

As afirmações podem resolver os seus problemas

A Dra. Emilie Cady, antes médica na cidade de Nova York, escreveu que, quando confrontada com situações extremas, ela sempre contra-ataca com as declarações de comando mais audazes e poderosas que consegue pensar. Só depois que ela assume o comando é que encontra alívio para os seus problemas.

Um exemplo de declaração de comando que ela usou para se libertar de alguém de forte personalidade que a atormentava, foi: "Não há personalidade como essa no universo. Não há nada exceto Deus". Em outro exemplo, ela distendeu o tornozelo, que ficou muito inchado e dolorido. Então, gritou para si mesma, na privacidade do seu quarto, repetidas vezes: "Só o bem existe. Todo o resto é mentira". Imediatamente, a dor e o inchaço cederam, e, em pouco tempo, ela estava curada.

Em certo ponto, a Dra. Cady já estava tentando havia mais de dois anos comprovar que Deus era a fonte de sua provisão, desconsiderando o que recebia de seus pacientes. Durante a oração, foi-lhe revelado: ela não tinha usado a lei do comando, não tinha feito a declaração assertiva de prosperidade. Então, começou a afirmar: "Está feito. Deus agora está manifestado como a minha provisão". Emilie escreveu que tal pensamento provou ser a sua libertação da pobreza, e que ela nunca mais teve uma necessidade financeira sequer que não fosse providenciada.[9]

O mero conhecimento do poder do pensamento próspero não é suficiente. Você deve colocá-lo em ação. O uso verbal diário das declarações positivas o ajuda a fazer isso.

As afirmações podem fazer maravilhas

Recentemente, uma moça grávida pediu uma declaração de comando positiva para usar quando fosse para a sala de parto. Embora ela não esperasse ter dificuldades em dar à luz o seu filho, isso era possível, pois já tinha quarenta anos e havia vários não tinha um bebê. A declaração de comando que ela recebeu foi esta: "O meu Deus interno é poderoso na vida, na saúde e na força; com alegria e facilidade, dou à luz o meu filho perfeito". Ela declarou essas palavras repetidamente quando o trabalho de parto começou e descobriu, satisfeita, que quase não havia dor, exceto as normais da ocasião.

O médico, então, comunicou que ela não daria à luz do modo usual, pois o bebê estava fora da posição necessária para que a cabeça saísse em primeiro lugar. Em vez de ficar receosa, essa mãe continuou afirmando: "O meu Deus interno é poderoso na vida, na saúde e na força; com alegria e facilidade, dou à luz o meu filho perfeito". Pouco tempo depois, o médico disse: "Precisamos esperar alguns minutos. Parece que o bebê está mudando de posição, e talvez você dê à luz do modo normal, afinal de contas!". E assim foi: ela deu à luz de parto normal, e quase sem dor.

A maioria de nós é um pigmeu humano, quando deveríamos ser gigantes espirituais. Para isso, teríamos apenas que ordenar o bem divino a se manifestar, como Ele nos autorizou a fazer, segundo o primeiro livro da Bíblia. Um ministro metodista certa vez descreveu a lei

---

[9] CADY, Emilie. *Como usei a Verdade.*

do comando como "grandes afirmações que operam milagres nas vidas humanas". Ele contou como descobrira, anos antes, que as pessoas *mais equilibradas e integradas da sua congregação eram aquelas que usavam a abordagem afirmativa em suas vidas.* Ele contou também que muitos ali estavam convencidos de que receberam mais ajuda concreta por meio do uso de grandes afirmações de fé do que de qualquer outra técnica. Sabendo do sucesso deles, esse ministro também investigou o poder das afirmações e começou a usá-las. Segundo seu relato, depois que começou a aplicar a técnica da afirmação positiva, sua congregação passou de 400 membros para mais de 2 mil. Eu posso compreender a razão disso, porque eu mesma descobri, como ministra, que as massas hoje estão solitárias, buscando um modo espiritual de viver que não seja somente doutrinário e teórico, mas um que funcione efetivamente, gerando saúde, harmonia e abundância em suas vidas.

Junte-se a outros na afirmação positiva

É bom ter pelo menos mais uma pessoa usando o poder afirmativo do comando junto com você, especialmente quando as situações parecerem não responder de imediato aos seus próprios comandos. Certifique-se, claro, de que é alguém que esteja em sintonia com você e com o que você quer conquistar. Essa pessoa também deve acreditar nessa técnica para o sucesso. Eu geralmente peço aos membros da igreja que usem a lei do comando comigo, em várias situações. Minha secretária e eu afirmamos pelos resultados perfeitos em nosso dia de trabalho: "Esta é a hora da conclusão divina. Os trabalhos do amor e sabedoria divinos surgem hoje".

Meu contador e eu afirmamos pelas finanças da igreja: "Esta é a hora da conclusão divina. Os resultados da divina substância e da provisão de Deus surgem agora". Os membros do conselho da igreja e eu, reunidos, afirmamos por todo o ministério: "O reino de Deus chegou, e a suprema boa vontade divina agora é realizada em cada área desse ministério". Nossas sessões de afirmações de comando sempre trazem resultados satisfatórios.

Escreva suas afirmações

Talvez você não tenha a oportunidade de estar sozinho, em privacidade, para o uso verbal da lei do comando. De qualquer maneira, escreva suas afirmações numa folha de papel, várias e várias vezes.

Um bem-sucedido executivo, palestrante e escritor certa vez me contou como lidara com uma circunstância, anos antes, usando a lei do comando. Estava preso a um trabalho que o desagradava, mas queria se expandir para outros campos, receber compensações maiores e ser livre para escrever, dar palestras e viajar. Ademais, na época ele era muito magro, e sua saúde não era boa. Sua vida doméstica também carecia de harmonia e satisfação. De fato, todas as áreas da vida desse homem precisavam melhorar. Ele estava convencido de que a lei do comando podia mudar tudo isso. Porém, sua família não estava interessada em tentar tal "novidade espalhafatosa", e por isso ele percebeu que precisaria fazer suas afirmações em silêncio.

Como achou que isso não seria efetivo o suficiente, teve a ideia de escrevê-las. Todas as noites, ele se retirava para o seu escritório com lápis apontados e várias folhas de papel. Lá, escrevia centenas de vezes uma declaração, que queria imprimir em sua mente. Ele escreveu declarações relacionadas a sua saúde, sua riqueza e sua felicidade. No final de um certo dia, ocasião em que ele parecia ainda mais frenético que o normal, esse homem escreveu uma afirmação centenas de vezes, para que se solucionasse um desentendimento comercial entre ele e o seu sócio. Ele escreveu incontáveis vezes: "Esta situação não me desanima. Deus está comigo para me defender e me sustentar, e para retificar tudo. Eu confio que cada assunto de minha vida receberá o cuidado carinhoso do Pai. Eu sei que seu desejo para mim é a saúde, a felicidade, a prosperidade, o desenvolvimento espiritual e tudo o que há de bom".

Quando foi dormir naquela noite, afirmou várias e várias vezes: "Nada, exceto o bem, pode entrar em minha vida, pois Deus está no comando". Na manhã seguinte, bem cedinho, o sócio telefonou dizendo que queria comprar a parte dele do negócio. Então, concordaram amigavelmente sobre o valor da venda e a transação foi concluída. Sua saúde logo melhorou, e ele começou a ganhar peso. Mais tarde, teve até de fazer dieta! Sua esposa encontrou um trabalho semelhante ao que já tinha tido antes, e a nova atividade levou a uma sensação de liberdade, realização e harmonia entre eles.

Hoje, por meio de sua escrita, de suas palestras e transações financeiras, muitas outras pessoas estão sendo abençoadas com saúde, riqueza e felicidade. Tudo começou porque ele ousou escrever centenas de vezes como queria que as coisas fossem, em vez de ficar se aborrecendo sobre como elas pareciam ser no momento.

Afirme o seu caminho para a saúde

Uma amiga me contou como o poder dos comandos afirmativos a tinha ajudado a recuperar sua saúde. Ela havia passado por várias cirurgias, com grande seriedade. Segundo seu médico, ela só tinha mais três meses de vida. O marido, no entanto, sabia como o corpo é sensível ao poder do pensamento, e como responde positiva ou negativamente às atitudes do indivíduo sobre ele. Quando voltaram para casa, disse à esposa:

> Você ouviu um diagnóstico de três meses de vida. Tem, agora, duas opções: pode aceitá-lo e morrer, ou pode rejeitá-lo e viver. Se optar pela vida, deve fazer duas coisas. Primeiro, pare de falar sobre as cirurgias e sobre a sua experiência no hospital. Isso está acabado, esqueça. Em segundo lugar, você deve pensar sobre a vida; deve afirmar a vida e desejar viver.

Então, ele sugeriu que ela afirmasse diariamente estas simples palavras de comando: "Permito que a saúde divina se manifeste em mim agora". A mulher começou a usá-las, até que pensar nelas várias vezes por dia se tornou um hábito inconsciente. Quando os amigos ou vizinhos vinham à sua casa ou telefonavam, o marido dela sempre dizia: "Não falaremos sobre a operação ou a experiência no hospital. Isso é passado. Agora ela está gozando de boa saúde".

Essa senhora disse-me que desde então nunca mais ficou doente!

Talvez você imagine por que eu escrevo sobre cura em um livro sobre prosperidade. A palavra "prosperar" significa vicejar ou ter sucesso em um determinado objetivo. Quando eu escrevo sobre prosperidade, escrevo sobre o desejo de completude e de equilíbrio na vida. Na verdade, a vida vale pouco sem saúde ou sem os meios de chegar a ela. A medicina psicossomática, assim como a psicologia e a psiquiatria, concordam sobre o notável poder que a mente tem sobre o corpo, tanto para levar à doença quanto à saúde.

Afirmações fascinam e inspiram

O mundo inteiro deseja e fica fascinado pela lei do comando. Certa vez, quando eu falava para um grupo de universitários, mostrei-lhes os vários tipos de declarações de comando que os conselheiros espirituais dão às pessoas que os procuram em busca de auxílio, a fim de solucionar seus problemas. Mostrei talvez dezenas de declarações afirmativas diferentes, explicando que cada declaração é aplicada a tipos diferentes de situações e problemas.

No final de minha palestra, deixei as declarações na mesa e convidei os estudantes para inspecioná-las mais cuidadosamente, dizendo-lhes que podiam levá-las consigo, se assim quisessem. Fiquei atônita com a rapidez com que aqueles estudantes correram para apanhar todas as afirmações!

Quando um aluno mencionou que estava preocupado com um exame que faria à tarde, eu lhe ofereci uma afirmação para esse uso. Todos os outros universitários acabaram copiando aquela afirmação. Era esta: "Eu deixo a inteligência divina pensar através de mim. Eu sei, eu me lembro, eu compreendo, eu me expresso com perfeição".

O apóstolo Paulo poderia estar pensando na lei do comando quando aconselhou: *E não sede conformados com este mundo, mas sede transformados pela renovação do vosso entendimento, para que experimenteis qual seja a boa, agradável, e perfeita vontade de Deus* (Rm 12:2). É verdade: as afirmações são repletas de poder de renovação e de inspiração.

Certa vez, um executivo veio até mim para comentar as várias maneiras com que as afirmações o haviam ajudado em sua vida e em sua profissão. Ele declarou:

> Posso dizer que o poder da afirmação salvou minha vida. Seis meses atrás, eu estava pensando em suicídio. Então, encontrei o caminho para uma de suas palestras e ouvi sobre a lei do comando pela primeira vez. Parecia bom demais para ser verdade, mas eu estava em uma circunstância financeira desesperadora e passava por sérios problemas em meu casamento. Portanto, decidi tentar o modo afirmativo; afinal, o que eu poderia perder? Hoje, estou no topo do mundo novamente, graças às afirmações. Elas funcionam de verdade!
>
> Há apenas algumas semanas, encontrei um amigo que parecia tão mal quanto eu, seis meses atrás. Ele me disse: "Sabe, eu não sei se consigo seguir em frente... O suicídio parece ser a única saída para mim. Agora, se eu tivesse a sua felicidade, otimismo e aparência vitoriosa, ah, quão feliz eu seria!"
>
> Eu respondi: "Meses atrás, eu quase fiz isso que você está falando, mas aprendi sobre o modo afirmativo de pensar e agir. Isso me pôs de pé, e agora estou de novo no caminho para o sucesso". Então, dei ao meu amigo deprimido algumas afirmações impressas que tinham me ajudado a alcançar a prosperidade. Embora estivessem ligeiramente gastas nas bordas por causa do uso intenso, meu amigo pareceu agradecido por elas. Há pouco tempo, eu o encontrei de novo, e ele disse: "Obrigado por aquelas afirmações. Elas também me puseram de pé. Não sei como poucas palavras podem mudar a vida inteira de uma pessoa, mas certamente mudaram a minha".

Você pode ter todas as bênçãos divinas pelas quais esteja disposto a pagar o preço, fazendo afirmações precisas, diariamente. Não há modo mais fácil e prazeroso de mudar o seu pensamento, entrando na estrada real para o sucesso. De fato, você se torna o que quer ser apenas afirmando já sê-lo!

Sugiro que você faça desta técnica a última fase do método de três passos para a prosperidade:

- Primeiro, escreva suas notas sobre o bem que deseja.
- Segundo: imagine mentalmente os resultados exitosos.
- Terceiro: afirme e comande, ousada e deliberadamente, que esses resultados bem-sucedidos apareçam.

Se você persistir, realizando esses três passos simples, nada será capaz de impedir a maré de bênçãos que inundará a sua vida!

Capítulo 7: A lei da expansão

Agora chegou a hora de relaxar e apreciar o que você aprendeu nos capítulos anteriores. Na verdade, chegou a hora de agir como se você fosse um pensador próspero "maduro", porque, quando chega neste capítulo, você está começando a ser um de verdade! Agora, está pronto para a próxima lei, a da expansão.

O uso da lei da expansão é fácil e agradável. Ela consiste, primeiramente, em estabelecer e manter uma atitude de rica expansão diante de tudo e de todos. Em outras palavras: você deve deixar que o seu principal pensamento, para si mesmo e para os outros, seja o de riqueza, prosperidade, sucesso e bem-estar.

Só o fato de pensar em si mesmo e nos outros como pessoas ricas, bem-sucedidas, prósperas e vitoriosas já ajuda para que isso aconteça. Quando falar com outras pessoas, seja por carta, telefone ou pessoalmente, deixe que o seu pensamento sobre elas seja sempre de sucesso crescente. Dar a outros a bênção de seus pensamentos ricos é um passo gigantesco para ajudá-los a se tornarem assim. Ainda que não estejam conscientes do seu pensamento próspero sobre elas, as pessoas irão responder a você de algum modo, rico e feliz!

O pensamento de expansão vira a maré a seu favor

Eu não acredito que a cadeia seja o local apropriado para um pensador próspero. Não obstante, um homem que se viu aprisionado decidiu tirar o melhor da sua situação. Depois que ele se tornou "confiável" na prisão, permitiram-lhe que fizesse telefonemas ocasionais, e, às vezes, ele me ligava, contando o seu progresso. Numa ocasião, ele ligou, muito excitado, dizendo que o escritório da prisão precisava de um ar condicionado haviam algum tempo. Ele havia visualizado, afirmado e dado graças porque isso aconteceria, pois as pessoas que trabalham lá tinham sido gentis com ele e ele queria vê-las confortáveis e felizes. Ele disse que finalmente o escritório recebera o ar condicionado. Disse também que, se nenhum bem viesse da sua experiência na prisão, pelo menos sentia que essa melhoria no conforto para o pessoal do escritório era uma indicação de como o pensamento próspero podia gerar resultados felizes.

Como as coisas mudam rápido para as pessoas, depois que começam a pensar prosperamente sobre si mesmas e sobre os outros! Uma mulher, casada por dezoito anos, começou a aplicar a lei da expansão em seu mundo. Ela recebeu uma carta de um homem com quem tinha trabalhado antes de se casar. Nessa carta, ele dizia que, quando ela se casou, ele estava em apuros financeiros e não pudera lhe dar um presente de casamento decente. Agora, tinha alcançado o sucesso e, por isso, enviara pelo correio um belo presente, para ela e para o marido!

Uma mulher de uma área pobre da cidade ouviu falar do pensamento próspero e começou a dar, a si mesma e aos seus vizinhos, a bênção do pensamento de expansão. Em poucos dias, um cheque de 125 dólares chegou pelo correio, o que era uma quantia enorme para ela. Era de uma companhia de seguros, que explicou que aquele era um saldo devido do espólio de sua irmã, que havia falecido oito anos antes.

Um executivo, tomando conhecimento da lei da expansão, usou-a para receber as contas devidas à empresa em que trabalhava como gerente de crédito. Não admira que, no ano passado, ele tenha gerenciado os recebimentos da empresa inteira, com escritórios em todo o sul dos Estados Unidos. Um cliente devia milhares de dólares, e ninguém tinha conseguido receber nada dele. O valor era tão alto que os administradores da companhia vieram da matriz para investigar o recebimento do débito.

Antes de visitarem esse cliente, o gerente de crédito disse ao administrador: "A única maneira de receber todo esse dinheiro é sendo gentil, cortês e positivo quando falarmos com ele. Temos que restaurar a confiança dele em si mesmo; temos de mostrar-lhe que acreditamos que ele logo será capaz de pagar o valor integral. Temos que usar o pensamento de expansão com ele. Críticas não nos levarão a lugar algum".

Assim, quando conversaram com esse cliente, falaram-lhe da confiança que tinham nele. Disseram acreditar que a dívida contraída em boa fé seria paga. Alguns dias depois, esse cliente correu ao escritório do gerente com o primeiro pagamento do seu débito, depois de passar meses sem pagar um centavo sequer. Ele disse: "No dia em que foram ao meu escritório, eu estava me sentindo tão deprimido e tão fracassado nos negócios que, se tivessem me criticado, eu teria declarado falência. Mas vocês foram tão gentis comigo, e tão positivos em sua crença de que meus negócios poderiam ser salvos, que isso me deu coragem para acreditar também. E agora chegou a hora de virar a mesa!".

Use sempre a lei da expansão em vez da lei da diminuição

Todas as pessoas normais estão em busca de mais alimentos, de uma casa melhor, de mais beleza, de mais conhecimento, diversão e luxo, de mais satisfação no trabalho. Enfim, esperamos a expansão do bem em todas as áreas de nossas vidas. E isso é o correto a se fazer, pois esse é um desejo divino. Portanto, o desejo pela expansão do bem não deve ser condenado ou suprimido. Pelo contrário: ele é divino, e deve ser elevado a níveis adequados de expressão por meio das leis espirituais do pensamento próspero.

Como é maravilhoso usar a lei da expansão no lugar da lei da diminuição! Quando as pessoas criticam, condenam e diminuem os outros, não percebem que estão pedindo que as mesmas coisas lhes aconteçam, como efeito da lei da atração mental. Nunca desperdice o seu tempo destinando a si mesmo ou aos outros pensamento de redução. Como "o pão lançado sobre as águas" (ver Ec 11:1), o que você lançou voltará a você muitas vezes multiplicado, criando experiências correspondentes em sua própria vida.

Durante um período em que acontecia uma greve de siderúrgicos, dois homens provaram o poder da lei da expansão. Um deles, um quiropraxista, se recusava a falar sobre os tempos difíceis e a ouvir de seus pacientes qualquer conversa sobre o assunto. Seu consultório, e o de muitos de seus colegas, ficava na área da greve, não muito distante das usinas. Ainda assim, esse profissional preferia falar sobre expansão, prosperidade e sucesso.

Certa noite, foi a uma reunião mensal da associação local dos quiropraxistas, e a maioria dos homens presentes descreveu com detalhes as adversidades que estava vivendo em seu trabalho, por causa da greve. Finalmente, alguém perguntou a ele sobre os seus negócios, e ele surpreendeu a todos, respondendo: "Meus negócios nunca estiveram melhores. Eu me recuso a falar sobre tempos difíceis, durante a greve dos siderúrgicos ou em qualquer outra época. Eu descobri que o poder do pensamento próspero pode mudar tudo isso".

Um advogado dessa mesma região também usou a lei da expansão, no mesmo período. Seus colegas de profissão declaravam apenas como os negócios iam mal, e como os escritórios andavam parados. Esse homem, contudo, decidiu não cair nesse estado mental limitado; ele preferia ser firme em seu pensamento.

Uma noite, em sua sessão de oração, ele disse: "Senhor, eu acredito que Deus é o meu pastor e que nada me faltará. Sei que daquelas usinas vinham meus principais clientes, mas também sei que o Senhor tem clientes igualmente prósperos, que precisam de ajuda legal. Estou confiando que o Senhor me mandará novos clientes, a quem eu possa servir".

Nessa altura, ele tinha quatro grandes clientes privados, seus principais canais de receita. Em pouco tempo, três desses clientes solicitaram mais serviços do que as usinas jamais haviam pedido! Portanto, ele foi ricamente provido, numa época em que quase todos estavam usando e proferindo a lei da diminuição e obtendo, com isso, resultados diminuídos.

Invoque a lei da expansão de maneiras simples

A lei da expansão pode ser invocada de várias maneiras, e bastante simples. Você deve proferi-la para si mesmo e para os outros de modo ousado e positivo. Deve, ainda, buscar a lei da expansão e colocá-la em ações. Você deve escrever notas sobre a expansão e imaginar e afirmar sua riqueza.

Neemias, do Antigo Testamento, usou a lei da expansão para fazer reconstruir as muralhas de Jerusalém, depois que os judeus voltaram da Babilônia. Como encarregado pelo vinho do rei da Pérsia, ele conseguiu que o monarca garantisse os materiais e os homens para a reconstrução das muralhas. Porém, logo descobriu que a cidade tinha sido invadida por tribos bárbaras enquanto os judeus estavam no exílio. Neemias precisou montar duas frentes de trabalho: uma para reconstruir as muralhas e outra para combater as tribos inimigas. As muralhas foram reconstruídas em 52 dias, depois que Neemias afirmou: *O Deus dos céus é o que nos fará prosperar: e nós, seus servos, nos levantaremos e edificaremos* (Ne 2:20).

Nós muitas vezes usamos a lei da diminuição em vez da lei da expansão, e com isso só atrasamos a nossa prosperidade. Temos sido como os filhos de Israel, que ficaram na fronteira da Terra Prometida por quarenta anos, quando podiam ter seguido em frente para a terra que "vertia leite e mel".

Talvez Josué e Calebe tenham sido os dois pensadores mais prósperos do Antigo Testamento. Dos doze mensageiros que Moisés enviou para inspecionar a Terra Prometida, eles foram os únicos que voltaram com provas de suas riquezas, na forma de um enorme cacho de uvas. Quando os outros mensageiros relataram que a terra era rica, mas habitada por tribos hostis, Josué e Calebe optaram por acrescentar a lei da expansão à situação, dizendo: *Então Calebe fez calar o povo perante Moisés, e disse: Certamente subiremos e a possuiremos em herança; porque seguramente prevaleceremos contra ela* (Nm 13:30).

Mas a maioria era contra o plano, e, assim, os hebreus permaneceram no deserto. Anos mais tarde, quando enfim seguiram para a Terra Prometida, descobriram que as tribos adversárias não eram grandes como gigantes, como havia sido relatado, e que o povo de Jericó tinha tanto medo deles quanto eles tinham do povo de Jericó.

Aquelas pessoas tinham visto a fumaça dos acampamentos dos hebreus, do outro lado do rio Jordão, e ficaram com medo de haver centenas de milhares deles, e não apenas 40 mil. Assim, os hebreus descobriram que aqueles que eles temiam também tinham medo deles. Por causa da sua hesitação em ir adiante para reclamar o seu bem, haviam prolongado a sua permanência no deserto. Eventualmente, tiveram de enfrentar a situação e conquistá-la de qualquer maneira.[10]

O mesmo se aplica a cada um de nós. Se você usa a lei da diminuição e limita o seu bem, nunca ficará satisfeito com o resultado. Em algum momento, você terá de começar a aplicar a lei da expansão. Então, por que não fazer isso no começo, seguindo adiante para a sua Terra Prometida do bem maior, em vez de continuar no deserto do desejo, da necessidade e da limitação?

Ofereça aos outros o pensamento de expansão

Você deve passar a impressão de expansão em tudo que faz, para que assim as pessoas possam compartilhar dessa prosperidade. Quando escrever a alguém, fizer um telefonema, pensar sobre outras pessoas ou se encontrar com elas, dê sempre à sua família, a conhecidos, a colegas de trabalho, a amigos, a líderes mundiais – a todos – o pensamento do aumento do bem. Declare por eles: "Eu os abençoo, com a rica expansão do todo-poderoso bem divino". Profira palavras audaciosas de fé, confiança e expansão também quando se dirigir diretamente a essas pessoas. Apenas umas poucas palavras podem fazer maravilhas por alguém.

Um oficial aposentado do exército me disse recentemente: "Você nunca saberá quanto me ajudou muitos anos atrás, quando eu estava me sentindo pra baixo, a ponto de cometer o suicídio. Suas palavras viraram a mesa do meu pensamento e da minha vida". Quando eu faço um retrospecto, percebo que a única coisa que eu dissera àquele homem fora: "Você não é velho demais para começar uma vida nova. Você teve

---

[10] Veja o capítulo 4 do livro *O milionário Josué*, de Catherine Ponder, publicado pela Novo Século.

sucesso no passado e pode ter de novo. Tome um novo rumo na vida, porque você tem o que é preciso para ser bem-sucedido". Diga a outras pessoas palavras de aumento do bem com frequência. Você nunca sabe quanto isso significa, mas os resultados aparecerão.

Quando falar sobre alguém, fale apenas em termos do sucesso dele. Se você conhece alguém que esteja dando a volta por cima, tentando esquecer erros do passado, contribua para que essa pessoa atinja o sucesso, ignorando o seu passado e enfatizando o que há de bom em seu presente. Você não só estará acrescentando valor ao bem do outro, mas pode estar certo de que os seus próprios problemas do passado passarão a fazer menos barulho.

Dê a si mesmo o pensamento da expansão

Dê a si mesmo uma dose igual de expansão. Você pode fazer isso apenas sentindo que está se tornando mais bem-sucedido e que está ajudando outros a fazer o mesmo. Suas próprias atitudes, seu tom e sua aparência devem expressar essa certeza rica e tranquila do sucesso. Quando você tem a sensação de riqueza já implantada em sua mente, palavras até deixam de ser necessárias para convencer os outros de sua prosperidade: ela se irradia de você e se comunica de forma inconsciente com os outros. As pessoas em seu caminho irão querer se associar a você nos negócios e coisas semelhantes, pois serão consciente e subconscientemente beneficiadas pela sensação de riqueza, sucesso e prosperidade que você irradia.

Apenas trabalhando para chegar à sensação de riqueza, sucesso e prosperidade, você atrairá pessoas que pensam de modo semelhante, pessoas que, ainda que nunca tenha visto antes, se tornarão seus clientes, sócios e amigos. Mesmo sem percebermos, nós vamos aonde haja uma atmosfera de expansão. É por isso que os negócios aumentam, e que muitas ricas bênçãos começam a fluir. Se você oferece aos outros o pensamento de expansão e o mantém nos recônditos mais profundos de sua mente, outros serão atraídos para você e, automaticamente, ajudarão em sua prosperidade.

Ouse invocar a lei da expansão de todas as maneiras que se revelarem a você, sejam elas grandes ou pequenas.

Uma dona de casa contou-me sobre como ela ajudou seu marido a sair de um fracasso financeiro, apenas dizendo-lhe todos os dias, quando ele voltava para casa do trabalho: "Agora, me conte, querido, cada coisa *boa* que aconteceu com você hoje". Ambos ficaram surpresos em ver quantas bênçãos surgiam e quanto eles tinham para ser gratos. Todo o fluxo de pensamentos daquele homem se alterou, voltando-se do fracasso para o sucesso.

Tudo o que você pode dizer para ajudar a si mesmo ou a outros para conseguir a sensação de prosperidade vale o tempo e o esforço.

Evite falar sobre dificuldades

Não pense, fale ou faça qualquer coisa que não seja para reforçar a prosperidade. Não permita, além disso, que outros falem com você de qualquer maneira senão próspera. Não leve a sério nada que você leia ou ouça e que pareça contrário ao pensamento próspero. Confundindo o seu fluxo de pensamento, você cria contracorrentes que neutralizam os seus esforços pela prosperidade. A fim de se manter permanentemente no caminho do sucesso, ouse ser diferente!

Você não deve se aborrecer quando as pessoas falarem de tempos difíceis. Nem deve se unir a esse triste coro, a menos que você também queira experimentar tempos difíceis. No lugar disso, declare, diante de aparentes dificuldades: "O restabelecimento divino está acontecendo. O bem que os gafanhotos comeram está sendo divinamente restaurado. A lei divina da compensação e do equilíbrio está realizando o seu trabalho perfeito". A lei do equilíbrio divino é universal, e você pode ajudá-la em seu trabalho para o bem por meio de um estado mental sempre voltado à prosperidade. Este pode ser um tempo de ricas bênçãos e de grande prosperidade para você, porque tudo funciona como disse aquele vendedor: "Há pó de ouro no ar!".

Uma vendedora mostrou o que a conversa sobre dificuldades pode fazer. Ela tinha uma colega que vivia falando de necessidades, recessão, crise e dificuldades. Como era de se esperar, essa sua colega não estava conseguindo alcançar a cota de vendas esperada. Em vez de pensar de forma próspera, ela passava a sua hora do almoço perambulando pela cidade, conversando com outras pessoas de mente "perdedora".

Quando voltava todos os dias para o trabalho, sempre dizia a mesma coisa: "Estive em lojas na cidade toda. Os negócios estão horríveis. Ninguém está vendendo nada!". O resultado? Bem, a moça para quem ela costumava dizer essas coisas se recusava a aceitar essas ideias sobre tempos adversos, pois conhecia o poder do pensamento próspero. Conforme ela o invocava, suas vendas continuavam altas e seus pagamentos de comissão seguiam entrando.

Mas a mulher que tinha toda aquela "conversa sobre tempos ruins" conseguiu um resultado indesejado. Um dia, o gerente a chamou e a transferiu para a turma do meio período, embora ela quisesse trabalhar o dia todo. Você pode – e vai – produzir resultados palpáveis com suas atitudes. Essa moça comprovou isso, mas na direção errada.

Pense em ideias de abundância

Charles Fillmore nos mostrou como podemos usar a lei da expansão quando os que estão próximos de nós teimam em usar a lei da diminuição:

> A substância espiritual da qual vem toda a riqueza visível nunca se esgota. Ela está junto de nós o tempo todo, retribuindo nossa confiança nela e respondendo a nossos comandos. Essa essência não é afetada quando, ignorantemente, falamos de nossas dificuldades. Contudo, nós, sim, somos afetados, porque nossos pensamentos e palavras governam a nossa ação.
>
> A fonte infalível está sempre pronta para doar. Derrame as suas palavras vivas de confiança no éter onipresente e você prosperará, ainda que todos os bancos do mundo lhe fechem as suas portas. Transforme a grande energia de seu pensamento em ideias de abundância e você alcançará a plenitude, a despeito do que os demais estejam fazendo ou falando.[11]

---

[11] FILLMORE, Charles. *Prosperity*. Unity Village, MO: Unity Books, 1936, p. 13.

Um executivo disse a um banqueiro, que havia começado uma conversa sobre suas dificuldades: "Há muito dinheiro no mundo, muita riqueza e abundância de recursos a serem desenvolvidos e usados. Eu me recuso a acreditar em outra coisa além de riqueza e prosperidade para mim, para você e para a humanidade". O banqueiro balançou a cabeça, dizendo: "Você é a pessoa mais otimista que eu conheço". Então, o banco continuou a emprestar uma quantia considerável a esse executivo. Esse homem provou que havia riqueza e sucesso para todos os que pensassem prosperamente, usando palavras de esperança para chegarem à vitória.

Conserve e use de forma correta a substância do seu ser para a prosperidade, concentrando seus pensamentos, sentimentos, relacionamentos e atividades na prosperidade, e não no fracasso e na necessidade. Espere tornar-se próspero; comece pensando e falando nesses termos e em nenhum outro. Lembre-se regularmente de que pensamentos e palavras descuidados e temerosos geram resultados frustrantes, inúteis e miseráveis. Amarre a sua imagem mental de prosperidade à estrela rica do sucesso e a mantenha lá.

Vença o desânimo e o desapontamento

Quando ficar desencorajado nos seus esforços rumo a uma maior prosperidade, você deve lembrar que pensar de acordo com o senso comum da raça humana é fácil – e inútil. Contudo, pensar prosperamente, ainda que tudo pareça contrário a isso, vale cada esforço, porque produz sempre resultados ricos. Um editor certa vez me disse: "Lembre-se, Catherine, a maioria geralmente está errada!".

Outro jeito de invocar a lei da expansão, evitando a mesquinhez e o poder destrutivo da lei da diminuição, é treinando sua mente a nunca se desapontar. Se certas coisas não saírem como você esperava, não considere isso um fracasso. Como você não recebeu o que queria, pode continuar firme em sua fé de que algo muito melhor está a caminho, e que aparecerá na hora certa.

Quando parecer que você fracassou, lembre-se de por que você não haver pedido alto o bastante. Expanda a sua perspectiva e expectativa, e uma resposta maior do que a que você antecipou certamente chegará. O fracasso não é nada senão o sucesso tentando nascer de um modo maior. A maioria dos fracassos aparentes são apenas parcelas que você deve pagar em seu caminho rumo à vitória!

Evite a pressa

Quando você invocar a lei da expansão, lembre-se de que não há pressa, coerção ou emergência no plano próspero da vida, assim como não existe falta de oportunidades. Faça tudo o que você pode para viver de maneira próspera todos os dias, mas faça-o tão calmamente quanto possível, sem pressa, preocupação ou medo desnecessários. Vá tão rápido quanto puder, mas sem correr. No momento em que começa a ter pressa, você para de ser próspero em seu pensamento e se torna receoso, o que é o prólogo do fracasso.

Sempre que você se vir se apressando ou tentando forçar um resultado, faça uma pausa. Fixe a sua atenção na imagem mental daquilo que está trabalhando para obter, e então comece a agradecer pelo que está recebendo e conquistando do modo divino mais maravilhoso.

Uma vendedora que eu conheço diz que, quando ela tem a sensação de que tem "muito para fazer", não faz nada. Em lugar disso, tira um tempinho para relaxar, tomar uma xícara de café e recuperar o seu equilíbrio. Depois disso, ela pode realizar até duas vezes mais, e na metade do tempo.

"Mas", você pode objetar, "como eu posso fazer isso se estou no meio de pessoas que não conhecem essas leis do pensamento próspero e que ficam tentando me apressar?". Quando eu trabalhava como secretária, eu sabia o que era estar nessa situação. No entanto, eu também descobri que, se uma pessoa usa o poder do pensamento próspero, ela tem mais controle de determinada situação do que todo um exército de apressadinhos, que dissipam o seu poder correndo como loucos de um lado para o outro. Em tais ocasiões, declaro mentalmente: "Paz, aquiete-se", e observo a atmosfera em volta se acalmar e chegar a um ritmo aceitável.

Liberte-se do pensamento mesquinho

Não perca tempo guardando ressentimentos, mesmo contra aqueles que o trataram injustamente. Você encontrará muitas pessoas assim ao longo do seu caminho, à medida que se dirige ao sucesso. Aqueles que não chegam à prosperidade tentarão segurá-lo no seu próprio nível medíocre, mas não poderão fazê-lo, não se você se recusar a ser incomodado pelo que dizem ou fazem. Ninguém pode afastar o seu sucesso e a sua prosperidade de você, exceto você mesmo.

Se algumas pessoas parecerem tentar – e até conseguir – dissuadi-lo durante algum tempo, lembre-se de que o sucesso tem infinitas portas abertas para você, caminhos e meios ilimitados para providenciar o seu bem. Se uma porta se fecha, saiba que outra maior e melhor está tentando se abrir. Não fique espremido na porta entreaberta. Deixe a porta se fechar. Esteja pronto para novas portas, que querem se abrir o tempo todo para você.

Você pode se libertar do pensamento mesquinho em relação ao sucesso dos outros, bem como se libertar dos efeitos de pensamentos mesquinhos vindos dessas pessoas em relação a você, declarando: "Recuso-me a criticar a prosperidade de qualquer pessoa. Eu me volto a Deus, peço a Sua orientação e prospero. De modo semelhante, os outros se recusam a criticar a minha prosperidade. Em vez disso, eles se voltam para Deus, pedem a Sua orientação e também prosperam. Há fartura de abundância e prosperidade para todos nós".

Quando você começar a se elevar por meio do pensamento próspero, nunca fique desapontado, desencorajado ou zangado pelo que os outros digam ou façam, em uma tentativa de tomar o seu bem ou afastá-lo de você. Isso é um sinal certeiro de que pelo menos você está sendo bem-sucedido, e que os outros estão vendo isso. No fim das contas, eles não podem prejudicar você, só a si mesmos. Em tais circunstâncias, respire fundo, agradeça por que o sucesso está se manifestando e considere a questão como um elogio, já que os outros se incomodam em criticá-lo ou em tentar derrubar você. Não há duvida de que há algo em você que eles admiram e que sentem falta neles mesmos; de outro modo, não se sentiriam tão severamente incomodados a ponto de se ressentirem em vê-lo prosperar.

Faça da lei da expansão a sua nova fronteira

Todos esses métodos e atitudes são parte da lei da expansão. Quando você pensar, com ousadia, sobre essa lei fascinante, ela revelará suas próprias maneiras de se expressar ainda mais, a despeito das circunstâncias.

Sugiro que você comece invocando a lei da expansão em sua totalidade usando estas ideias: "Eu agora experimento saúde perfeita, abundante prosperidade e felicidade total e profunda. Isso acontece porque o mundo está repleto de pessoas amáveis, dispostas a me ajudarem, e de todas as maneiras. Agora, estou na companhia de incontáveis anjos e vivo uma vida deliciosa, interessante e satisfatória, do tipo mais proveitoso. O meu bem – o nosso bem – é universal".

O seu bem-estar é criado na mesma velocidade que as suas palavras de bênção são proferidas! Ouse invocar a lei da expansão, usando as práticas que eu mencionei. Se você o fizer, pensamentos, orações, palavras e expectativas pelo aumento do bem em sua vida circundarão o globo, podendo até mesmo alcançar o espaço celestial! De fato, você pode se tornar uma parte da "nova fronteira" do bem universal, que agora está se espalhando pelo planeta!

Capítulo 8: Atitudes prósperas em relação ao dinheiro

Recentemente, um amigo me enviou um cartão postal engraçado onde se lia: "Rico ou pobre, é bom ter dinheiro!". Estou certa de que a maioria de nós concordaria com isso!

Muitas coisas maravilhosas vêm sendo escritas sobre o dinheiro e sobre o nosso potencial de possuí-lo, cada vez mais. Diz-se que mais pessoas chegaram à fortuna desde a Segunda Guerra Mundial do que em qualquer outra época equivalente. Um escritor declarou: "Você ainda pode fazer ganhar milhões!". Outro disse, com ousadia: "Suas chances de se tornar um milionário são melhores do que você pensa".

Quando estudamos as vidas e as experiências de pessoas de mente próspera, descobrimos que essas pessoas têm sempre uma atitude amigável com o dinheiro. Porém, percebe-se que a atitude mais generalizada é a de que há algo de errado em se ter dinheiro e ser próspero.

Certa vez, fui palestrante convidada em um almoço de um clube. Um executivo de um hospital estava recebendo um cheque para ajudar a mobiliar uma nova ala do hospital. Em resposta ao oferecimento do cheque, esse executivo declarou: "Não é o dinheiro que é tão importante. É o amor dos membros do clube e o interesse por esta nova ala do hospital que realmente conta".

De algum modo, fiquei imaginando se ele percebeu o que estava dizendo, porque minha primeira reação (e, suspeito, a reação silenciosa de várias outras pessoas ali) foi: "Se o dinheiro não é importante, por que este homem está aqui? Ele é um executivo muito bom e ocupado, e eu imagino se ele teria vindo aqui almoçar com essas senhoras se elas simplesmente tivessem dito que estavam impressionadas com o seu programa de expansão do hospital". Com certeza, esse homem estava pensando como muitos outros, que desde crianças são ensinados, erroneamente, a não gostarem de dinheiro.

Se você ouvir com atenção as conversas das pessoas à sua volta, descobrirá que essa é uma atitude generalizada. As pessoas costumam rebaixar a importância do dinheiro, mas logo em seguida admitem que estão dando duro para consegui-lo. Elas não percebem a contracorrente que estão fazendo em seus pensamentos, o que, por sua vez, anula a maioria dos seus próprios esforços. Por meio desse pensamento contraditório sobre dinheiro, estão trabalhando em objetivos também contrários, e com isso experimentarão um resultado igualmente insatisfatório.

O dinheiro é divino

Nunca me esquecerei da primeira vez que palestrei como ministra sobre a importância do dinheiro para uma vida bem-sucedida. Quando declarei que o dinheiro era maravilhoso porque era a mais pura substância divina, que o dinheiro é bom quando usado da forma correta, uma senhora sentada na fileira da frente engasgou e quase caiu da cadeira. Quando eu disse: "O dinheiro é divino, porque o dinheiro é a expressão divina sendo manifestada", então, ela quase desmaiou. Essa senhora tinha ido à palestra porque estava interessada em ter mais prosperidade em sua vida. Mas quando eu mencionei o dinheiro como uma forma legítima de prosperidade, isso a chocou profundamente.

Depois da palestra, um dos membros da igreja me encurralou num canto e disse: "Você não acha que soou um pouco forte demais o que você disse sobre o dinheiro, que ele é bom porque simboliza a substância divina?". Eu me vi respondendo: "Espero que tenha sido bastante enfática; certamente foi o que eu quis dizer". O membro do conselho, então, disse: "Sim, mas você chocou tanto a senhora da fileira da frente que ela talvez nunca mais volte". E a minha resposta foi: "Se eu a choquei, sem dúvida era porque ela precisava que algumas de suas ideias antiquadas e incorretas sobre o dinheiro fossem chacoalhadas de seu pensamento, como todos nós também precisamos".

Então eu disse que o propósito de ensinar os princípios espirituais e mentais da prosperidade era ajudar as pessoas a aprenderem a verdade sobre o bem divino: ele é nossa herança espiritual divina, para que nos libertemos do fracasso, da pobreza e de todos os outros pecados de limitação. Percebi que às vezes esse processo era, sim, chocante.

Na palestra seguinte, a senhora estava de volta, sentada na fileira da frente. A única diferença que eu pude detectar em sua atitude foi que ela puxou sua cadeira um pouco mais para a frente, esperando com alegria por mais verdades chocantes sobre a prosperidade!

Depois que essa senhora foi a várias palestras, acalmou consideravelmente suas fortes atitudes em relação aos prós e contras da prosperidade. No devido tempo, ela veio me ver e confessou que, quando começou a assistir às palestras de prosperidade, a vida e os assuntos dela, financeiros ou não, estavam terríveis: o marido a tinha abandonado; os filhos pareciam ter se voltado contra ela; o médico previra que ela estava a ponto de ter um colapso nervoso; ela tinha um bom emprego, mas o dinheiro nunca parecia dar para nada, e ela não podia conviver com seus colegas de trabalho; ela até mesmo se envolveu em um processo judicial relativo ao seu antigo emprego.

Porém, semana após semana, ela começou a ter novas ideias sobre prosperidade e sucesso, e sua atitude mudou por completo, assim como todo o seu estilo de vida. O marido dela voltou, e ela aos poucos foi capaz de estabelecer uma relação harmoniosa com seus filhos. Além disso, ela não teve um colapso nervoso, o processo relacionado ao seu antigo emprego foi resolvido, de forma tranquila e amigável, fora do tribunal e ela começou a descobrir alegria e satisfação em seu trabalho. Na verdade, em pouco tempo ela parecia uma outra pessoa, e tudo começou na noite em que ela ousou mudar seu pensamento sobre o dinheiro.

A maioria das pessoas é sensível a respeito da sua capacidade de ganhar dinheiro. Na maioria das vezes, essa capacidade aumentará se as atitudes em relação ao dinheiro forem positivas e amigáveis. Existem citações do falecido Mike Todd, dizendo: "Eu nunca fui pobre, só estive sem dinheiro. Ser pobre é uma atitude. Estar sem dinheiro é uma situação temporária".

As boas notícias sobre o dinheiro

Muitos parecem confusos sobre a atitude espiritual correta em relação ao dinheiro por causa de algumas coisas que o apóstolo Paulo escreveu sobre o tema. Talvez uma das passagens bíblicas mais mal compreendidas sobre dinheiro esteja em seu aviso a Timóteo: *Porque o amor ao dinheiro é a raiz de toda a espécie de males; e nessa cobiça alguns se desviaram da fé, e se traspassaram a si mesmos com muitas dores* (1Tm 6:10). Entretanto, um estudo mais atento dessa passagem revela por que Paulo falou como falou.

Paulo tinha posto Timóteo como responsável pelo trabalho dos primeiros cristãos em Éfeso, na Ásia Menor, centro de conhecimento e comércio, famosa por seu templo, construído para a veneração de uma deusa, Diana. Em outras palavras: na época em que Paulo escreveu sua primeira epístola a Timóteo, a cidade de Éfeso era local de veneração e idolatria pagãs, uma cidade de crenças religiosas politeístas e supersticiosas; uma cidade de materialismo generalizado, que não punha nenhuma ênfase em Deus como a fonte de sua provisão.

Portanto, é fácil compreender por que Paulo escreveu a Timóteo, prevenindo-o sobre a perspectiva materialista daquelas pessoas. No entanto, Paulo também instruiu Timóteo, na mesma carta, a pregar da seguinte maneira: *Manda aos ricos deste mundo que não sejam altivos, nem ponham a esperança na incerteza das riquezas, mas em Deus, que abundantemente nos dá todas as coisas para delas gozarmos* (1Tm 6:17). Em linguagem moderna, Paulo estava lembrando que Deus é a fonte da provisão do homem e aconselhando Timóteo a instruir os ricos, dentre os seus seguidores, sobre o segredo da prosperidade eterna. Os governantes norte-americanos conheciam essa grande verdade, pois em nossas moedas encontramos esse lema: "Confiamos em Deus". Essa é uma bela oração de prosperidade.

Então, vamos direto ao ponto: não há nada de errado com o dinheiro, nem em desejar tê-lo. O dinheiro é um meio de troca dado por Deus, e não há nada de mau nele. No momento em que liberarmos as falsas ideias, ensinadas a nós anos atrás, de que o dinheiro é ruim, ele circulará em nossas questões financeiras muito mais fácil e satisfatoriamente.

Apreciar o dinheiro pode fazê-lo prosperar

Uma senhora me disse que, desde que começou a se libertar da noção de que o dinheiro é mau, ela começou a ganhar cada vez mais dinheiro e a usá-lo melhor. Antes, todo o seu dinheiro ia embora três dias após seu pagamento, mas agora ele parecia sempre suficiente para compartilhar e poupar. Ela é, na verdade, a pessoa mais generosa que eu conheço.

Outra senhora declarou: "Uma das coisas que eu aprendi é a parar de dizer: 'Oh, é *apenas* dinheiro'". Então, ela prosseguiu, dizendo que, desde que ela começou a apreciar o dinheiro em vez de depreciá-lo, conseguiu um novo emprego maravilhoso, com um salário muito maior. Agora, está usufruindo de ambos: do novo trabalho *e* do novo salário.

Talvez você esteja imaginando por que é importante cultivar uma atitude sinceramente favorável com relação ao dinheiro, a fim de atrair situações financeiras mais felizes. Bem, o dinheiro é pleno da inteligência do universo, a partir da qual ele foi criado. O dinheiro reage às suas atitudes com relação a ele. A lei da atração mental diz que você atrai qualquer coisa que aprecia, repelindo qualquer coisa que deprecie, e o dinheiro responde de acordo. Se você pensa favoravelmente sobre ele, você o multiplica em seu meio; se você critica ou condena o seu próprio dinheiro ou o de outros, você o dissipa e o afasta.

Talvez você tenha percebido que essa lei trabalha de acordo com os seus estados de espírito. Perceba quanto mais você é capaz de comprar com o seu dinheiro quando está de bom humor. Se você compra com pressa ou de mau humor, em contrapartida, tudo parece sair errado, diminuindo, assim, o poder de compra do seu dinheiro.

Assim como suas ideias criam seu mundo, seus pensamentos sobre o dinheiro devem ser de apreciação, para que ele o aprecie em retribuição e seja, então, atraído para você. Ao falar a centenas de pessoas sobre questões financeiras, descobri que, quando elas não têm dinheiro o bastante para suprir as demandas de suas vidas, em geral é porque têm ridicularizado e condenado o dinheiro, o seu próprio ou o de outras pessoas a seu redor.

Certa ocasião, conversei com um homem que parecia totalmente arruinado, em todos os sentidos. Ele não gozava de boa saúde, estava desempregado e extremamente solitário e infeliz. Enquanto conversava com ele, tentei descobrir qual atitude mental tinha lhe trazido tais circunstâncias tão dramáticas. Ele me disse quanto a vida tinha sido dura com ele, e como pessoas, situações e eventos complicados tinham aparecido ao longo de seu caminho. Conforme a conversa progredia, ele começou a falar sobre "os políticos em Washington" e sobre "o modo terrível com que eles gastavam o dinheiro dos impostos". Da forma mais gentil que eu conhecia, sugeri que ele tentasse retrabalhar suas atitudes em relação às pessoas em geral e, particularmente, em relação aos políticos de Washington. Ele deveria fazer isso se quisesse que a saúde, a prosperidade e a felicidade viessem até ele. Depois de me destinar um olhar penetrante, dando a entender que duvidava da minha sanidade, enfim ele concordou em tentar a abordagem do pensamento próspero.

Meses depois, quando esse homem retornou, teve de me lembrar quem ele era, porque sua aparência tinha melhorado muito. Ele então descreveu, radiante, aquela tarde fria de inverno, quando saiu da palestra e fez o caminho de volta para casa a pé, pois não tinha dinheiro para pagar a passagem do ônibus. Quando chegou em casa, descobriu que, ao absorver algumas das ideias que tínhamos conversado, toda a dor tinha deixado o seu corpo. Naquela noite, ele dormiu tranquilamente pela primeira vez em meses.

Conforme ele começou a usar o pensamento próspero todos os dias, coisas maravilhosas passaram a acontecer. Ele reconquistou a saúde, e logo um novo campo de trabalho se abriu para ele. Na pensão em que estava hospedado, ele conheceu uma senhora que também estava com problemas de saúde e financeiros. Ele, então, lhe transmitiu algumas ideias sobre o pensamento próspero, que tinham significado muito para ele. Toda a atitude dele em relação à vida mudou. Quando ambos começaram a apreciar as coisas em lugar de depreciá-las, no devido tempo a apreciação envolveu um ao outro. Em sua segunda visita, esse homem disse que agora queria se casar com aquela bela senhora. Ele a levou para me conhecer: estava tão radiante quanto qualquer noiva com metade da sua idade!

Esse homem, por toda a sua vida, tinha zombado do dinheiro, das questões financeiras e das pessoas que eram ricas. Agora, percebia quanta destruição ele tinha causado em sua própria vida, como resultado disso. Tinha aprendido que, quando nós não temos o suficiente para as necessidades da vida, muitas vezes é por causa da nossa depreciação do dinheiro, seja o nosso ou o de outras pessoas.

A regra de ouro da prosperidade

As pessoas às vezes chamam para si dificuldades financeiras quando declaram que são prósperas e abençoadas, mas que o Sr. Fulano e o Sr. Sicrano não têm um centavo. Pessoas assim discutem longa e triunfantemente sobre as dificuldades dos outros. Se você pensa em si mesmo como próspero, mas nas outras pessoas como carentes, está convidando o mesmo a acontecer em sua vida, segundo a lei de ação e reação. A regra de ouro do pensamento próspero é: você não deve pensar nada em termos financeiros que não queira experimentar para si mesmo.

Um exemplo incomum dessa verdade foi demonstrado em um caso no tribunal, em que dois sócios, uma mulher e um homem, estavam desmanchando sua parceria. A mulher insistia em dizer que tinha de ficar com tudo, que a corte e o juiz iriam favorecê-la. Ela, declarou que o sócio ficaria sem nada. O outro sócio, porém, era um indivíduo positivo, justo e fiel, e pôs a questão nas mãos do Altíssimo, afirmando que as leis divinas do amor, da justiça e da equidade perfeita iriam se manifestar para o mais alto bem de todos os envolvidos. A sócia acusadora chegou ao ponto de pedir ao seu advogado para examinar todas as propriedades e bens financeiros do seu sócio, convencida de que a corte deveria lhe dar tudo. Ela pensava constantemente em si mesma como próspera, mas declarava que o seu sócio seria deixado na mais completa miséria.

Entretanto, quando o juiz ouviu os fatos no tribunal, decidiu que a acusadora só tinha direito a uma pequena parte da propriedade. Ele designou o resto dos bens financeiros, que incluíam um conjunto de casas, uma fábrica de produtos de limpeza e várias propriedades imobiliárias, ao sócio, que tinha orado por justiça divina. Portanto, essa mulher comprovou que quando se pensa em si mesmo como próspero, mas pensa nos outros experimentando a falta ou a limitação, acaba-se convidando a mesma coisa para acontecer com você.

Como fazer com que o dinheiro seja o seu servo

Invejar o dinheiro alheio indica uma crença na falta de provisão suficiente para todos. Lembre-se de que você sempre experimentará aquilo a que mais dedica o seu pensamento. Quando ouve falar da boa fortuna de outras pessoas, de uma rica herança ou de ricos pertences, você deve fazê-lo com imensa alegria e satisfação. A manifestação de riquezas de outras pessoas não é nada além da prova da generosidade de um Pai divino, amoroso, disponível para toda a humanidade. Você deve se regozijar a cada rica evidência disso.

O dinheiro é tão carregado de divina inteligência que parece sintonizar o que você diz ou pensa a respeito dele, respondendo de acordo com seus pensamentos. Uma amiga sempre me contava sobre como a atitude apreciativa em relação ao dinheiro a tinha auxiliado a colocar comida na mesa durante os anos da Depressão americana. Seu jovem filho parecia saber como tirar o melhor proveito do dinheiro da família na mercearia. Quando havia poucos recursos, ela o mandava fazer compras com a substância que tinha à mão. Ele costumava voltar para casa com muito mais do que qualquer um da família poderia ter comprado com a mesma quantia. Talvez fosse porque qualquer quantia parecia trabalhar dia e noite para ele!

Por meio de atitudes positivas e apreciativas em relação ao dinheiro, você pode torná-lo seu servo, em vez de tornar-se você escravo dele. É preciso, portanto, dominar o dinheiro, sem se deixar ser escravizado por ele. Você foi colocado neste universo para alcançar a maestria e o domínio da substância divina em todas as suas formas, como indicado no primeiro capítulo do Gênesis.[12] Cultive o hábito de apreciar o dinheiro, e não invente desculpas à toa para não fazê-lo.

Se você racionaliza e deprecia o dinheiro, ele parece perceber isso, sendo, então, repelido por sua depreciação. Nunca esquecerei a primeira vez em que fiz essa declaração em uma palestra: "Apreciem o dinheiro como rica substância de Deus e não inventem desculpas, pois, com essa atitude tola, o dinheiro será repelido de vocês". Na plateia havia uma senhora carregando uma grande bolsa. De repente, a bolsa voou, se abriu e o dinheiro se esparramou pelo chão, fazendo muito barulho. Todos nós rimos muito enquanto as pessoas a ajudavam a recolher o seu dinheiro. É claro que levamos a experiência como uma brincadeira, pelo bem dos sentimentos da mulher. Porém, mais tarde, quando ela me encontrou pessoalmente, eu lhe dei ricas declarações. Com elas, essa mulher deveria carregar sua mente, porque dela parecia irradiar um profundo sentimento de limitação financeira. Foi como se o dinheiro tivesse ouvido o que eu estava dizendo, tentando fugir dela logo em seguida!

Charles Fillmore escreveu:

> Observe seus pensamentos enquanto estiver lidando com o seu dinheiro, porque ele é conectado à fonte única de toda a substância, e o faz através da sua mente. Quando pensa no seu dinheiro, que é visível, como algo diretamente relacionado a uma fonte invisível, dando ou retendo de acordo com o seu pensamento, você tem a chave de todas as riquezas e a razão da pobreza.[13]

---

[12] Ver capítulo 3 do livro *Os segredos da prosperidade através das eras*, de Catherine Ponder.

[13] FILLMORE, Charles. *Keep a True Lent*. Unity Village, MO: Unity Books, 1953.

Talvez você tenha ouvido a história sobre o escocês descuidado que jogou uma coroa de prata, pensando que era um pêni de bronze, na bandeja de coleta da igreja. Quando percebeu seu erro, ele a pediu de volta, mas o diácono, recolhendo a oferta, recusou. O escocês grunhiu: "Bem, bem, vou ganhar crédito no céu por essa coroa". O diácono respondeu: "Não, não. Você vai ganhar crédito pelo pêni".

Abandone as atitudes confusas

Vamos abandonar as atitudes confusas com relação ao dinheiro, que só podem nos trazer resultados confusos. John D. Rockfeller Jr. certa vez descreveu a maravilha e a glória do dinheiro, dizendo que o homem podia usá-lo para alimentar os famintos, curar os doentes, fazer o deserto florescer e trazer beleza à vida. E como ele estava certo! Como Salomão declarou: *Os bens do rico são a sua cidade forte, a pobreza dos pobres a sua ruína* (Pv 10:15). De fato, o dinheiro é bom, e nós devemos possuí-lo, mais do que nunca, nesta era rica em que entramos agora.

Um editorial, publicado recentemente, apontou o poder do dinheiro para a paz mundial, sugerindo que o presidente do Banco Mundial fosse indicado ao Prêmio Nobel da Paz, por seu excelente trabalho produzindo paz financeira em vários países. O editorial concluía: "Não seria hora de reconhecer que o uso apropriado do dinheiro pode ser um grande fator para a paz no mundo?".

Assim como não devemos torcer o nariz para o dinheiro, também não devemos transformá-lo em um deus. O dinheiro é repleto de desejo pela vida, movimento, expansão e atividade. Ele não gosta de ser agarrado, apertado ou restringido pela inatividade. Na verdade, é a circulação ativa do dinheiro que traz prosperidade, ao passo que as depressões e recessões são causadas pelo acúmulo vil e pela estocagem. Assim como a economia nacional depende da circulação ativa de dinheiro, nossa prosperidade individual também depende disso. Não quero dizer que você não deva poupar, mas que não deve usar mal seu dinheiro, deixando de gastá-lo.

Muitas outras atitudes com relação ao dinheiro são especialmente úteis. Por exemplo, nunca diga: "Eu não posso arcar com isso", ou "Nunca tenho dinheiro para nada!". Tais declarações lançam ao solo sementes de pobreza e limitação, que irão produzir frutos análogos. Em lugar disso, é melhor dizer: "Não seria prudente assumir certos compromissos financeiros neste momento". Você pode, pelo menos, colocar a sua negativa de um modo mais positivo e próspero. Afirme com frequência: "Eu uso o poder positivo da rica substância divina com sabedoria, amor e bom julgamento, em todos os meus assuntos financeiros, e prospero de todas as maneiras".

Também é imprudente exagerar as dificuldades financeiras. Se você se gaba com frequência de seus problemas financeiros (e algumas pessoas realmente fazem isso, em busca de pena e atenção), então você sempre terá problemas financeiros para se gabar. Um executivo, que tinha conseguido riqueza por meio de transações no mercado de ações, disse que, no começo de suas aventuras no mercado financeiro, ele investiu e perdeu muito dinheiro. Em uma transação apenas, ele perdeu 20 mil dólares. Contudo, nunca contou suas perdas financeiras para ninguém, nem mesmo para sua esposa. Em vez disso, continuou a viver prosperamente, e logo a situação mudou: ele pôde compensar com ricos ganhos as lições que aprendera com as pesadas perdas. Até hoje, ele procura não discutir abertamente essas perdas iniciais, e, agora, ele goza de independência financeira. Nos períodos de dificuldades, é bom afirmar: "Tenho fé que isso também passará", e então, siga adiante e sustente sempre uma visão financeira de sucesso com relação ao que você está trabalhando.

Outra atitude em relação ao dinheiro com a qual você deve se preocupar é esta: quando você doar dinheiro a outra pessoa ou a uma organização, não o faça com o pensamento de necessidade ou obrigação. Isso só atrai mais necessidades e obrigações financeiras para serem cumpridas. Em lugar disso, doe como um "auxílio para a sua prosperidade". Isso se aplica ao dinheiro que você dá ao seu marido, esposa, filhos, empregados, clube, igreja, ao dono da mercearia, ao banqueiro, ao artesão que faz castiçais, assim como ao governo e a todo o resto. Essa atitude faz tanto quem recebe quanto quem doa se sentirem ricos.

Também é importante prestar atenção a seu pensamento acerca de como o dinheiro ou outro recurso financeiro entram em sua vida. O caminho da prosperidade é receber com gratidão o seu bem em todas as formas, e não se desculpar por seu recebimento. "Oh, não precisava...": essa declaração é uma ofensa tanto para o presente recebido quanto para aquele que o deu. Receba bem o dinheiro e a provisão divina de todas as origens, se forem livremente dados e não incorrerem em nenhum senso de obrigação.

Declare com frequência: "Todas as portas financeiras estão abertas; todos os canais financeiros estão livres, e a infinita generosidade agora chega a mim". E, então, deixe que a substância divina venha a você!

Conheço uma mulher que orava desesperadamente por maior prosperidade, mesmo que recusasse presentes ou favores que lhe eram ofertados com amor. Desse modo, ela fechava muitos canais para seu sucesso. Se você não usar os presentes que lhe forem dados, não diga não; aceite-os pelo pensamento generoso que eles representam, e depois passe-os adiante, alegremente, a alguém que possa usá-los.

A única vez em que essa atitude não se aplica é quando alguém está tentando subornar ou comprar sua amizade com favores, porque, nesse caso, existe um senso de obrigação. Não existe suborno, favores ou obrigações quando se trata de doação genuína. Se você sente um objetivo por trás de um presente, deve se sentir livre para dizer "não" a essa falsa generosidade.

Ore pelos seus assuntos financeiros

Outra atitude que precisa ser explicada é esta: não tenha medo de orar por dinheiro, ou de ser específico sobre seus assuntos financeiros. Os antigos hebreus não hesitavam em orar a Deus pedindo exatamente o que queriam. Eles tinham sete nomes sagrados para Jeová, cada um representando uma ideia específica de Deus. Eles usavam o nome "Jeová-Jireh" quando queriam se concentrar no aspecto da substância. Jeová-Jireh significa "Jeová proverá", "o Poderoso cuja Presença e Poder provê, a despeito das circunstâncias adversas".

Muitos dos grandes líderes bíblicos oravam especificamente por prosperidade quando ela era necessária; Jesus orou para que os 5 mil fossem alimentados, olhando para os céus e dando graças pelos poucos pães e peixes, que então se multiplicaram para satisfazer a necessidade. Elias orou por chuva para acabar com uma seca de três anos, para que os hebreus pudessem novamente ter colheitas, alimentos e prosperidade.

Como Pai rico, Deus jamais pretendeu que o homem sofresse neste exuberante universo, e nós nos enganamos se pensamos que devemos viver em necessidade. Se você está passando por problemas financeiros, ouse orar especificamente sobre isso, pedindo ao seu Pai amoroso que o ajude a cumprir cada necessidade sua. A promessa: *Pedi, e dar-se-vos-á; buscai, e encontrareis; batei, e abrir-se-vos-á* (Mt 7:7) não contém cláusulas ocultas. Nem a promessa feita no Livro de Jó: *Se o ouvirem, e o servirem, acabarão seus dias em bem, e os seus anos em delícias* (Jó 36:11). Nós temos o feriado nacional de Ação de Graças, e damos graças diariamente em nossas mesas de refeição, para nos ajudar a lembrar que Deus é a fonte de nossa provisão em todas as formas.

A respeito de orar pedindo riquezas, você provavelmente já ouviu falar do falecido George Muller, de Bristol, Inglaterra, que construiu orfanatos para crianças, muitos anos atrás, por meio de sua crença no poder próspero da oração. Ele é conhecido como homem de grande fé, a quem Deus deu milhões. Também era chamado de "príncipe da oração", por seu hábito de pedir diretamente a Deus qualquer coisa de que precisasse, em vez de falar sobre suas necessidades com as pessoas.

O Sr. Muller uma vez disse que a grande falha da maioria de nós era não pedir alto o bastante, e não continuar orando até que nossa oração seja respondida. Ele também aconselhou: "Espere grandes coisas de Deus, e grandes coisas você terá". Ele certa vez disse a um amigo: "Eu agradeci muitas vezes a Deus quando Ele me mandou 10 centavos, e orei muitas vezes também quando me mandou 60 mil dólares". Como resposta às suas orações por prosperidade, 7 milhões e 500 mil dólares lhe foram doados, para a construção e a manutenção de seus orfanatos.

Essa história tem sido relacionada à maneira como Charles Fillmore, o cofundador da *Unity School of Christianity*, no Missouri, Estados Unidos, orava pelas questões financeiras da *Unity* no início do movimento. Certa vez, o pagamento das prensas estava atrasado, e o xerife veio retomar as máquinas. Mas quando o Sr. Fillmore confiantemente declarou: "Eu tenho um Pai rico que vai cuidar disso", o xerife acreditou, respondendo: "Bem, nesse caso, nós lhe daremos um pouco mais de tempo".

O Sr. Fillmore então continuou a orar pela prosperidade, e o dinheiro chegou. Aquelas prensas jamais foram retomadas. Mais tarde, durante os anos da Depressão, as ofertas amorosas que sustentavam a *Unity School,* chegando de todo o mundo, foram muito menores que o usual. Novamente, os fundadores da *Unity* oraram, com coragem, por dinheiro, benefícios financeiros e prosperidade. Um dia, enquanto os empregados da *Unity Farm* escavavam buscando água, encontraram petróleo! Esse petróleo se provou uma resposta adequada às necessidades financeiras da comunidade durante a Depressão.

O movimento *Unity* hoje está no mundo todo. Em estimativas recentes, avaliadores declararam que o valor financeiro total da *Unity Village* – que hoje está incorporada – é tão alto que não pode ser estimado, mas que chegaria facilmente à casa dos milhões de dólares.

Como manifestar dinheiro

Um dos ensinamentos secretos das religiões ocultistas do passado era o conhecimento de como manifestar dinheiro. Aqueles privilegiados que aprenderam esse segredo foram ensinados a fazer uma imagem mental concreta do valor que queriam, em moeda, e qual era a sua aparência. Depois que fizessem uma imagem do valor específico, lhes era ensinado como manter essa imagem em sua mente, como se já fosse visível e real, e como vê-la com clareza. Eles eram então orientados a ordenar que a rica substância do universo desse esse valor para eles, afirmando: "Dê-me isso", repetindo, então, essa ordem várias vezes, dia após dia, até que o dinheiro se manifestasse.

Como a mente é poderosa, você também tem o direito e o privilégio de reclamar dinheiro, recursos financeiros e uma provisão rica, apenas em seu pensamento, caso você deseje usar um método estritamente mental. Muitas pessoas bem-sucedidas usam esse método, quer consciente ou inconscientemente. Uma declaração poderosa para carregar sua mente, junto com a imagem mental do valor específico desejado, é: "Todas as portas financeiras estão abertas, todos os canais estão livres, e, agora, [*preencha aqui com o valor desejado*] vem para mim". Também é interessante afirmar que a quantia desejada se manifesta por meio dos canais divinos, da mais maravilhosa maneira divina.

Junto com a visualização mental e o ato de reclamar mentalmente quantias específicas de dinheiro, acompanhados de uma oração definitiva a respeito, também é bom falar palavras de riqueza para si mesmo e para seus bens. Para si mesmo, declare: "Eu agradeço porque hoje sou rico, sadio e feliz, e porque todos os meus assuntos financeiros estão de acordo com a ordem divina. Todos os dias, de todas as maneiras, estou ficando cada vez mais rico". Para a sua carteira, o seu talão de cheques e outros canais de provisão financeira, é bom afirmar: "Dinheiro, dinheiro, dinheiro, o dinheiro se manifesta aqui e agora em rica abundância". Não tenha medo de declarar "grandes quantias de dinheiro", "ricas e agradáveis surpresas financeiras", e "dádivas ricas e apropriadas", esperando que todas essas coisas se manifestem para você. Não seja vago sobre dinheiro, a não ser que queira que o dinheiro seja vago em sua resposta a você.

Uma mulher da costa oeste dos Estados Unidos, que tinha lido algumas de minhas ideias sobre dinheiro, certa vez me escreveu, agradecendo. Ela disse:

> Estou feliz em encontrar um ministro que não tem medo de falar abertamente sobre dinheiro como uma bênção. Um ministro que eu conheço fala comigo em termos de "ter o bastante para poupar e compartilhar", e eu descobri o que ele queria dizer no último Natal, quando recebi quatro panetones. Eu tinha tantos panetones para compartilhar e poupar que doei três deles. Como seria bom ter recebido algo além de panetones no Natal! Essa experiência me ensinou que devo ser definitiva

a respeito do que eu quero, se espero ter resultados definitivos e satisfatórios.

Pensar em termos definitivos abre o caminho para resultados definitivos. Não limite a sua entrada de receitas decretando: "Desejo apenas o bastante para sobreviver". Esta é uma oração de pobreza. Em vez disso, lembre-se das palavras de Paulo, o apóstolo: *Manda aos ricos deste mundo que não sejam altivos, nem ponham a esperança na incerteza das riquezas, mas em Deus, que abundantemente nos dá todas as coisas para delas gozarmos* (1Tm 6:17).

Em um dado momento de minha vida, quando a entrada de receitas parecia inadequada, eu recortei essas palavras de uma revista, colei-as em um cartão e pendurei na minha mesinha de cabeceira, onde podia vê-las diariamente: "O seu dinheiro começa a crescer agora. As suas receitas virão em dobro!". Fiquei pasma quando minha receita de fato começou a crescer, através de uma série notável de acontecimentos. Dentro de alguns meses eu percebi que minha receita *tinha* dobrado! O dinheiro adora a atitude próspera, e responde ricamente a ela.

A substância, a fonte do dinheiro

Assim como dedica seu apreço ao dinheiro, você também deve entender e apreciar a substância divina, a partir da qual ele e todos os objetos palpáveis são formados. Períodos de depressão financeira trazem à tona o fato de que, em dias de prosperidade, o homem se esquece das orações e batalhas que lhe trouxeram o sucesso e a aparente segurança, ou então falha em construir sua fortuna em uma base financeira sólida. Quando se pensa mais sobre a fonte da vida e a substância, escapa-se do inútil grilhão da pobreza que pode afligir o homem em tempos de menor abundância.

Os cientistas dizem que a substância é o que subjaz e suporta qualquer objeto visível e tangível. Se você não tem dinheiro, ou se ele parece não se manifestar de forma adequada, ainda que você pense prosperamente sobre ele, pode ser porque o equivalente divino do dinheiro deseja vir até você. À medida que você apreciar a substância e souber que ela está presente no éter à sua volta, à medida que perceber que ela é passiva, esperando ser formada e trazida à visibilidade pelos seus pensamentos e palavras, você perceberá que pode controlar não só o mundo invisível, da rica substância e da rica provisão, mas também o visível, de riquezas.

Foi Einstein quem primeiro agitou o mundo científico quando alegou que a substância e a matéria (o que inclui o dinheiro e todos os objetos visíveis) são conversíveis. Ele declarou que tanto o mundo material quanto o imaterial são feitos da mesma energia: o éter, ou substância. Ele disse que os reinos visível e invisível são relativos, conversíveis e intercambiáveis.

Também podemos usar sua teoria da relatividade de um ponto de vista financeiro. Se os mundos material e imaterial são relativos, então por que se preocupar se suas finanças estão em baixa? Você pode usar a lei da relatividade para produzir quer seja dinheiro ou o seu equivalente financeiro, satisfazendo as suas necessidades! Se a substância não se manifestar como dinheiro, não entre em pânico. Em vez disso, declare: "A divina substância é a única realidade nesta situação. A divina substância não falha em se manifestar de forma rica e apropriada, aqui e agora". Então, deixe a substância vir a você na forma que ela julgar melhor.

Os cientistas declaram que a substância está repleta de vida, inteligência e capacidade de tomar uma forma visível. Se você afirma que a substância divina está fazendo sempre o melhor, em qualquer situação, você libera a inteligência divina e a sua capacidade de assumir uma forma visível. O seu bem financeiro pode chegar até você de maneiras completamente inesperadas; talvez, vindo do outro lado do mundo, ou por meio de desconhecidos, de pessoas que você nunca viu. Mas pode saber que a prosperidade virá quando você lhe destinar sua atenção, liberando-a para trabalhar de acordo com sua própria maneira sábia.

Se os canais usuais de provisão parecerem não estar abertos, convide, então, canais incomuns de provisão a se abrirem, reconhecendo que a divina substância está por trás de toda forma visível de prosperidade, podendo assumir infinitas formas, pelas quais manifesta suas riquezas para você. A substância é sua amiga e deseja supri-lo ricamente. Dê a ela a sua atenção; ponha fé nela, embora não possa vê-la; depois, deixe que ela prove o seu poder, fazendo-o prosperar e cuidando de você.

Nunca subestime o poder de afirmar a substância como sua única realidade: ela nunca falha, manifestando-se, então, como dinheiro ou na forma financeira mais apropriada.

Quando você invocar as inúmeras atitudes prósperas com relação ao dinheiro e à substância contidas neste capítulo, faça-o com confiança, usando as palavras de Emerson: "O homem nasceu para ser rico ou para se tornar rico, por meio do uso de suas faculdades".

E, então, se prepare para os ricos resultados! Quando eles aparecerem, lembre-se da verdade que um jovem das forças armadas escreveu à sua mãe: "O ontem é um cheque sem fundos. O amanhã é uma nota promissória. O hoje é o único dinheiro que você realmente tem. Gaste-o com sabedoria".

Seja em termos de dinheiro ou de tempo, isso ainda se aplica, não é mesmo?

Capítulo 9: O trabalho – um poderoso canal da prosperidade

Talvez você esteja imaginando por que este capítulo sobre trabalho, considerado um poderoso canal da prosperidade, não veio antes no livro.

A resposta se torna mais clara quando olhamos à nossa volta. O mundo está cheio de pessoas que trabalham duro todos os dias para se tornarem prósperas, mas que, mesmo assim, não conseguem alcançar o sucesso de modo algum. Por que isso acontece? Geralmente, porque elas não estão *pensando* em prosperidade e sucesso enquanto trabalham pela prosperidade.

Esta não é, com efeito, a melhor atitude: todo o trabalho que deveria gerar prosperidade é neutralizado com conversas sobre o fracasso, com a associação do indivíduo a pessoas de mente fracassada, ou com a crítica e a censura a outras pessoas que estejam subindo a escada do sucesso. Às vezes não se percebe que deve haver um trabalho interno, alimentando ideias prósperas, antes que possa haver uma produção externa de resultados prósperos.

Portanto, os capítulos precedentes eram necessários para condicionar suas atitudes para o rico bem, para a prosperidade crescente e para a satisfação duradoura, que devem ser seus, por meio do trabalho.

Atitudes podem fazer a diferença

Certa ocasião, soube de uma secretária que trabalhava arduamente para conquistar a prosperidade. Ela estava com grandes dívidas, tinha sido demitida de vários empregos e estava em flagrante necessidade de um emprego estável. Tinha boa formação, com dois diplomas universitários, além de treinamento em administração de negócios. À primeira vista, parecia de fácil convivência. Contudo, as pessoas que a conheciam melhor percebiam que guardava ressentimentos contra o mundo inteiro, e contra todos os seus antigos empregadores, em especial. Ficava patente que ela muitas vezes buscava angariar piedade por causa de suas "questões financeiras insolúveis".

Quando lhe sugeriram que ela mudasse o foco, voltando seus pensamentos do fracasso para a prosperidade, ela ficou furiosa. Desejava continuar com seus preconceitos, rancores e atitudes fracassadas, que preenchiam a atmosfera ao seu redor com um pessimismo tão forte que as pessoas eram repelidas. Com sua mente tão cheia de hostilidade, não é de se admirar que seu trabalho fosse insatisfatório, que ela fosse incompetente e que ninguém gostasse dela em seus antigos empregos.

Inversamente, outra senhora parecia perceber que as atitudes vitoriosas e prósperas pavimentavam o seu caminho para um trabalho satisfatório e produtivo. Para todos os efeitos, essa senhora não tinha razão para se sentir positiva ou vitoriosa. Ela já tinha passado do meio século de vida, e muitas pessoas em sua faixa etária costumam dizer que já estão ficando muito velhas, o que por si só é suficiente para criar a carência e a infelicidade. Além disso, ela era viúva e muito sozinha no mundo, sem filhos ou outros parentes próximos. Todavia, essa mulher não costumava usar isso como desculpa para o fracasso. Na verdade, era uma pessoa muito feliz e bem-sucedida.

Ainda mais desafiador: o produto que ela vendia era um desses que a maioria de nós não se preocupa em comprar... Ela vendia terrenos no cemitério! Ainda assim, os vendia em grande quantidade, e parecia muito feliz com o seu produto. Ela também parecia transmitir o seu entusiasmo àqueles que os compravam dela, embora a maioria de nós prefira adiar pensar nesse assunto o maior tempo possível. O resultado é que ela gozava da maioria dos confortos da vida. Tinha uma casa espaçosa, confortável e adorável, na qual podia receber seus amigos. Possuía, além disso, segurança financeira, sustentada por bens como aluguel de propriedades, ações, apólices e outros investimentos, assim como uma renda alta e estável, proveniente de suas vendas. Ela tinha tempo para sua vida social, para ir à igreja e para atividades culturais, férias e viagens. Para ela, o trabalho era divino, mesmo que esse trabalho fosse vender o último produto que gostaríamos de comprar.

O trabalho é divino

A palavra "trabalho" significa coisas diferentes para as pessoas. No dicionário, há meia página de definições. Um pensador próspero deve pensar no trabalho como algo sublime, divino, ou como a atividade criativa do bem, equilibrado com diversão, descanso e um ambiente harmonioso. Kahlil Gibran escreveu que o "trabalho é o amor tornado visível".[14]

Talvez você não concorde que o trabalho é divino, sublime ou mesmo uma expressão satisfatória dos seus talentos e habilidades. O trabalho que você está fazendo no momento pode não parecer divino; se não parecer, existe uma razão para isso, e é sempre uma boa razão.

Mas vamos deixar o resultado de lado e nos voltar à causa. William James declarou uma vez que 90% dos humanos usam somente 10% de nosso poder mental. Os psicólogos acreditam que cada ser humano é um dínamo de energia criativa concentrada, energia esta que busca constantemente novos meios de expressão.

O desejo de prosperidade e da autoexpressão benéfica no trabalho não é nada senão uma parte dessa energia criativa tentando se manifestar em nossas vidas. Quando os caminhos certos para externalizar essa energia criativa são encontrados e as atitudes corretas são estabelecidas, o indivíduo é feliz, ajustado, considerando, então, o seu trabalho como algo divino. Quando, porém, os meios corretos de expressão não

---

[14] GIBRAN. *O Profeta*, 1923, várias editoras.

são encontrados e as atitudes corretas não são estabelecidas, essa mesma energia criativa fica restrita, e o indivíduo considera o trabalho uma maldição, em vez de enxergá-lo como a bênção divina que tem a intenção de ser.

Muitas pessoas se veem em um trabalho que consideram desagradável quando ainda estão no começo da escalada ao sucesso. É essa atitude em relação ao trabalho, nesse ponto de sua jornada, que determina se elas permanecerão nos primeiros degraus ou se subirão o restante da escada, passo a passo. A insatisfação pode ser boa, porque ela instiga a pessoa a almejar mais e, então, a fazer o que for necessário para conseguir o que deseja.

As suas circunstâncias atuais têm um propósito

Vamos encarar os fatos honestamente. Você poderá perceber que está onde está agora para redimir certos traços de caráter ou certas atitudes mentais que impediram seu progresso no passado. Se você está em um trabalho incompatível, perceba que está aí por alguma razão, como para desenvolver qualidades admiráveis que acrescentarão valor ao seu progresso geral, enquanto você avança na sua escalada rumo ao sucesso.

Depois de entrar para o ministério, percebi que cada trabalho que tive ao longo da minha vida, fosse grande ou pequeno, era parte do meu treinamento para o púlpito, como palestrante, para a sala de aconselhamento e para o meu trabalho como escritora.

Jesus foi muito elucidativo quando disse: *E, a qualquer que muito for dado, muito se lhe pedirá, e ao que muito se lhe confiou, muito mais se lhe pedirá* (Lc 12:48). A sua necessidade imediata é, portanto, a de disciplinar suas atitudes e reações, de forma a aproveitar ao máximo suas experiências atuais, passando, assim que for possível, a fases mais elevadas de autoexpressão, em um trabalho satisfatório.

Em outras palavras: quando a insatisfação com a sua vida atual assaltá-lo, ou quando a pressão financeira vier perturbá-lo, neste momento você estará sentindo a pressão real de seus talentos e habilidades, lutando para se expressarem ou virem à luz por meio de suas ações, manifestando-se, assim, como níveis mais ricos de sucesso e prosperidade.

Aperfeiçoe suas atitudes com relação ao trabalho

Com relação a como disciplinar ou aperfeiçoar suas atitudes e reações, aqui vai uma dica: toda a sua perspectiva pode estar errada. Como aquela infeliz secretária, você pode estar se ressentindo de alguma coisa, envenenando assim a si mesmo com o pensamento da amarga injustiça. Muitas pessoas que não conseguem sequer chegar aos primeiros degraus da escada do sucesso acabam culpando outros desse fato, dizendo que há sempre alguém que as impede de serem bem-sucedidas. Essas pessoas entram, inclusive, em detalhes sobre coisas que aconteceram anos atrás, coisas que elas alegam serem as causas de seus problemas.

James Allen escreveu que um homem só começa a ser um homem depois que para de se lamentar e insultar, começando a procurar a "justiça oculta" que regula a sua vida.[15] De modo semelhante, você pode estar andando por aí envolto num cotidiano negativo porque não fez esforço mental suficiente para se libertar dele ou para se elevar sobre ele.

Se for esse o caso, você pode parafrasear as palavras de Jesus, declarando: *Tudo o que o Pai me dá virá a mim; e o que vem a mim de maneira nenhuma o lançarei fora* (Jo 6:37). Lembre-se de que há um plano divino para cada vida, um plano que tornará cada um de nós um indivíduo mais saudável, mais feliz e mais bem-sucedido do que jamais foi. Saiba que suas experiências presentes podem levá-lo ao plano divino reservado a você. Então, abra a porta e declare: "O plano divino para minha vida se revela agora, passo a passo. Eu reconheço alegremente cada fase desse plano, aceitando-o em meu presente e em meu futuro e permitindo que ele me revele como tirar o melhor proveito de minha vida".

Com relação a suas experiências atuais, é bom reafirmar as palavras de Davi: *Deleito-me em fazer a tua vontade, ó Deus meu; sim, a tua lei está*

---

[15] ALLEN, James. *As a man thinketh*. Marina del Rey, Ca: DeVorss&Co.

dentro do meu coração (Sl 40:8). Você pode ter certeza de que a vontade de Deus para você é o seu bem supremo, no presente e no futuro.

O que você está fazendo com relação à insatisfação?

Se você não está satisfeito com sua sorte atual, o que você está fazendo para se preparar para circunstâncias melhores? Você tem um objetivo concreto em mente? Você está disposto a passar seu tempo de lazer indo a cursos noturnos, assistindo a palestras especiais, lendo livros específicos ou, ainda, engajando-se em atividades construtivas, que o preparariam para um sucesso maior? A maioria das pessoas não está disposta a tanto. Você é uma exceção?

Em vez de fazer coisas assim, muitas pessoas preferem passar seu tempo de lazer criticando o seu trabalho, seus colegas, o chefe e o mundo em geral. Elas acreditam que ao difamar o outro, seus próprios fracassos e insatisfação não ficarão tão aparentes. Quando você se pega tentado a fazer o mesmo, mude o seu pensamento. Para ajudá-lo com isso, afirme: "Nem eu o condeno. A lei da justiça e da liberdade divinas funciona para todos nós, em tudo e através de todos nós, e eu me regozijo com isso. Ninguém, nem nada, pode tirar de mim o bem concedido por Deus, e eu me regozijo por saber disso".

A secretária de um político descreveu a injustiça com que se defrontou no escritório. Outro funcionário com muito menos tempo de casa recebeu uma atribuição na campanha do chefe, à qual ela achava que tinha direito. Era um trabalho interessante e empolgante, ao passo que suas outras tarefas eram mais pesadas e técnicas. Quando ela começou a usar as declarações acima mencionadas para recondicionar suas atitudes, da condenação e da injustiça para a liberdade e a justiça divina, todo o panorama mudou. O outro funcionário foi transferido do escritório, e a secretária então obteve a antiguidade e o trabalho que sentia lhe pertencer!

Em outro exemplo, uma mulher que estava trabalhando meio-período falou sobre todas as injustiças que eram evidentes em sua vida. Sua saúde não era boa; ela se sentia oprimida pela mãe, que não confiava nela e até abria sua correspondência com vapor no fogão; ela estava insatisfeita com o seu trabalho, mas não se sentia qualificada para algo melhor. Ela estava com dívidas; tinha uma propriedade que não conseguia alugar e um terreno que não conseguia vender. Essa mulher era uma solteirona que sentia o fato de nunca ter se casado como uma injustiça. Cada fase da vida dela era anuviada por sua atitude de amarga injustiça. Conforme ela começou a declarar a justiça divina, a liberdade e a satisfação para todas as áreas do seu mundo, todo o seu estilo de vida melhorou, a olhos vistos. Ela percebeu que tinha sido seu pior inimigo, através de suas próprias ideias limitadas.

Direcione suas energias para um objetivo

Quando suas energias são direcionadas de forma construtiva para um fim determinado, tudo o que não é essencial acaba sendo posto de lado. Pensamentos mesquinhos, relacionamentos inúteis, temperamentos ruins e emoções destrutivas, que geralmente levam à doença, ao desânimo e ao fracasso, não encontram espaço em sua vida quando você começa a pensar em como quer que ela seja de verdade.

As coisas não melhorarão externamente até que tenham mudado primeiro no interior, porque os processos da mente controlam todas as experiências de nossas vidas. Se está em meio ao fracasso aparente, às dificuldades financeiras, ao desassossego, à insatisfação com seu trabalho, você não deve permitir que nenhuma dessas condições o afaste de ideias de abundância, planos de riqueza e imagens mentais de sucesso. Nada pode impedir que você se mova adiante mentalmente, rumo aos seus objetivos, quando você pergunta à inteligência divina quais são os próximos passos que deve tomar.

Vivemos em um mar de energia e inteligência, de acordo com os cientistas, e temos acesso constante aos seus benefícios, basta pedirmos por eles. Desse mar podem chegar navios repletos de bênçãos, mas antes temos de enviá-los de nossos portos.

Há uma resposta

Muitas pessoas sofrem em meio a confusão e insatisfação, por não perceberem que este é um universo amistoso, repleto de uma inteligência suprema que responderá com amor a todo pedido de orientação, bastando solicitá-la. Em relação ao seu trabalho atual, e a como melhorá-lo, você deve buscar sabedoria: "Inteligência divina, quais atitudes, pensamentos ou ações positivas, construtivas e criativas são o meu próximo passo para que possa melhorar o meu trabalho atual? Qual é o próximo passo para tempos de abundância, satisfação e liberdade, que me pertencem, por direito divino?".

Uma mente inquisidora é uma mente saudável, que sempre consegue respostas às perguntas que faz, conduzindo-se a resultados saudáveis, satisfatórios e que levam à evolução. É muito mais fácil trabalhar com ideias ricas e de expansão, experimentando resultados vitais e valorosos, do que se comprometer com o fracasso, focando em ideias e expectativas menores.

Recentemente, ouvi de um engenheiro que pensar grande e esperar grandes resultados o ajudou a considerar seu trabalho como algo divino, sublime e mais satisfatório, assim como financeiramente recompensador. No passado, ele havia fechado contratos pequenos. Quando, por meio da aplicação do pensamento próspero, seu grande sonho finalmente aconteceu, ele estava pronto para lidar com o sucesso. Ele havia se preparado mental e emocionalmente durante um longo tempo, então a prosperidade não o desestabilizou nem desequilibrou.

O método que esse homem usou para sair de um emprego que não mais o satisfazia e para ser capaz de lidar com seu sonho foi este: ele comprou um pequeno caderno preto e começou a escrever ali as suas maiores, mais ricas e bem-sucedidas ideias e declarações. Isso o ajudou a expandir o pensamento, deixando-o tranquilo, equilibrado e inspirado diante da insatisfação com o seu trabalho da época. Foi depois disso que o grande sonho da sua vida se revelou para ele.

Ele começava o seu dia abrindo seu caderninho preto e meditando sobre as ideias que estavam ali anotadas: "Este é um dia divino, um dia bom. Eu anuncio este dia e todas as suas atividades como boas!". Enquanto pensava em suas várias atividades do dia, ele afirmava: "Meu trabalho, correto e perfeito, espera por mim hoje". Ainda para o seu trabalho, a longo prazo, ele declarava: "Eu manifesto agora o meu trabalho perfeito". Para novas ideias sobre como lidar com diversos problemas, ele afirmava: "Eu agora estou aberto e receptivo às ideias ricas e divinas que iniciem e sustentem os meus negócios". Quando o desânimo ou algum aborrecimento surgia, ela repetia: "Nada pode me derrotar. Agradeço pelos resultados corretos, perfeitos e imediatos que atinjo. Alegro-me por ser bem-sucedido, de todas as formas". Quando a sensação de muita pressão ou incerteza tentava aparecer, ele dizia: "*O meu jugo é suave e o meu fardo é leve.*[16] Minhas conquistas são muitas, e eu sou divinamente equipado para conquistar grandes coisas, com facilidade". Para reuniões de negócios, ele declarava: "Eu pronuncio esta reunião de negócios e tudo relacionado a ela como algo bom. Resultados satisfatórios aparecerão rapidamente". No fim do dia, em vez de remoer as experiências vividas, ele afirmava: "Esta é a hora da conclusão satisfatória. Eu libero este dia e o deixo ir. A inteligência divina estabelece somente o bem deste dia. Todo o resto se dissipa". Para ter uma boa noite de descanso e preparação para um amanhã exitoso, ele afirmava: "Agora que me deito para um sono tranquilo, agradeço pelo meu dia bem-sucedido. Descanso tranquilamente, sabendo que a inteligência divina está renovando meu corpo e minha mente, preparando-me para um amanhã ainda mais repleto de prosperidade".

O seu trabalho real está diante de você

O trabalho que você deseja está bem na sua frente. Uma nova oportunidade se apresentará assim que você absorver toda a disciplina e conhecimento que o seu antigo emprego tem a lhe oferecer. Enquanto isso, lembre-se de que não há trabalho melhor ou pior, desde que seja essencial para o bem-estar de alguém. Então, realize-o da maneira mais eficiente possível, enquanto estiver nele. Quando pedir orientação para o futuro, mantendo em sua mente ideias de expansão, é útil confrontar suas experiências atuais lembrando sempre: "Isto também passará".

Você deve se esforçar para viver bem em meio à insatisfação com o seu trabalho atual, ao mesmo tempo que faz o melhor que pode

[16] Mt 11:30.

nele. Isso o ajuda a permanecer estável enquanto trabalha para um bem maior. É claro, mesmo os que tentam ser o mais verdadeiros que seja possível, especialmente em seus trabalhos, passam por períodos de desânimo intenso. Não há nenhuma desgraça em ficar desanimado, mas não deixe que isso o oprima e tome conta de você, roubando de sua mente as visões maravilhosas de sucesso ou a direção na qual você deve seguir.

Diante do abatimento, sua função é se concentrar em ideais mais elevados, de um trabalho mais satisfatório, pedindo, então, uma solução divina para as experiências do momento. James Allen explica: "Suas circunstâncias podem ser desarmoniosas, mas elas não durarão por muito tempo se você conceber um ideal positivo e lutar para alcançá-lo. *Você não pode ir para dentro de si e ainda permanecer tranquilo no exterior*".[17]

Quando estiver abatido, é útil se lembrar de que é mais escuro antes do alvorecer de um novo bem. O desespero é geralmente uma indicação emocional de que a maré está virando, e de que o alvorecer chegará antes do que você pensa. Se você continua a viagem para seu interior, o exterior tomará conta de si mesmo.

Se necessário, use a lei mental da reversão da situação. Já se disse que, no reino mental, o pensamento pode produzir resultados positivos mais facilmente quando se pensa em opostos, mais do que pode aceitar um bem gradual e produzi-lo. Uma mudança radical de visão pode clarear a mente das ideias confusas e limitadas: o mental muda, assim, para o oposto, produzindo um resultado mais rápido e satisfatório.

Ouse ser um arquiteto espiritual e construa imagens de um bem maior; ouse aproveitar essas imagens positivas enquanto realiza as suas tarefas diárias. Sinta e visualize o sucesso bem em meio à insatisfação. Ouse afirmar para si mesmo o sucesso rico e ilimitado, sem se importar com o que lhe esteja acontecendo ou à sua volta no momento. Declare: "Isto ou algo melhor, Pai; que o seu bem supremo seja feito".

---

[17] ALLEN, James. *As a man thinketh*. Marina del Rey, Ca: DeVorss&Co

Espere mudanças para melhor

Então lembre-se de que você não pode melhorar as coisas lutando com as infelizes condições atuais. Você não pode melhorar as coisas culpando os outros pelos seus desapontamentos e experiências de fracasso. Tome uma atitude de não resistência com relação às condições existentes, e saiba que elas já estão mudando para melhor! Quando as coisas parecerem estáticas, lembre-se do princípio da física que diz que o universo inteiro está em constante movimento; nós vivemos, nos movemos e existimos em um "oceano de movimento", embora possamos não perceber isso em sua totalidade com nossos cinco sentidos. Nada fica parado; tudo está constantemente em movimento, quer pareça ou não. Se você esperar que as mudanças aconteçam para o melhor, isso com certeza acontecerá.

Em épocas em que as mudanças estão acontecendo, mas ainda não são aparentes, não se deixe enganar pelos pensamentos de medo. Estes tentarão convencê-lo de que suas ideias mais elevadas são boas demais para serem verdade, maravilhosas demais para acontecerem ou boas demais para durarem. Quando o medo ou a dúvida surgir, dê o melhor de si e faça algo definitivo para trazer a sensação e a aparência de sucesso para sua vida, convencendo não só a si mesmo, mas também aos outros de que você *está sendo* bem-sucedido. Aquele que vence a dúvida e o medo supera o fracasso. Isso ajuda muito as outras pessoas a pensarem que você está se saindo bem, seja seu sucesso evidente para você nesse momento ou não. Você colhe os benefícios reais dos pensamentos e das expectativas dos outros pelo seu sucesso; unidos a suas próprias expectativas e pensamentos, eles podem agilizar os resultados do sucesso em sua vida.

A técnica da saturação

Procure se impregnar em atmosferas de plenitude, associando-se a pessoas de sucesso. Quando não houver nenhuma evidência de que sucesso e prosperidade maiores podem ser seus, reserve um tempo para andar pelos bancos da sua cidade, observando as pessoas bem-sucedidas e com muito dinheiro. Você deve aproveitar esse momento para visitar vizinhanças adoráveis, onde haja prédios novos e bonitas lojas. Ande pelas partes ricas da sua cidade, ou mesmo na área rural, onde a abundância divina esteja em evidência.

Associe-se a pessoas criativas e talentosas, como artistas e intelectuais, se isso lhe trouxer uma sensação de riqueza. Se ir a óperas, concertos ou a galerias de arte o faz sentir-se rico, faça isso. Pode ser bom ouvir música ou palestras sobre assuntos culturais que o inspirem. Eu acho útil ler as histórias de sucesso e autobiografias de pessoas famosas. Quando percebemos os desafios que as celebridades tiveram de enfrentar e vencer, nossos próprios períodos de maré baixa parecem comparativamente suaves. Assim, nos renovamos na sensação de que podemos e iremos conquistar nossos objetivos.

Durante um período difícil em minha vida, descobri que, ao tomar lições de arte e pintar um pouco, o meu desânimo se transformava em esperança por um futuro melhor. Conheço, por exemplo, uma senhora que venceu o desânimo apenas trabalhando com afinco em seu adorável jardim de rosas.

Se é o ar livre que lhe dá a sensação de riqueza, então aproveite mais o sol, o ar fresco e a quietude da Mãe Natureza. Ir a eventos esportivos pode recarregar suas baterias mentais. A participação ativa em esportes como jogar golfe, montar a cavalo, pescar ou nadar podem ajudar a aliviar a preguiça mental. Ou ainda: uma longa caminhada ou passeio a cavalo no campo pode lhe proporcionar a melhoria de ânimo de que você necessita.

A beleza de antiguidades ou decoração de interiores, a preparação de comidas exóticas ou a criação de roupas especiais podem acrescentar muito à sua sensação de riqueza. Em outro período tenso da minha vida, encontrei grande alegria ao trabalhar com uma costureira para desenhar e criar as minhas roupas. Isso tirou minha atenção da insatisfação que sentia em relação ao trabalho naquele momento, e o fez por tempo suficiente para que o problema se resolvesse e uma mudança no trabalho acontecesse.

Talvez a leitura de clássicos ou da Bíblia, ou então a participação em certos jogos tranquilos possam elevá-lo. Ter períodos de tranquilidade para absorver novas ideias é sempre útil. Eu gosto de ler os jornais de domingo do país inteiro. Apenas passando os olhos por eles e estudando os anúncios mostrando lindas roupas, lugares distantes e reportagens sobre novos livros, arte e música eu já posso obter um elevado senso de liberdade e riqueza.

Nunca é perda de tempo impregnar mente, corpo e assuntos pessoais com ricas ideias, associações, atmosferas e com qualquer atividade – seja interna ou externa – que traga ao seu ser interior uma sensação de riqueza, especialmente naqueles períodos em que o sucesso parece estar se manifestando. Faça bom uso de seu tempo livre. Em meio a suas atividades cotidianas, você pode não ter tempo suficiente para saturar-se com coisas que o façam se sentir rico. Porém, durante suas horas de folga, você pode se elevar com novas diversões, embora algum tempo livre deva ser devotado ao estudo e ao autoaperfeiçoamento, de maneira que você possa alcançar uma satisfação cada vez maior no seu trabalho.

Anos atrás, quando a minha vida estava oprimida pela limitação, o único modo de ganhar uma sensação de liberdade e a visão de um sucesso possível era escapulir para uma caminhada tranquila e agradável pelo quarteirão, perto do fim da tarde. Ainda assim, esse ato simples me permitia "me segurar" às minhas elevadas visões do bem, para que elas pudessem se manifestar mais tarde. Este é um universo rico, com incontáveis maneiras de derramar suas bênçãos sobre nós quando mantemos nossas expectativas altas. Procure se lembrar disso: seu copo está realmente meio cheio, e não meio vazio.

Tire o máximo proveito da sua situação atual

Se você deseja mais satisfação em seu trabalho atual, ou galgar outro degrau no seu emprego, se deseja uma carreira nova ou independência financeira, o seu objetivo *pode* ser alcançado. Uma boa declaração para usar a fim de trazer o resultado certo, quer isso signifique ficar no seu trabalho atual ou mudar de emprego, é esta: "A inteligência divina agora trabalha em mim, em minha vida e em meus assuntos, determinando e realizando apenas o que seja para o meu mais alto bem. A inteligência divina nunca falha!".

Se você estiver convencido de que seu trabalho presente não é satisfatório nem pode vir a ser, estabeleça uma mudança, afirmando: "Agora me são revelados novos meios de ganhar meu sustento, e novos métodos de trabalho. Eu não estou confinado a maneiras e métodos do passado. Eu experimento o meu trabalho perfeito de maneira perfeita, alcançando uma satisfação perfeita e um pagamento perfeito".

Siga em frente com quaisquer ideias ou eventos que se apresentem a você para serem mudados. Pare de pensar ou de falar sobre a sua atual insatisfação. Esqueça-a, deixe ir.

Em seguida, comece a colocar uma nova ordem, harmonia e beleza em seu serviço atual. Se você está insatisfeito, comece fazendo tudo o que for possível para tornar seu trabalho mais agradável e ordeiro. Limpe as suas gavetas, arrume a sua mesa. Acrescente uma planta ou algo belo, algo que você e os outros possam olhar com frequência para obter uma "elevação instantânea". Dê aos seus companheiros de trabalho os benefícios do elogio, da apreciação sincera, de palavras gentis, assim como de orações silenciosas e bênçãos. Acima de tudo, lembre-se de que você é parte de qualquer situação em que você se encontra. Conforme destina à situação seus pensamentos e suas ações mais elevados, você ajuda a estabelecer a ordem, a harmonia e a satisfação para todos os envolvidos. Quando você faz o melhor, pode estar certo de que o bem maior se revelará a você. Enquanto isso, como está escrito no Eclesiastes: *Tudo quanto te vier à mão para fazer, faze-o conforme as tuas forças* (Ec 9:10).

Em outras palavras, como um amigo meu costuma dizer: "Quando você passar pelo inferno, procure tirar disso o maior proveito possível, com mais sabedoria do que tinha antes, e o resultado do bem dessa experiência será duradouro".

Liberte-se das críticas

Ouse pensar, agir e reagir de forma diferente daqueles que tem a mente programada para o fracasso, a não ser que queira permanecer com eles, no começo da escada. Há espaço bastante no topo de qualquer campo de trabalho ou profissão, mas apenas para aqueles que ousam se libertar dos pensamentos comuns de picuinha, ciúmes e críticas mesquinhas, ainda que sejam estas as práticas que a maioria das pessoas prefere nutrir. Quando se sentir tentado a unir-se ao coro de tal massa de pensamento negativo, declare: "Não há crítica em mim, por mim ou contra mim. A lei suprema do bem agora está no comando de minha vida, e a harmonia divina agora reina suprema em mim e em meu mundo". Essa compreensão o protegerá dos pensamentos negativos que vierem dos outros. Dê-lhes sempre, por sua vez, a bênção e a proteção de suas atitudes construtivas.

Você deve estar pensando: "Mas isso tudo vale a pena?". Ouça bem: o maior conhecimento que você pode ganhar sobre si mesmo e seus colegas é que uma pessoa pensando e agindo de forma construtiva em qualquer situação não pode falhar em produzir bons resultados! Toda a humanidade está faminta de atitudes, ações e reações construtivas, reagindo e respondendo rapidamente a isso.

Certa vez, vi essas respostas aparecerem em uma situação que envolvia dois membros juniores de uma grande firma de advocacia. Conhecida por sua crença no trabalho duro e em resultados produtivos, essa empresa era muito próspera, assim como todos os seus membros.

Um dos membros juniores era um indivíduo feliz, otimista e alegre. Ele não hesitava em fazer um elogio quando era devido, ou de mostrar gentileza e cortesia com qualquer pessoa que encontrasse. Ninguém era insignificante demais para receber a atenção dele. Esse jovem não parecia saber o que era criticar, condenar nem se queixar.

O outro advogado, na verdade, era mais bem qualificado para o trabalho. Como ele tinha um diploma a mais que o outro, a firma lhe pagava várias centenas de dólares a mais por mês. Portanto, ele tinha todas as vantagens sobre o primeiro jovem, ou assim seria de se supor.

No entanto, o advogado muito bem pago era um "queixoso silencioso", e nada parecia agradá-lo. Os detalhes o irritavam; as pessoas o irritavam; uma tarefa inesperada o irritava; tudo o irritava. Em um ano, ele não era mais empregado dessa firma. Nesse mesmo período, o primeiro jovem foi promovido para a função e salário do outro. Mais tarde, ele se tornou sócio pleno da empresa. Nunca na história dessa firma um advogado tinha subido tão rápido, tanto em termos de responsabilidade quanto em termos financeiros.

Comece uma vida nova

Já foi dito que o trabalho é a forma mais elevada de diversão. Se o trabalho será uma atividade agradável ou um esforço pesado, isso depende das suas atitudes em relação a si mesmo, aos outros e ao trabalho em geral. Esteja certo de que o trabalho é divino, e de que o verdadeiro trabalho e sua verdadeira compensação procuram por você tanto quanto você os procura! O verdadeiro trabalho do homem é o que ele desempenha melhor, dele tirando uma satisfação profunda.

Comece uma vida nova neste momento, sem se importar com sua situação atual. Comece declarando com ousadia, como fez Charles Fillmore aos 93 anos de idade: "Eu constantemente ardo com fervor e entusiasmo, entrando em ação com uma fé poderosa para fazer as coisas que devo fazer".

Una-se a incontáveis outros, lançando-se a um trabalho ou alguma outra forma de autoexpressão que o satisfaça, usando esta fórmula de sucesso:

Crie uma imagem mental tão acurada quanto possível de como você quer que a sua vida seja.

Depois de formar a imagem do que você deseja, comece a desenvolver e a viver mentalmente o seu desejo. Comece a pensar nos resultados desejados como se já os tivesse obtido. Com isso, você assume o seu bem desejado e apressa a sua manifestação.

Peça à inteligência divina para lhe mostrar o próximo passo na direção do seu bem desejado. Você receberá a orientação sobre se deverá ir à escola noturna para novos cursos, fazer mudanças drásticas em seu trabalho e estilo de vida ou então desenvolver uma atitude mais construtiva em relação a seu trabalho atual e seu potencial. Quando lhe for mostrado o próximo passo, prossiga adiante, com fé, sabendo que isso irá levá-lo a uma maior satisfação.

Persista e persevere no conhecimento que, então, o trabalho apropriado pode e será seu. Emerson disse que tudo tem um preço e que, se o preço não é pago, aquilo que você quer não é obtido, mas sim uma outra coisa qualquer. Então, persista em pagar o preço, tanto interna quanto externamente, e você ganhará da vida o que realmente deseja.

Continue dando o melhor de si em sua situação atual, mesmo que você já esteja vivendo mentalmente além disso. E, acima de tudo, mantenha o seu espírito elevado por meio da técnica da saturação.

De fato, se você empreende sua jornada interior de acordo com essas várias maneiras, a sua realidade exterior terá de acompanhar o movimento: ela não conseguirá ficar parada!

Capítulo 10:
A antiga lei da prosperidade

Na antiguidade, o “dez” era considerado o “número da expansão”. Então, parece apropriado que este justamente este capítulo descreva a antiga lei da prosperidade.

Um executivo texano certa vez veio até mim, irado, quando falei sobre essa lei da prosperidade. Ele estava tão zangado que ele deu um pulo e interrompeu minha palestra, declarando furiosamente: “Por que você está falando *desse* assunto? Não há nada sobre isso em seu livro *As leis dinâmicas da prosperidade*. Se eu soubesse que você iria falar nesses termos, não teria vindo!”.

Eu lhe expliquei que havia, sim, um capítulo sobre a antiga lei da prosperidade no manuscrito original de meu livro, mas que um editor cauteloso o tinha removido, considerando-o talvez um assunto muito controverso com o qual uma autora novata deveria lidar. Como era o meu primeiro livro com esse editor, eu concedi os desejos dele, ainda que o tenha feito relutantemente e que tenha me arrependido disso desde então.

Porém, ao invés de sair da sala de palestras, como eu esperava que fizesse, esse executivo ficou e ouviu o que eu tinha a dizer. Algum tempo depois, voltei naquele local para fazer outra palestra. Quando vi o mesmo homem se aproximando, pensei: “E agora, o que será desta vez?”. Porém, ele disse: "Você estava certa. O seu livro deveria mesmo ter um capítulo sobre a antiga lei da prosperidade. Eu a experimentei, e ela me ajudou mais do que quaisquer outras leis da prosperidade combinadas!". Ele pareceu estar apreciando a sua "conversão".

Meu desejo de décadas atrás se realizou, e eu agora posso compartilhar com você o método de prosperidade mais fascinante de todos. Apresso-me em dizer que quase todos os livros que escrevi desde então contêm um capítulo sobre esse tema, seja o livro sobre prosperidade, amor, oração, cura ou interpretação bíblica. Por quê? Porque esse antigo método de sucesso afeta cada aspecto de nossas vidas, e não apenas os nossos bolsos.

Ademais, eu descobri que as pessoas são fascinadas por esta antiga lei da prosperidade: eu recebi mais correspondência sobre esse assunto do que todos os outros sobre os quais escrevi! E pensar em todo o barulho que fez aquele editor bem-intencionado, porém excessivamente cauteloso de tanto tempo atrás...

A antiga lei da prosperidade e como ela funciona

A importância da antiga lei da prosperidade é demonstrada no fato de que nunca houve uma nação, por mais remota ou antiga que fosse, na qual a prática desse princípio particular de sucesso não tenha prevalecido. Os antigos egípcios, babilônios, persas, árabes, gregos, romanos e chineses estão entre os povos que usaram esse método especial de prosperidade. Até mesmo o homem primitivo o praticava, por meio dos "sacrifícios" financeiros que ofertava aos seus deuses.

A antiga lei da prosperidade é esta: a verdadeira prosperidade tem uma base espiritual. Deus é a fonte da sua provisão. Sua mente, seu corpo, suas habilidades, seus talentos, sua educação, sua experiência, seu trabalho ou sua profissão, tudo é instrumento e canal da prosperidade; contudo, apenas Deus é a Fonte. Portanto, você deve se preocupar em fazer algo definitivo e consistente para se manter sempre em contato com essa rica Fonte, caso queira prosperar de forma consistente.

Compartilhar é o início da expansão financeira. A doação sistemática abre caminho para a recepção sistemática. Entretanto, essa doação deve ser feita da maneira certa: por meio da divisão consistente de suas bênçãos com o trabalho de Deus e com o de seus obreiros, no local ou locais em que você está recebendo ajuda ou inspiração espiritual.

Jacó, em uma época difícil de sua vida, fez uma aliança com Deus. Ele pedia prosperidade, orientação, paz de espírito e reconciliação com sua família e, em troca, prometeu: *e Jacó fez um voto, dizendo: Se Deus for comigo, e me guardar nesta viagem que faço, e me der pão para comer, e vestes para vestir; e eu em paz tornar à casa de meu pai, o Senhor me será por Deus; e esta pedra que tenho posto por coluna será casa de Deus; e de tudo quanto me deres, certamente te darei o dízimo* (Gn 28:20-22).

Não é de admirar que Jacó tenha se tornado um dos primeiros milionários da Bíblia.[18] Aqueles que aceitam doar parte das bênçãos que recebem, fazendo de Deus o seu sócio financeiro, percebem que essa aliança sagrada os ajudará a prosperar de modo justo e ordeiro, assim como aconteceu com Jacó.

Várias estratégias têm sido sugeridas para o enriquecimento rápido. Muitas delas falham porque são baseadas somente no "receber alguma coisa", e não em "doar alguma coisa". Esses métodos não têm base espiritual.

Dois executivos de Chicago certa vez me disseram que já haviam sido proprietários de uma franquia local de um dos maiores cursos para o sucesso dos Estados Unidos, cuja mensalidade chegava a custar milhares de dólares para cada aluno. Embora eles tenham prosperado por algum tempo, acabaram falindo, ainda que ensinassem princípios para o sucesso. Foi constrangedor.

Só depois que esses dois executivos acharam o caminho para as igrejas do Novo Pensamento e começaram a colocar Deus em primeiro lugar financeiramente, entregando a Ele parte de suas bênçãos, seus negócios se estabilizaram e prosperaram. Foi então que eles perceberam o erro que estiveram cometendo. O curso que ofereciam antes só enfatizava o "pegue", esquecendo-se do "doe". Eles não haviam ensinado o lado

---

[18] Veja *Os milionários do Gênesis*, capítulo 6.

espiritual da prosperidade, negligenciando o fato de que os seus alunos poderiam abrir o seu caminho para a prosperidade por meio da doação.

Você pode estar pensando: "Sim, mas eu conheço gente que não reconhece Deus como a fonte de sua provisão e que não destina parte dessa provisão à obra divina. Mesmo assim, eles são prósperos; inclusive, alguns deles são super-ricos".

Todos nós conhecemos pessoas assim. No entanto, a verdadeira prosperidade inclui paz de espírito e saúde física, assim como tranquilidade e plenitude financeiras. Lembre-se de que a palavra "riqueza" significa "bem-estar" e "completude". Talvez essas pessoas sejam prósperas em um sentido financeiro, mas e quanto à paz de espírito, à saúde física, ao estado de seus relacionamentos e ao seu bem-estar geral?

A mais excitante história de prosperidade de todos os tempos!

Os hebreus do Antigo testamento se tornaram um dos grupos mais ricos que o mundo já conheceu, por meio do uso da lei da doação. Abraão aprendeu esse segredo de sucesso com os babilônios, um dos povos mais prósperos do passado: *E Abrão deu-lhe o dízimo de tudo* (Gn 14:20), destinando-o ao sumo sacerdote de Salem. Abraão transmitiu essa mesma lei a seu neto, Jacó, que, como vimos, a incluiu em sua aliança de sucesso (Gn 28:20-22). Mais tarde, Jeová deu a Moisés instruções específicas para os hebreus acerca disso: *No tocante a todas as dízimas do gado e do rebanho, tudo o que passar debaixo da vara, o dízimo será santo ao Senhor* (Lv 27:32).

Os hebreus desenvolveram tal consciência de opulência que, a certa altura, eles tiveram de ser impedidos de doar: *Então mandou Moisés que proclamassem por todo o arraial, dizendo: Nenhum homem, nem mulher, faça mais obra alguma para a oferta alçada do santuário. Assim o povo foi proibido de trazer mais, porque tinham material bastante para toda a obra que havia de fazer-se, e ainda sobejava* (Êx 36:6-7). Mesmo assim, eles continuaram a doar: *E os filhos de Israel e de Judá, que habitavam nas cidades de Judá, também trouxeram dízimos dos bois e das ovelhas, e dízimos das coisas dedicadas que foram consagradas ao Senhor seu Deus; e fizeram muitos montões. No terceiro mês começaram a fazer os primeiros montões; e no sétimo mês acabaram* (2Cr 31:6-7). Na época do Novo Testamento, doar era uma prática exigida pelo templo. Assim, tanto Jesus quanto Paulo foram ensinados a destinar aos sacerdotes parte do que recebiam.

Os antigos intuitivamente sabiam que dar, compartilhar e colocar Deus em primeiro lugar em termos financeiros era o primeiro passo para uma prosperidade permanente e duradoura. Então, nos tempos bíblicos entregar parte das bênçãos recebidas era uma prática familiar que trazia paz, poder e plenitude. Não se doava o resto ou o que fosse julgado menos importante, mas o que havia de melhor, e a sua doação os tornava ricos! As práticas de doação não apenas os faziam prosperar, mas os protegiam de experiências negativas da vida; eram, assim, ocasiões de celebração e de sagrada alegria. Não é de admirar que as vidas dessas pessoas estejam entre as mais excitantes histórias de prosperidade de todos os tempos![19]

Próspera, curada e protegida

Milagres forjados na vida de leitora de Oklahoma.

Quando eu comecei a fazer minhas doações de forma sistemática à igreja, um ano atrás, minha receita começou a crescer. Eu não me preocupo mais com dinheiro nem sofro com pressões financeiras súbitas ou surpresas indesejadas. No lugar disso, as únicas surpresas financeiras que tenho tido desde então são as positivas: o dinheiro tem surgido "do nada". Também me surpreende como a minha receita tem crescido. Fazer doações parece ter esticado a minha renda.

[19] Veja os livros da autora: *Os segredos da prosperidade através das eras, Os milionários do Gênesis, O milionário Moisés, O milionário Josué* e *O milionário de Nazaré.*

> Quando comecei a pagar com fé, a primeira coisa que percebi foi que parei de gastar com consertos do carro. O dinheiro não só começou a fluir inesperadamente, mas surgiram novas oportunidades de negócios que me fizeram prosperar. A qualidade da minha vida melhorou tanto que hoje eu tenho um estilo de vida harmonioso. Outra surpresa foi um problema crônico de saúde, que simplesmente deixou de me perturbar. Ele desapareceu. Colocar Deus em primeiro lugar em termos financeiros fez milagres na minha vida!

Assim como o fazendeiro separa um décimo de suas sementes para o enriquecimento do solo, o mesmo acontece com a doação impessoal. Ela abre caminho para um estilo de vida enriquecido, em todos os níveis, para aqueles que a praticam. Se o fazendeiro se recusasse a retornar ao solo a porcentagem da colheita que recebeu, ele não teria mais colheitas.

> **A diferença entre aqueles que doam e os que não o fazem, no Missouri**.
>
> Sou grata por ter aprendido o poder da doação. Tenho amigos que estudam temas espirituais e/ou metafísicos por anos. Mesmo assim, eles continuam a ter dificuldades financeiras porque se recusam a dividir o que recebem. Tenho outros amigos que estudam os mesmos assuntos, a quem pude apresentar a prática de compartilhar as bênçãos, e eles não têm mais que batalhar pela sobrevivência. Em vez disso, fazem suas doações e florescem.

Já foi dito que a pessoa que adota essa prática terá pelo menos seis surpresas:

(1) Será surpreendida pela quantia que poderá ceder ao trabalho de Deus;

(2) Ficará surpresa com a sabedoria e o bom senso que a doação lhe dará para usar o que lhe restar de sua renda;

(3) Ficará assombrada com a facilidade com que suprirá suas necessidades financeiras;

(4) Se surpreenderá com o aprofundamento de sua consciência de prosperidade, assim como de sua vida espiritual;

(5) Se admirará com a facilidade com que poderá doar mais do que se esperava;

(6) Pensará consigo mesma, atordoada, em por que não ter adotado o plano de doar antes!

Essa prática é uma proteção contra experiências negativas

Por que essa prática de conceder parte de sua renda ao trabalho de Deus e a seus obreiros o ajuda a se proteger das experiências negativas da vida? Por que ela é tão poderosa, a ponto de produzir os benefícios descritos acima? A resposta é: quando coloca Deus em primeiro lugar em termos financeiros, você abre sua mente, seu corpo e seus assuntos pessoais em geral à bondade e à infinita vitalidade do universo, ao amor, à sabedoria, ao poder e à substância. Você também tende a buscar, no Pai amoroso, orientação, cura e provisão. Como doar é eficiente, prático, ordeiro e científico, você abre o seu caminho para receber resultados análogos em sua vida.

Alguns dos mais proeminentes milionários do século XX atribuíram seu sucesso fenomenal à doação. Esse grupo inclui as famílias Colgate, Heinz, Kraft e Rockefeller. Em 1855, jovem ainda, John D. Rockefeller começou a fazer doações. Sua renda total no ano foi de 95 dólares; desse valor, destinou $9,50 à sua igreja. Entre 1855 e 1934, doou 531 milhões de dólares. Quando as pessoas tentavam criticar a riqueza de Rockefeller, ele tinha uma resposta padrão: "Deus me deu o meu dinheiro".

Você é um ser espiritual, feito à imagem e semelhança de Deus, um Pai amoroso, e, por isso, um universo rico fica feliz em multiplicar o seu bem, como uma expressão da afeição, do apreço e da estima universais. Um Pai sempre quer que seus fillhos sejam mais felizes e prósperos do que já foram um dia. Tais bênçãos são suas por direito divino.

Portanto, por meio de atos impessoais e altruístas de doação, você sintoniza sua consciência com a consciência da abundância universal, alinhando-se para receber suas ricas dádivas. Moisés, o "legislador", expressou isso objetivamente: *Antes te lembrarás do Senhor teu Deus, que ele é o que te dá força para adquirires riqueza; para confirmar a sua aliança, que jurou a teus pais, como se vê neste dia* (Dt 8:18).

Só quando abandonamos nossa pequenez podemos expandir para uma vida maior. *Ao que distribui mais se lhe acrescenta, e ao que retém mais do que é justo, é para a sua perda. A alma generosa prosperará e aquele que atende também será atendido* (Pv 11:24-25).

Doar é um ato de fé, e a fé movimenta a substância universal para acrescentar e abençoar aquele que doa. Então, é natural que o fiel altruísta deva prosperar, e que os problemas se dissipem de sua vida.

Resultados prósperos vêm com a superação da resistência a doar

Tradicionalmente, o ato de doar sempre tem sido uma parte vital da veneração espiritual. Em muitas culturas, era uma prática obrigatória. Entretanto, nos tempos modernos as pessoas às vezes têm um bloqueio psicológico contra o ato de contribuir com parte de suas receitas, talvez porque os teólogos tenham a tendência de enfatizar o que as doações fazem pela igreja, em vez de dar ênfase ao que podem fazer por quem doa. Mesmo assim, quando você olha para as promessas aos personagens bíblicos que aceitaram dividir suas bênçãos com a obra de Deus (como em Malaquias 3:10), descobre que a Bíblia garante que o indivíduo que doa sempre será protegido, abençoado e feito próspero. Naturalmente, o recebedor dessas bênçãos também será abençoado.

Por que uma leitora resistia à bênção de doar, no Colorado.

Ler sobre os benefícios espirituais e monetários do pagamento de contribuições me fez perceber quanto eu resisto à religião em geral, e particularmente ao tema das doações. Depois de refletir sobre isso, percebi que foi por que eu sempre ouvi falar sobre o que o dinheiro doado podia fazer pela igreja, e não como ele podia me ajudar.

Os cheques que envio anexados são o início da liberação da minha resistência, para que eu possa me abrir ao amor e abundância universais, que são meus por direito divino. Agora eu percebo que colocar Deus em primeiro lugar em termos financeiros é crucial para meu crescimento interior e meu bem-estar, assim como para meu crescimento econômico.

Do último dólar a mais de um milhão, no Texas.

Tendo sido criado de acordo com crenças religiosas tradicionais, minha esposa e eu já tínhamos ouvido falar das doações à igreja quando éramos crianças. Entretanto, tínhamos sido ensinados a fazer isso *pela* igreja, apenas. Então, usar as contribuições como um método pessoal de prosperidade era uma ideia nova para nós. Quando aprendemos esse princípio do sucesso, eu estava desempregado, com várias crianças e uma esposa para cuidar. Embora só tivéssemos cinquenta dólares, decidimos fazer um cheque de cinco dólares, como um ato de fé. Quase imediatamente, encontrei um novo serviço em uma firma de engenharia.

Nos anos seguintes, continuamos a fazer as doações, e minha carreira voltou-se ao mercado de petróleo. Novas oportunidades se apresentaram, e de forma abundante. Em menos de dez anos, passamos do "último centavo" a um patrimônio líquido de mais de um milhão de dólares! Eu me tornei sócio pleno da empresa de engenharia. Compramos um rancho e uma confortável casa com piscina na cidade. Compramos um belo cavalo puro sangue. Dirigimos os melhores carros, viajamos para onde queremos. Passamos de imaginar de onde sairia nossa próxima refeição para imaginar onde iremos apreciar nosso próximo jantar. A aprovação, tanto pessoal quanto profissional, nos chegou através do ato de colocar Deus em primeiro lugar financeiramente.

Compartilhando todo o lucro gerado por meio do aumento nos negócios em Montana.

Vinha praticando todas as leis da prosperidade, exceto a da doação. Sentia que não poderia gastar tanto. Porém, recentemente percebi que eu não podia *não dar* a Deus uma parte de tudo o que recebi, não se quisesse prosperar de verdade. Desde que comecei a fazer isso, tenho sido abençoado muito mais do que jamais sonhei ser possível!

A contribuição traz expansão financeira definitiva

Costuma-se dizer que doar faz a pessoa prosperar dez vezes mais rápido e dez vezes mais fácil. De qualquer maneira, milhares de pessoas têm saído de uma vida miserável para a abundância e o conforto por meio dessa prática. Mais centenas de milhares o estão fazendo hoje. "Você nunca encontrará um altruísta entre mendigos" ainda é um dito bastante popular, como evidenciam os seguintes relatos de meus leitores:

Afrouxando o controle sobre o dinheiro no Maine.

Faço minhas contribuições há dois anos. Isso não só fez maravilhas pela minha consciência de prosperidade, mas também ajudou a relaxar o meu controle sobre o dinheiro, permitindo que ele pudesse fluir e crescer.

Expansão instantânea em Ohio.

Esta manhã eu pus o cheque-doação de 59 dólares no correio. O carteiro depois me trouxe dois outros cheques, totalizando 669,54 dólares. Que tal isso como reação rápida?

Leitor recebe 2 mil dólares no Oregon.

No mesmo dia em que liberei o meu cheque, recebi 2 mil dólares! Doar faz prosperar!

Funcionou para uma adolescente na Dakota do Norte.

Comecei a doar há três meses. Antes eu tinha uma renda pequena. Porém, a partir de então, o dinheiro chega para mim de toda parte. Primeiro, apareceu um trabalho de babá. Depois, alguns amigos me deram roupas. Em seguida, meu avô me deu quase o dobro do valor que geralmente me dá no meu aniversário. Além disso tudo, recebi outros presentes adoráveis. Agora, tenho um guarda-roupa novo e completo. Se isso pode acontecer aos 16 anos, posso ser milionária quando tiver 21 anos!

Um novo negócio prospera na Europa.

Quando fundei meu negócio, apenas um ano atrás, não poderia sequer imaginar que no meu primeiro ano eu estaria preenchendo uma fatura de 60 mil dólares referente a negócios com apenas um cliente! Atribuo meu sucesso ao ato de dividir parte da receita do meu negócio, assim como da minha renda pessoal.

Um bom emprego no Novo México.

Recentemente, senti que estava sendo preterido pela vida; sentia que eu não estava no melhor emprego para mim. Eu não podia enxergar uma saída, nem como conseguiria suportar até que encontrasse uma solução. Não obstante, comecei a fazer doações, com fé. Depois de fazer meu primeiro cheque, só me restaram 48 dólares até o dia do pagamento seguinte.

Quase imediatamente, me ofereceram um emprego de repórter em um jornal local. Meu salário inicial era de 12 mil dólares por ano, muito mais do que eu estava ganhando antes. Dentro de 90 dias, meu salário anual deve ir a 15 mil dólares, com a possibilidade de outro aumento nos próximos seis meses. A sugestão que faço a pessoas em uma situação semelhante de perda é a de que comecem a colocar Deus em primeiro lugar em termos financeiros. Depois, que relaxem e observem o que acontece.

Terreno à venda na Califórnia.

Fiz minha primeira doação e, três dias depois, vendi quinze acres de terra no belo deserto da Califórnia. Aquele terreno tinha estado à venda por mais de dois anos. A transação aconteceu quando eu liberei aquela parte de minha renda para o bem universal.

Como 5.600 dólares apareceram em Idaho.

Por causa das pressões pessoais e dos negócios, comecei a beber para relaxar. Minha filha tinha morrido, e havia outras feridas abertas em minha vida. Tive de declarar falência. Quando enfim comecei a estudar temas espirituais, percebi que meu valor como ser humano não estava atado a posses ou a realizações arrogantes. Juntei-me aos Alcoólicos Anônimos e encontrei mais amigos afetuosos do que jamais sonhei possível.

Sem trabalho ou renda, comecei a fazer doações, dedicando meu tempo a serviços voluntários. Os benefícios financeiros começaram a surgir imediatamente: 20 dólares aqui, 50 ali, presentes em alimentação ou gasolina. Era espantoso. Então, percebi que deveria começar a fazer contribuições em dinheiro, mesmo sobre aqueles presentes casuais, se quisesse continuar sendo próspero. Comecei a fazer cheques para aquelas pessoas e organizações de trabalho espiritual que tinham feito uma contribuição significativa para o meu crescimento e bem-estar. O resultado foi que eu recebi dois cheques de comissão, totalizando 5.600 dólares! Um amigo que me devia dinheiro havia quatro anos mandou 200 dólares e um bilhete, dizendo que o restante seria despachado. Hoje, sou grato: seus ensinamentos sobre o ato de doar saltaram aos meus olhos e me mostraram o que fazer quando mais precisei.

Aumentos e promoção no Alaska.

Meu marido não tinha aumento havia dois anos. De acordo com a empresa, não haveria aumentos por mais um ou dois anos. Mesmo assim, poucos meses depois que começamos a doar, não só ele conseguiu um aumento, mas todos os outros na empresa também tiveram. Em seguida, ele conseguiu um segundo aumento. Poucos meses depois, recebeu uma promoção. Em seguida, eu mesma recebi um aumento de salário no meu serviço. Não foi só isso: algumas pessoas que nos deviam dinheiro havia muito tempo, dinheiro este que nunca esperamos receber, começaram a nos pagar. Oh, as maravilhas da doação!

Por que a doação da leitora não funcionava em Ohio.

No passado, eu doava ocasionalmente. Então, recebia resultados ocasionais. Tornei-me amarga e decidi que fazer contribuições não estava funcionando para mim. Agora, vejo que os culpados eram o modo como eu doava e o estado limitado de minha mente. Mais recentemente, comecei a contribuir apenas sobre a minha renda líquida, e os resultados foram enormes. Isso me incitou a começar a doar de acordo com a minha receita bruta, e também minhas economias. Agora, planejo começar a doar considerando uma anuidade, as devoluções do imposto de renda e de juros a receber. Estou deliciada com a vida enriquecida que agora levo. Essa prática também expandiu minha compreensão espiritual.

Doar traz um progresso harmonioso nos relacionamentos

Chuvas de bênçãos em Nova Jersey.

Três anos atrás eu tinha dois filhos adolescentes entregues às drogas. Eu estava um caco em termos físicos e mentais, e meu casamento estava falido. Comecei a estudar livros espirituais, a usar orações afirmativas e a doar de acordo com minha renda pessoal. Coisas começaram a acontecer. Nossos filhos (gêmeos) fizeram dezoito anos, saíram de casa, conseguiram um apartamento e trabalho. Ambos agora estão batalhando seu caminho para a universidade. Isso é algo que eu jamais pensei que fariam... Comecei a ler livros sobre cura natural e espiritual, e dois grandes problemas de saúde foram resolvidos. Meu marido se tornou mais afetuoso, compreensivo, prestativo e disposto. O melhor de tudo foi que ele recebeu uma oferta de emprego na indústria de jornais. Isso permitiu que ele viajasse, algo que ele sempre quis.

Estamos nos mudando para um novo local, e estou ansiosa para fazer novos amigos e arranjar um emprego. Nosso filho de catorze anos tem sonhado em entrar para a academia militar, e o novo emprego do meu marido agora torna isso possível. Devido a circunstâncias além do meu controle, eu não via minha mãe ou minha irmã havia mais de dez anos. O caminho se abriu e recentemente eu pude visitá-las, e nosso tempo juntas foi agradável. Deus tem me inundado com Suas bênçãos, desde que eu comecei a colocá-Lo em primeiro lugar em termos do meu dinheiro e do meu tempo.

Da morte à uma nova vida no Mississipi.

Dois anos atrás, eu estava na pior fase dos últimos tempos. Depois de vinte anos juntos, meu marido faleceu subitamente, aos 42 anos. Gastei todo o dinheiro disponível do seguro para pagar dívidas, o funeral e despesas de sobrevivência. Eu não tinha nem emprego nem expectativa de conseguir um. Envolvi-me em um caso miserável com um homem que estava em um casamento do tipo "casa-separa".

Nesse ponto terrível da minha vida descobri um dos livros de Catherine Ponder e fiquei curiosa sobre o capítulo que falava da antiga lei da prosperidade. Embora eu tenha previamente zombado da ideia, decidi fazer uma aliança com Deus. Também fiz uma Roda da Fortuna e comecei a usar as orações de perdão e liberação. Mas minha vida não tinha ficado uma bagunça da noite para o dia, e não foi da noite para o dia que ela foi consertada.

Entretanto, quando olho para trás, quase não reconheço a pessoa que eu era. Minha atitude é totalmente diferente. Hoje eu tenho segurança financeira, com um grande emprego. Tenho uma saúde excelente, um belo neto e um homem afetuoso e gentil com quem dividir as minhas bênçãos. Também tenho sanidade mental e paz de espírito.

Doar traz paz de espírito

A vida em ascenção na Carolina do Norte.

Minha vida tem sido repleta de pontos altos desde que eu comecei a doar parte de minhas bênçãos. Eu me sinto bem ao doar. Acima de tudo, eu me sinto bem *porque* eu doo.

Alívio na Geórgia.

Toda vez que eu coloco um cheque de doação no correio, é como se um peso fosse tirado de minhas costas. Sinto-me abençoado, rico e em paz no que diz respeito a minhas questões financeiras, que só têm prosperado!

Boas novas na Virginia.

Por meio da prática de contribuir com minha igreja, sinto a vida mudar a cada instante, e para melhor. Colocar Deus em primeiro lugar em minhas finanças trouxe bênçãos com as quais eu jamais poderia sonhar, incluindo meu maior desejo: paz de espírito.

A amarga lição de prosperidade do povo hebreu

Existe basicamente um problema na vida: o acúmulo. E há basicamente uma solução: a circulação. A doação sistemática é, portanto, uma prática poderosa, que abençoa todas as áreas de nossas vidas, pois nos mantêm sintonizados com a riqueza do universo. De modo inverso, nossas vidas podem ser tiradas do equilíbrio por meio da falta de circulação e do acúmulo resultante. E aí aparecem os problemas.

A incrível história de prosperidade dos hebreus prossegue até que Salomão, o bilionário, se esqueceu de que Deus era a Fonte de suas vastas bênçãos. Em vez disso, em um esforço para ganhar ainda mais riquezas e prestígio, ele começou a fazer política baseando-se em alianças com pagãos. A essa altura, os hebreus se tornaram negligentes em suas práticas de doação, e logo foram para o exílio babilônico. Mais tarde, quando os judeus "remanescentes", assombrados pela miséria, retornaram do exílio, o sábio profeta Malaquias apontou a causa e a cura dos problemas deles:

Primeiro, descreveu a causa dos problemas dos que não doavam:

Desde os dias de vossos pais vos desviastes dos meus estatutos, e não os guardastes; tornai-vos para mim, e eu me tornarei para vós, diz o Senhor dos Exércitos; mas vós dizeis: Em que havemos de tornar? Roubará o homem a Deus? Todavia vós me roubais, e dizeis: Em que te roubamos? Nos dízimos e nas ofertas. Com maldição sois amaldiçoados, porque a mim me roubais, sim, toda esta nação (Ml 3:7-9).

Em segundo lugar, descreveu as profusas bênçãos geradas pela doação:

Trazei todos os dízimos à casa do tesouro, para que haja mantimento na minha casa, e depois fazei prova de mim nisto, diz o Senhor dos Exércitos, se eu não vos abrir as janelas do céu, e não derramar sobre vós uma bênção tal até que não haja lugar suficiente para a recolherdes (Ml 3:10).

Em terceiro, prometeu proteção divina para os que voltassem a contribuir:

E por causa de vós repreenderei o devorador, e ele não destruirá os frutos da vossa terra; e a vossa vida no campo não será estéril, diz o Senhor dos Exércitos (Ml 3:11).

Em quarto lugar, prometeu felicidade pessoal e prestígio universal:

E todas as nações vos chamarão bem-aventurados; porque vós sereis uma terra deleitosa, diz o Senhor dos Exércitos (Ml 3:12).

Por meio de suas práticas anteriores, os hebreus vivenciaram tanto os amargos problemas do acúmulo e congestão quanto as abundantes bênçãos causadas pela circulação. Graças a Malaquias, o ato de doar – como princípio de prosperidade – foi restabelecido como uma prática espiritual, prosseguindo por todo o período do Novo Testamento. E a consciência coletiva de prosperidade que foi gerada para os hebreus antigos continua até os dias de hoje para aqueles que aceitam em suas vidas a bênção da doação.

O que aconteceu quando eles pararam de doar

Muitos de nós nos identificamos tanto com as lições amargas quanto com as doces lições de prosperidade que os hebreus aprenderam. Um ministro escreveu em seu boletim paroquial:

> Uma das questões que chegam a mim é por que as pessoas têm problemas de saúde, já que Deus é um Pai amoroso. Descobri que o maior denominador comum entre as pessoas que me fazem essa pergunta é que elas não são doadoras regulares e pontuais. Querem que Deus as cure, porém, elas mesmas causaram involuntariamente a congestão em seus corpos. Isso foi causado pela própria falta de circulação, pela falta de doação consistente. Essas pessoas têm posto em desequilíbrio o seu contato com o ritmo do bem divino, então estão obtendo resultados desequilibrados, na forma de má saúde.[20]

Nos tempos bíblicos, acreditava-se que as contribuições e os sacrifícios purgavam o indivíduo do pecado, da doença e até mesmo da morte. Ninguém aparecia de mãos vazias diante de Deus. Em alguns períodos do Antigo Testamento, quebrar a antiga lei da prosperidade era considerado um ato tão sério que era punível com a morte.[21] Tendo desenvolvido em nossa alma o poder da escolha individual, nós não temos mais ideias

---

[20] Veja o livro de Catherine Ponder, *As leis dinâmicas da cura*, a ser publicado pela Editora Novo Século.

[21] Veja o capítulo 6 do livro *O milionário Josué.*

tão severas sobre esse assunto. Porém, mesmo assim existem pessoas que, por negligência, têm testemunhado a "morte" do seu bem.

Leitora aprendeu a sua lição, em Massachusetts.

Ano passado, quando eu fazia minhas contribuições fielmente, eu prosperei de formas bastante inesperadas. Depois, me casei e parei de doar, porque meu marido não acreditava nessa prática. Por um curto período, em seguida, eu voltei a contribuir e, então, ganhei uma bolsa de 17 mil dólares para a Universidade de Harvard. Depois, parei de novo. Eu praticava outros princípios de prosperidade, mas, sem a doação, o efeito era limitado.

Finalmente, percebi que doar era a conexão que faltava, a única coisa que ficava entre mim e a prosperidade permanente. Meu marido, que tinha visto esse princípio de prosperidade funcionar antes, se converteu, e eu recomecei a compartilhar uma parte de meus rendimentos. Agora, sinto que tenho meus pés firmes na estrada da vida próspera.

A negligência levou ao desemprego na Califórnia.

Estou no ramo do entretenimento, e negligenciei a prática de doar durante parte deste ano. O resultado foi que eu de repente me vi desempregado. Eu tinha feito uma escolha, optando pelo dinheiro, acima de Deus. Agora, vou colocar Deus sempre em primeiro lugar! Então, o dinheiro virá.

Causa e solução de dívidas em Illinois.

Eu pratiquei a lei da doação por anos e prosperei. Então, fiquei tão ocupada sendo próspera que negligenciei minhas obrigações. Quando as finanças se complicaram, logo percebi o porquê e recomecei a contribuir. Um mês após ter recomeçado com os pagamentos, diante de inúmeros desafios financeiros, eis o que aconteceu:

Dinheiro do seguro foi devolvido a nós. Meu marido conseguiu serviços extras, que nos trouxeram mais do que podíamos acreditar ser possível ganhar. Encontramos cem dólares que havíamos guardado. Um novo plano de seguro dental nos pagou uma grande quantia em dinheiro. A chegada de outros recursos inesperados tornou possível que eu fosse com meu marido a uma viagem de negócios, e também que visitasse parentes. Quando paguei as contas, ainda tinha dinheiro suficiente para pagar o dobro, um grande passo na direção da quitação completa de antigas dívidas. Aprendi uma lição valiosa com a negligência. Jamais falharei novamente em colocar Deus em primeiro lugar em termos financeiros.

Doar de acordo com a renda bruta ou líquida

A contribuição bíblica consistia de "um décimo de tudo". Se você não está ainda pronto em seu pensamento para fazer suas doações considerando sua receita bruta, pode querer considerar fazê-lo considerando a receita líquida.

Você vai querer invocar em algum grau o "dez, o número mágico da expansão". Doar uma parte do que se recebe é um ato de fé que movimenta a rica substância do universo, para fazê-lo prosperar e para expandir seu mundo interior e exterior, de modos que você nem sonha serem possíveis. Não tente explicar o misterioso poder da doação. Em vez disso, aceite o fato de que essa prática libera um poder místico capaz de fazê-lo prosperar.

Quando você doa sistematicamente, *em primeiro lugar*, antes mesmo de pagar contas e cumprir outras obrigações financeiras, você descobrirá que o restante da sua receita renderá muito mais. Você será auxiliado de muitas maneiras. Uma vez que crie o hábito de doar, você nunca mais se esquecerá dele. O próprio ato em si lhe providenciará uma sensação de segurança, proteção e orientação, como nenhuma outra coisa pode fazer.

Para quem você doa é muito importante

Se você deseja ser próspero de verdade, é prudente fazer a doação àquele ou àqueles de quem você esteja realmente recebendo auxílio e inspiração espiritual, seja uma igreja de sua escolha, um ministro específico, um conselheiro espiritual, um professor, um médico ou um terapeuta. Suas contribuições irão enriquecer aquele que recebe, permitindo que tais organizações ou indivíduos se libertem das pressões financeiras. Isso possibilita que eles cumpram a sua divina missão de elevar a humanidade, sem serem perturbados pelas necessidades materiais, por vezes tão aflitivas.

Talvez essa tenha sido a razão da instrução de Jeová a Moisés, orientando que a tribo sacerdotal de Israel, conhecida como os Levitas, não recebesse nenhuma parte da Terra Prometida. Em vez disso, eles receberiam *todas* as doações de *toda* a Terra Prometida (Js 13:33; Nm 18:21-24; Dt 14:27). Os sacerdotes de Israel se tornaram milionários com as bênçãos concedidas a eles pelas outras onze tribos, conforme proclamado na Lei Mosaica. Eles, por sua vez, deveriam também compartilhar com o local de adoração uma parte de tudo o que recebessem, a chamada "oferta alçada". Desse modo, tanto os obreiros de Deus quanto o local de adoração eram providos com abundância.

Por sua vez, a liberdade desses líderes espirituais em relação às necessidades materiais os ajudava a desenvolver uma consciência de prosperidade que iria abençoar todos aqueles a quem eles serviam, no decorrer dos séculos vindouros. Já se disse que "um judeu pode realizar mais por acidente que um gentio deliberadamente". Se for assim, tudo começou com a consciência de prosperidade coletiva desenvolvida pelos hebreus, séculos atrás, por meio da prática da doação.

Por que as simples oferendas podem deixá-lo pobre, enquanto a doação sistemática o faz prosperar

Um dos mais resguardados segredos financeiros da antiguidade é este: ainda que fazer meras "contribuições de amor" e doações esporádicas ao trabalho de Deus seja melhor que não doar nada, o plano de oferendas voluntárias tem empobrecido milhões de pessoas no mundo inteiro. Também empobreceu certas igrejas e seus ministros. Por quê? Porque a falta da doação sistemática conduz à falta da recepção sistemática para todos os envolvidos. Provavelmente é por isso que as ofertas voluntárias eram consideradas secundárias no período bíblico.

Um ministro escreveu em seu boletim paroquial:

> Uma igreja do tipo "que apenas sobrevive" age como um modelo negativo para a sua congregação. As igrejas com mentalidade pobre propagam congregações de mentalidade ligada à pobreza. Eventos "angariadores de fundos" ou outras "ações para o aumento de oferendas" são apenas medidas temporárias, uma abordagem *band-aid* para a resolução de problemas financeiros da igreja. Além disso, esse tipo de medida também não providencia aos membros da igreja uma razão pessoal válida para a doação sistemática, que acabaria por beneficiá-los individualmente, conforme a promessa bíblica.
>
> Assim como na antiguidade, seria prudente que as contribuições fossem uma exigência para a filiação à igreja. Se assim fosse, o ministro teria de contribuir. Cada membro de seu comitê administrativo também o faria, qualificando-os então a lidar com mais sabedoria com os assuntos da igreja. Todos os outros líderes da igreja, como conselheiros, terapeutas, professores de Escolas Dominicais e porteiro seriam doadores. E a igreja em si doaria regularmente sobre sua receita bruta, fazendo uma "oferta alçada" às outras igrejas ou organizações com as quais tivesse relações, ou das quais tivesse recebido inspiração ou auxílio.
>
> Uma igreja com tal consciência de doação atrairia naturalmente uma congregação amorosa e que doa, porque *as pessoas inconscientemente procuram lugares onde haja uma consciência de expansão.* Tais igrejas jamais estariam propensas a problemas, sendo, ao contrário, locais de paz, harmonia e inspiração por seus ensinamentos espirituais, em lugar de enfatizarem ações para levantar fundos.

> Esse método espiritual de doação, desenvolvido na antiguidade, ainda produz vastos benefícios àqueles que o usam hoje, tanto em termos individuais quanto coletivos.

Como Kahlil Gibran escreveu no livro *O Profeta*: "É bom dar quando pedido, mas é melhor dar sem ter sido solicitado, por meio da compreensão".

E sobre a doação para a caridade?

Fazer doações para a caridade ou eventos comunitários é o mesmo que doar sistematicamente? Não. Para indivíduos desenvolvidos e iluminados espiritualmente, a mais alta forma de filantropia é a doação a causas, organizações e indivíduos também espiritualizados. Os hebreus do Antigo Testamento ficaram ricos quando doaram *primeiro* aos seus sacerdotes e locais de adoração (Lv 27:30-32; Nm 18:21; Dt 14:22-27). Em *segundo* lugar, vinham as festividades (Dt 12:6-7). Em *terceiro*, a caridade (Dt 14:28-29). Eles também compartilhavam "os primeiros frutos" de suas colheitas, e muitas outras ofertas, totalizando cerca de um quarto de sua renda bruta.

Se você já está doando mais que um décimo, então pode sentir-se livre para compartilhar parte de sua renda com a caridade e outras obras ou obreiros espirituais, cuja filosofia seja edificante e útil à humanidade, e com a qual você concorde. Se uma quantidade suficiente de pessoas fizesse isso, muito menos causas humanitárias seriam necessárias. Aqueles que são auxiliados por obras de caridade seriam, então, ensinados, por meio de métodos espirituais, a ajudarem-se a si mesmos. "Dê ao homem um peixe e você o alimenta por um dia. Ensine-o a pescar e o terá alimentado por toda a vida".

Para aqueles indivíduos que não têm inclinações ou interesse nas questões espirituais, doar a várias causas culturais, educacionais ou humanitárias é o mais recomendável. Trata-se, sim, de um grande passo adiante na direção do desenvolvimento de sua consciência de prosperidade, assim como um benefício para o crescimento de sua alma. O receptor de tais dádivas é, da mesma maneira, assistido pelas antigas leis da prosperidade, no nível atual de sua compreensão. Todavia, vale reiterar que essa é uma forma secundária de doação, e não a mais elevada.

O poder próspero da doação: o segredo, a liberação e o enfoque

Não por acaso, as palavras "sagrado" e "segredo" são bastante parecidas. A sua doação é sagrada, e por isso deve ser mantida em segredo. É prudente doar em silêncio, sem apegos, a despeito dos valores envolvidos, e não se referir a eles novamente. Se grandes somas estiverem envolvidas, por vezes é necessário liberá-las emocionalmente, repetindo a operação até que surja uma sensação de desapego em relação a elas.

Não deveria, além disso, haver nenhuma sensação de posse sobre o que se recolhe, a despeito do valor da doação recebida, pois tudo o que recebemos vem de Deus e não é nosso, em termos permanentes. Ao doarmos, apenas estamos devolvendo a Deus uma parte de tudo o que Ele já nos deu. Se alguém se ressente de sua doação, então é preciso praticar a liberação.

Também é prudente doar somas menores sistemática e livremente, em vez de fazer doações muito maiores de forma esporádica. As contribuições não são um esquema para o enriquecimento rápido, um jeito de forçar o seu bem. "Não há pressa no espírito." Em lugar disso, deve ser um processo de crescimento constante, por meio do qual a pessoa evoluirá para uma doação maior, chegando, então, a um recebimento maior.

Doar e depois fazer exigências sobre quem recebeu as doações é um "suborno", e não uma doação verdadeira. Quem doa conscientemente não o faz para "se mostrar", ou pela publicidade. O receptor deve também manter sigilo sobre tais dádivas. De outro modo, é fácil dissipar e "afastar o bem de alguém". Como sabiam os povos antigos, há um poder próspero tanto no sigilo quanto na liberação.

Um dos pecados de muitos doadores é que eles tendem a espalhar suas contribuições, doando a muitas causas. Isso tende a trazer resultados esparsos, ineficazes, tanto para quem doa quanto para quem recebe.

Repartir doações entre muitas causas ajuda pouco qualquer uma delas; ao passo que contribuições concentradas e generosas podem servir como "maná dos céus", assegurando a estabilidade financeira para uma única causa digna. Nunca tenha receio de fazer grandes doações a uma ou duas causas, caso você deseje colher grandes resultados em sua vida. Nem tema doar "demais" para o benefício do receptor de suas dádivas. Isso dificilmente consistiria em um perigo!

Além do mais, esse seria um pensamento limitante para todos os envolvidos, como um executivo sulista vivenciou. Ele disse: "Tornei-me milionário depois que ouvi sua palestra sobre doações sistemáticas, quinze anos atrás. Depois, quando eu decidi que estava doando 'demais' e parei de fazê-lo, logo estava falido! Aprendi uma lição dispendiosa, e agora estou novamente pavimentando o meu caminho para a riqueza, doando".

O melhor investimento que você pode fazer em paz, saúde e plenitude

Ore sobre a sua doação. Peça ao Pai amoroso que Ele revele a você *onde* repartir suas bênçãos, e você será guiado em sua doação, para que todos os envolvidos – tanto você, o doador, quanto o receptor – sejam feitos prósperos, elevados e abençoados. Conforme você evolui, cresce e muda, suas contribuições também o fazem. Você provavelmente passará de pequenas doações para somas cada vez maiores, abrindo, assim, o caminho para receber ainda mais paz, saúde e plenitude em sua vida. De qualquer modo, você descobrirá que doar é o melhor investimento que você pode fazer para alcançar uma vida bem-sucedida, e também o mais satisfatório para a sua alma.

Encerrando, desejo compartilhar com você algumas das minhas declarações favoritas sobre o assunto, que me foram dadas por um poderoso professor de prosperidade, anos atrás. Meu uso diário destas orações ao longo dos anos me ajudou a sair de uma pobreza de toda a vida, assim como as promessas de Malaquias ajudaram os que voltavam do exílio babilônico a prosperar.

Se você também se sente exilado do seu bem, desejo que o uso destas orações possa fazê-lo prosperar, como fizeram com muitas outras pessoas:

> Eu não dependo de pessoas ou situações para a minha prosperidade. Deus é a fonte da minha provisão, então eu coloco Deus em primeiro lugar em termos financeiros. Com doações eu pavimento o meu caminho para a prosperidade. O pagamento voluntário e fiel sobre a minha renda bruta agora faz funcionar para mim a lei da prosperidade de forma sempre crescente. Com isso, eu agora pavimento o meu caminho para a paz, a saúde e a plenitude.

Uma nota especial da autora

Por intermédio da generosa expansão de suas doações ao longo dos anos, vocês, os leitores dos meus livros, ajudaram a estabelecer três novas igrejas. A mais recente delas é um ministério global, a igreja não denominacional *Unity Church Worldwide*, com sede em Palm Desert, Califórnia. Muito obrigada por sua ajuda no passado e por tudo o que continuam a compartilhar.

Você também está convidado a compartilhar suas bênçãos com igrejas à sua escolha, especialmente com aquelas que ensinam as verdades destacadas neste livro. Tais igrejas incluem as igrejas metafísicas da *Unity, Ciência Religiosa, Ciência Divina, Ciência da Mente* e outras correlatas, muitas das quais são membros do Movimento Novo Pensamento. Para uma lista de tais igrejas, escreva para:

The International New Thought Alliance
7314 E. Stetson Drive
Scottsdale, Arizona, USA
ZC 85251

O seu apoio a essas igrejas pode ajudar a espalhar a Verdade Próspera que a humanidade está buscando agora, nesta Nova Era de iluminação metafísica.

Parte 2

Outras leis da prosperidade que podem lhe trazer riquezas

Introdução:
Mais pó de ouro para você !

Duas "senhorinhas" estavam conversando sobre dinheiro...

– O que você faria se encontrasse um milhão de dólares?

– É simples. Se eu achasse um milhão de dólares e pudesse descobrir a quem pertencia, eu devolveria... *se eles fossem pobres.*

Costumamos pensar em um "milionário" como alguém que tem um milhão de dólares ou mais. Porém, segundo economistas, agora seriam necessários pelo menos 10 milhões de dólares para se qualificar a esse título, por causa dos tempos em que estamos vivendo. De qualquer maneira, a prosperidade é relativa. É uma questão de percepção, como sempre foi.

Um misticismo próspero que conduz à totalidade

Um amigo disse: "Quando abracei o estudo de *As leis dinâmicas da prosperidade*, esperava que fosse mais um manual do tipo 'enriqueça rápido'. Em vez disso, descobri que estava repleto de misticismo prático e próspero".

Se é assim, a razão pode ser esta: a palavra "dinâmica" traz em sua raiz a força, o poder contido no espírito. A palavra "lei" significa as ideias ou métodos que funcionam se você os aplica. E a palavra "prosperidade" em sua origem significa "abundância", "fartura", "totalidade". É disso que este estudo trata: das poderosas leis espirituais da totalidade, que, quando praticadas, trazem paz espiritual, saúde e plenitude em nossas vidas.

A prosperidade alcançou todos que ajudaram neste livro

Este tema foi trazido à minha atenção por todos os que me rodeavam enquanto eu estava escrevendo este livro, no início dos anos 1960. Depois de datilografar a primeira metade do manuscrito, minha secretária pediu demissão. Ela explicou que, enquanto datilografava, usara as ideias ali contidas, e seu marido tinha prosperado tanto em seu trabalho de vendedor que ela não precisava mais do emprego!

Uma segunda secretária foi contratada para datilografar a segunda metade do manuscrito. Antes de terminar, ela também pediu demissão! Explicou, então, que seu marido estava desempregado quando ela pegou o serviço, mas que agora tinha conseguido o melhor emprego de engenheiro da sua vida, e que esse trabalho exigia que se mudassem para outro estado. Ela sentia que as ideias do livro tinham virado a maré a seu favor.

Finalmente, minha empregada doméstica pediu demissão. Ela não tinha lido o manuscrito, mas eu havia lhe explicado as leis da prosperidade conforme as escrevia, capítulo por capítulo. À medida que ela começou a usá-las, decidiu fazer algo que desejava havia muito tempo, mas nunca tivera coragem: tornar-se costureira. Ela disse: "Eu me demito como sua empregada. Você gostaria de me contratar como sua costureira?". Desde então ela tem prosperado em seu novo campo de trabalho.

No dia em que o livro chegou da gráfica e foi entregue a meu editor em Nova York, ele estava sentado em sua mesa, folheando-o com atenção, quando outro editor entrou em seu escritório e lhe entregou algum dinheiro. Meu editor ficou perplexo quando o outro editor explicou: "Algum tempo atrás você me emprestou dinheiro para o almoço. Até poucos instantes atrás eu tinha esquecido disso". Meu editor me escreveu, triunfante: "Que tal isso como ação rápida do livro *As leis dinâmicas da prosperidade*?".

Resultados de "pó de ouro" também aconteceram para mim, enquanto eu escrevia este livro. Eu tinha começado a desenvolver essa filosofia de prosperidade enquanto vivia em um quarto e sala no Alabama. Que circunstâncias apropriadas para começar! Por meio do uso destas ideias, manifestamos uma residência paroquial, onde vivi durante meus primeiros trabalhos com o livro. Conforme mergulhava cada vez mais nas ideias dinâmicas contidas nesse manuscrito, um sonho se realizou. Casei-me com um amigo de longa data, que ensinava inglês na Universidade do Texas, em Austin. Então, terminei o livro em um apartamento que dava vista para o multimilionário complexo daquele próspero estado. Meu marido tinha feito a edição final do livro, o que eu sempre achei que o ajudou a ser um best-seller.

Realmente, resultados bastante impressionantes chegaram para todos os que estavam relacionados com a criação desse livro.

Leitores alcançaram desde resultados mundanos a milagrosos

Desde que esse livro foi publicado, em 1962, as cartas que tenho recebido dos leitores de toda parte do mundo descrevem resultados que variam de mundanos a milagrosos. Os relatos seguintes são apenas uma amostra de como o pensamento próspero tem funcionado em cada segmento de diversas sociedades, tanto próximas quanto distantes, durante essas últimas décadas:

> **Casamento**: Uma divorciada do Michigan, que tinha sofrido um casamento miserável e um divórcio amargo, tinha sido deixada na miséria, tanto financeira quanto emocional e fisicamente. Amigos a apresentaram ao poder do pensamento próspero, e logo ela começou a liberar todas as memórias infelizes do passado e toda a amargura do presente. Ela tomou um novo rumo na vida. Os resultados? Em pouco tempo, conheceu e se casou com um membro de uma das mais famosas e ricas famílias dos Estados Unidos!
>
> **Herança**: Espera-se que ministros sejam "pobres como ratos de igreja". Muitos recebem rendas miseráveis, que têm de ser

suplementadas por segundos empregos, ou dependem de doações. Um desses ministros começou a estudar *As leis dinâmicas da prosperidade*, onde aprendeu que uma vida assim era sem sentido, fora do que havia sido planejado para ele como um filho de Deus. Logo, ele herdou um quarto de milhão de dólares! Depois da experiência de uma vida miserável, aquilo parecia uma fortuna.

Novo emprego: Uma dona de casa do Arizona escreveu: "Dez dias depois de começar a praticar o pensamento próspero, meu marido recebeu uma oferta de emprego de um ex-chefe. O salário e os benefícios aumentariam nossa renda em 5 mil dólares. Além disso, meu marido recebeu um grande bônus de incentivo, e nossas despesas de mudança foram pagas. Ademais, ele recebeu o pagamento integral de suas férias do antigo serviço".

Resultados mágicos: "Nos últimos seis meses, desde que comecei a aplicar cuidadosamente os princípios da prosperidade, é como se algum tipo de mágica tivesse entrado na vida de minha família", escreveu uma dona de casa da Califórnia. Ela continua: "De repente, eu podia pagar nossas contas com dinheiro de sobra. Amigos antigos foram renovados com alegria. Então, um presente de 10 mil dólares chegou inesperadamente. Uma miríade de coisas maravilhosas tem acontecido para nós desde então".

A depressão sumiu e os filhos prosperaram: Uma professora de West Indies conta: "Que diferença o pensamento próspero fez em minha vida! Quando eu abracei esse estudo, minha depressão sumiu. Meu trabalho como professora em uma escola primária católica tem me dado a oportunidade de ensinar a meus alunos que a prosperidade é o desejo de Deus para eles. Esse conhecimento tem acrescentado muito ao esclarecimento e felicidade dessas crianças".

Conversão de um comunista: Um jovem do Sri Lanka escreveu: "Nunca percebi que um único livro podia mudar tanto a minha vida. Eu sou estudante, tenho 21 anos, e nos últimos cinco fui um comunista ferrenho. Estudei mais de uma centena de livros escritos por autores como Karl Marx e Lênin. Contudo, esses livros não me trouxeram nenhuma bondade. Não havia gentileza nem paz em meu coração. Fui demitido do meu emprego. Descobri o pensamento próspero quando eu mais precisava. Nunca mais sucumbirei ao ponto de vista comunista de novo".

Resultados rápidos: "Desde que eu comecei a praticar o pensamento próspero, problemas que demorariam anos para serem resolvidos encontraram solução, e em questão de meses", escreveu um homem de negócios do Oregon.

Estudos em grupo no oeste da África: "Um grupo de profissionais começou a se encontrar semanalmente, há dez anos, para estudar os livros da Dra. Catherine Ponder e para afirmar juntos a verdade próspera. Não perdemos uma semana sequer desde então. Aqui estão alguns dos resultados que temos experimentado: um executivo acabou de ser chamado a Londres para fazer um curso de gerenciamento de três meses. Ele é executivo sênior no serviço público federal. Um gerente de marketing de uma farmácia espera ser promovido em breve a diretor executivo. Um radiologista do hospital local recebeu uma promessa de uma promoção ao posto de superintendente. E eu me tornei a secretária particular mais importante em um dos bancos mais prestigiosos da África. Nós somos um grupo feliz, progredindo a passos rápidos para a glória de Deus e a honra do homem".

O cristianismo e a prosperidade se tornaram sinônimos: Um executivo de Cingapura escreveu: "Tenho estudado livros sobre sucesso há anos. Ainda assim, recentemente, quando *As leis dinâmicas da prosperidade* me chegou às mãos, percebi pela primeira vez que o cristianismo e a prosperidade são sinônimos, traduzindo a "boa vida" e a "vida abundante" em termos práticos. O pensamento próspero desafia todos os que ousam, e eu abracei esse ousadia!".

Dentre os presentes em minha primeira turma de prosperidade, durante a recessão de 1958, poucos poderiam prever aonde as ideias que estudamos naquele curso iriam nos levar – ao mundo! Nem poderíamos imaginar com que entusiasmo essas ideias simples seriam recebidas, nem quão dramaticamente elas iriam transformar as vidas das pessoas em toda parte, incluindo as nossas próprias vidas (veja a conclusão neste livro: "Quando o pó de ouro assenta").

Um desejo de vinte anos se transforma em realidade

A versão original deste livro não continha dois capítulos que foram acrescentados depois a esta versão aumentada: um capítulo sobre a doação sistemática (capítulo 10), e um sobre o "charme" (capítulo 17). Mesmo que este livro tenha sido um best-seller desde o início, eu sempre me senti mal por esses dois capítulos terem sidos retirados da versão original. Agora, anos depois, eu enfim posso incluir esse material adicional, que sempre senti ser uma parte vital da filosofia de *As leis dinâmicas da prosperidade.*

Acredito que os capítulos adicionais, e o material incluído na Parte 2, significarão tanto para você quanto significaram para mim e para inúmeras outras pessoas ao logo dos anos.

Não sobreviva, apenas – viva a vida!

Um executivo escreveu: "Atualmente, as pessoas reclamam muito de falta de comida, de habitação e de dinheiro, por causa da elevação dos preços. No meu negócio, nós tivemos de lidar com a escassez por um longo tempo. Porém, por meio do meu estudo de prosperidade, nós conseguimos nos sair bem, de qualquer modo. Eu planejo viver a vida, e não apenas sobreviver!".

Amém.

Nas décadas subsequentes à escrita deste livro, temos visto enormes mudanças em algumas áreas da vida. No entanto, as necessidades econômicas da humanidade continuam as mesmas. A razão mais profunda disso pode ser esta: as necessidades financeiras de todo tipo não são nada além de indicações de que, na jornada espiritual da humanidade, o tempo está maduro o suficiente para elevar nossas crenças a um nível acima. É como se nesta Nova Era fôssemos forçados a desenvolver nossos poderes interiores para satisfazermos nossas necessidades exteriores.

Então, graças ao poder do pensamento próspero: "ainda há pó de ouro no ar para você!".

Agora, prossigamos para a Parte 2 desta obra, continuando nossa viagem pelo caminho dourado do pensamento próspero. À medida que o fazemos, desejo que você possa colher seus próprios resultados dourados e divinos, a cada etapa do caminho. Você não merece nada menos que isso!

A autora

Capítulo 11:
A lei do amor e da boa vontade

Recentemente, um homem de negócios me disse: "Acredito que a maior lei da prosperidade seja a do amor e da boa vontade, não importa a quem". Então, ele me contou algumas de suas experiências profissionais, em que o amor e a boa vontade venceram a desarmonia e o aparente fracasso.

Ele citou o exemplo de uma cliente rica, a quem ele sempre podia agradar quando ela estava de bom humor. Porém, quando ela estava mal-humorada, ele sempre recebia cartas ou telefonemas mordazes, em que lia observações rudes sobre a "incompreensão" dele dos interesses comerciais dela.

O antídoto que ele tinha para essa mulher era usar o amor na forma de boa vontade desinteressada. Quando essa cliente "se comportava mal", em vez de retaliar ou se defender quando a desarmonia, a crítica ou um conflito de personalidades surgiam, ele se sentava por alguns minutos em silêncio, pensava na pessoa em questão e enviava pensamentos de boa vontade para ela. Ele trabalhou seu próprio pensamento para visualizar a pessoa cercada e envolta em amor, em uma sensação de segurança, calma, bom humor e boa vontade.

Os resultados? Ele disse que estes foram tão marcantes e rápidos que chegavam a tirar o fôlego. Por exemplo, uma hora depois de ele ter visualizado aquela mulher rica e volúvel de um modo afetuoso e gentil, ela lhe telefonava expressando suas profundas desculpas. Se não telefonava, em geral escrevia um bilhete, indicando data e horário compatíveis com o envio de seus pensamentos de bênçãos.

Quando a desarmonia surgia em transações comerciais que envolviam várias pessoas, esse homem pensava em cada uma delas, abençoando-as com boa vontade. Logo em seguida, via em sua mente a harmonia restaurada à situação. Os ânimos se acalmavam, as divergências se resolviam e transações bem-sucedidas eram realizadas.

É bom usar esse método no começo e no final de cada dia. Quando repassar mentalmente o seu dia, revendo cada situação desagradável que aconteceu, ouse remodelar a experiência. Veja todas as pessoas envolvidas como afetuosas, compreensivas e harmoniosas, e você se surpreenderá com a frequência com que aqueles envolvidos darão "meia-volta", desculpando-se por suas atitudes.

Ouse iniciar o seu dia vendo em sua mente todos os eventos planejados, visualizando-os como agradáveis, harmoniosos e bem-sucedidos. Você começará a experimentar os caminhos da prosperidade, amenidade e paz que Salomão descreveu. Se você planejar, visualizar e esperar um dia exitoso logo nas primeiras horas da manhã, haverá muito pouco a ser refeito mentalmente no final do dia.

O amor nunca falha

A despeito de quantas leis da prosperidade você conheça, se não for capaz de viver e trabalhar harmoniosamente com outras pessoas, todo o resto parece ter pouco valor. Estima-se que apenas 15% do sucesso financeiro se deve à capacidade técnica, enquanto 85% são devidos à sua capacidade de se dar bem com as pessoas.

Nunca é demais enfatizar o valor da boa convivência, por meio do exercício da boa vontade desinteressada, que é amor em ação. Talvez você imagine por que os empregados são demitidos. Será devido à incompetência, à indolência, à desonestidade? Os gerentes de RH parecem concordar que mais de dois terços dos que perdem seus empregos são demitidos porque não se dão bem com os colegas de trabalho.

Aproximadamente 10% são dispensados por causa de preparo inadequado. Você está pensando: por que a boa vontade e a capacidade de se dar bem com as pessoas tem tanta importância? A menos que você seja capaz de conviver bem com outras pessoas, tanto no ambiente de negócios quanto no doméstico, toda a sua formação, suas habilidades e seus esforços geralmente serão inúteis. Por quê?

A Bíblia afirma *que o amor nunca falha* (1Co 13:8). Jesus disse ao doutor da lei que do amor *dependem toda a lei e os profetas* (Mt 22:40), referindo-se à vida saudável, feliz, harmoniosa e bem-sucedida. O amor tem poder inigualável, pois é seu o poder que unifica o mundo e todas as coisas que existem nele. Por exemplo, a lei da gravidade é o amor em ação. O amor é a força compensadora, harmonizadora, que traz equilíbrio e retidão, sempre em operação no universo. Funcionando dessa maneira, o amor pode fazer por você o que você humanamente não é capaz de realizar.

Na Universidade de Harvard, sociólogos famosos conduziram estudos sobre o poder do amor. A universidade estabeleceu um centro de pesquisa, dotado de um grupo de cientistas sérios, que passavam o seu valioso tempo estudando o tema do amor. Entre suas descobertas, perceberam que o amor, assim como as coisas boas, pode ser produzido de maneira intencional pelos seres humanos! Não há razão, assim, para não aprendermos a gerá-lo, assim como fazemos com outras forças naturais.

O amor é pessoal e impessoal

Como você pode produzir e gerar amor? Primeiro, percebendo que o amor é tanto pessoal quanto impessoal. Pessoalmente, é gerado como expressão de devoção, carinho, gentileza, aprovação e apreciação pelos membros de sua família e círculo de amizades. O amor ao nível impessoal é a capacidade de conviver bem com as pessoas, tendo boa vontade em relação aos outros, sem apego pessoal. Para esse fim, afirme sempre: "Eu amo as pessoas e as pessoas me amam, sem apegos".

Um médico chinês que vive na Malásia mostrou-se interessado em perceber o poder do amor impessoal para a cura de doenças. Ele distribuiu

150 mil cópias de uma declaração sobre o poder do amor. Nessa declaração, convidava as pessoas de todas as etnias e credos a pensarem sobre o amor divino, durante cinco minutos por dia. Ele até mesmo providenciou uma tabela de horários mundiais sincronizados, caso as pessoas nos vários países desejassem meditar sobre o amor divino ao mesmo tempo. Essa era a crença desse homem no poder do amor para realizar a harmonia, a justiça e a paz mundial.

Como criar amor

Se analisar esta coisa a que chamamos amor, você descobrirá que a vida nada mais é que um processo de dar e receber amor, em seus vários aspectos. Os indivíduos que não vivem no fluxo do amor sentem a sua falta, como dificuldade em suas mentes, corpos e assuntos pessoais. Por meio do desenvolvimento deliberado do amor, você pode entrar na corrente de bondade da vida, auxiliando também outras pessoas a experimentá-lo.

É maravilhoso perceber, como fizeram os cientistas de Harvard, que não é mais preciso procurar fora de si mesmo, esperando e aguardando que de algum modo o amor o encontrará. Você pode começar agora a gerar amor, por Deus, por si mesmo e pela humanidade, de dentro de seu próprio ser. Ao fazer isso, seguramente atrairá para si mesmo e para sua vida as expressões perfeitas do amor.

Descobri que algumas pessoas sentem culpa por seu desejo de conquistar o amor, em seus vários aspectos, pensando até em sumprimi-lo. Chegou a hora de você perceber que deve expressar o desejo de amor, de dentro para fora, a Deus, a si mesmo e a seu semelhante. Um Pai amoroso pode fazer por você somente o que ele pode realizar usando você como instrumento. É através de seus próprios pensamentos, sentimentos e expectativas que o amor é gerado. Se você expressa o amor, ele volta para você, multiplicado.

Assuma o controle consciente de seus pensamentos e sentimentos. Comece agora a desenvolver uma consciência de amor impessoal, sabendo que esse é o meio mais rápido de resolver seus próprios problemas, assim como uma forma maravilhosa de ajudar a humanidade. Você pode fazer isso de um modo muito simples: comece a despender alguns minutos de seus dias para gerar amor. Nessas ocasiões, afirme: "Com a ajuda de Deus, agora irradio amor divino, deliberada e alegremente, para mim mesmo, para meu mundo e para toda a humanidade". Peça todos os dias que o amor divino seja vivificado em você. Forme uma imagem mental de si mesmo como um indivíduo sadio, próspero, iluminado, harmonizado, abençoado, livre e ilimitado. Ame essa imagem mental, afirmando: "Agora eu deixo o amor divino ser criado em mim".

Nessas ocasiões, quando estiver criando e colocando em funcionamento o amor, faça assim: pense no amor como uma luz radiante que o envolve, transforma, ilumina e eleva. Pense no amor permeando, penetrando e saturando todo o seu ser. Se há áreas problemáticas ou obscuras em sua vida, pense que elas estão sendo despertadas e reajustadas intencionalmente pela luz do amor divino.

Em sua meditação, continue a sustentar o pensamento, o sentimento e a imagem iluminada do amor sobre si mesmo e sobre o seu mundo. Não há razão para se sentir culpado ao amar a si próprio. Você não pode amar outras pessoas ou irradiar amor se não ama a si mesmo, sentindo essa força poderosa dentro de si. O amor começa em casa: dentro de você. A psiquiatria enfatiza a necessidade de amor-próprio e autoapreço. Jesus disse: *Amarás o Senhor teu Deus de todo o teu coração, e de toda a tua alma, e de todo o teu pensamento* (Mt 22:37). Este é o maior e o primeiro mandamento, e se refere à natureza divina amorosa dentro de si mesmo, assim como um Deus universal.

Ouse amar-se, amar a sua vida e seus assuntos, amar cada pequeno pedaço do bem que existe em tudo. Em suas meditações para criar amor, ouse amar qualquer parte de seu corpo que esteja gritando por cura. Audaciosamente, declare: "Eu amo você". Ouse direcionar o amor para qualquer situação que lhe pareça difícil. Pense nela e afirme: "Agora eu deixo o amor divino ser criado nesta situação".

Quando já tiver conquistado uma imagem mental satisfatória da luz do amor inundando todo o seu ser, saiba que gerou e liberou o maior poder que há sobre a terra. A luz do amor brilhará como uma nova energia, nova paz de espírito, um novo poder e controle, novo equilíbrio, nova estabilidade, nova beleza, nova prosperidade, nova harmonia; de fato, virá como um novo bem, em todos os aspectos da sua vida.

Ligar o poder do amor traz resultados práticos

Os cientistas de Harvard também descobriram que você pode bombardear as pessoas, situações e condições com amor, produzindo assim mudanças milagrosas. Eles previram que "ligar o poder do amor" pode, em breve, se tornar a prescrição universal para a cura de todas as doenças do mundo.

Há um poder prático e eficiente em gerar e "ligar" o amor. Uma amiga recentemente contou que testemunhou as manchas de sua pele sumindo, depois que ela começou a pensar nela diariamente, em meditação. Ela passou a amar sua pele, com o pensamento de beleza e irradiação. A pele dela agora é radiante, sem marcas e linda.

Um palestrante certa vez comentou sobre a sensação de fadiga que sentiu durante uma série de palestras. Então, ele se lembrou de amar o seu corpo, que respondeu com nova vida, mais energia e vitalidade.

Não só é bom meditar sobre o amor, mas, à medida que você o vive em seu cotidiano, vale afirmar para tudo em seu mundo: "Que o amor divino seja trazido à vida em você". Afirme o amor divino para as roupas que você veste, para o carro que dirige, para as contas que paga, para a renda que recebe, para os objetos de sua casa ou de seu escritório. Afirme o amor mesmo para os espaços vazios em sua vida e para o bem que você deseja, mas que ainda não se manifestou.

Tudo parece responder aos seus pensamentos de amor. É bom declarar para as pessoas que encontra durante o seu dia, estranhos e amigos, ou membros de seu grupo familiar: "Que o amor divino seja trazido à vida em você".

Certa vez, conversei com uma secretária, com relação aos atritos e ciúmes que havia no escritório dela. Como ela era tranquila, estava sendo solicitada a fazer uma grande parte do trabalho que normalmente era feito por outras duas secretárias, que recebiam mais elogios e um salário maior. Várias vezes, ela havia tentado conversar com seu chefe sobre a injustiça do trabalho extra, mas ele tinha se recusado a ouvi-la. Em desespero, ela veio a mim, sem saber se deveria desistir do seu emprego, agradável e conveniente, ou se deveria insistir nele, mesmo injusto como parecia.

Eu sugeri que ela usasse esta afirmação: "Que o amor divino se manifeste agora". Indiquei que não era necessário sempre tentar conciliar as personalidades, ou comprometer suas crenças tentando satisfazer alguém. Disse, ainda, que cada sinal de fraqueza e insegurança apenas conduziria a mais insatisfação e maus-tratos. Em lugar disso, ela deveria começar a irradiar paz, poder, equilíbrio, estabilidade interior e firmeza no que ela queria e no que não queria fazer. Se ela fizesse isso, seus colegas de trabalho responderiam também com paz, equilíbrio e estabilidade.

Em uma semana, a situação começou a mudar. Seus colegas de trabalho começaram a respeitá-la por sua nova atitude; pararam de se impor sobre ela, passando a fazer seu próprio serviço. O chefe se tornou harmonioso e respeitoso. A harmonia e o bem aos poucos substituíram a antiga situação, repleta de tensão, picuinhas e ciúmes.

Ella Wheeler Wilcox disse, certa vez, que Deus mede as almas por sua capacidade de acolher o seu melhor anjo, o Amor. É verdade: o amor nunca falha.

O amor deve vencer

Depois que certos pontos de um processo judicial foram decididos contra um homem, ele se defrontou com a ruína financeira e queixou-se de que a decisão fora injusta e ilegal. "Não existe justiça", ele disse, com amargura. Então, conversou com um conselheiro espiritual, que sugeriu que ele usasse o poder do amor divino na situação, afirmando suas próprias atitudes e reações emocionais corretas: "Eu vivo pela lei do amor, e o amor deve vencer". Sugeriram-lhe que, toda vez que pensasse na outra parte do processo, afirmasse para ela: "Você vive pela lei do amor e o amor deve vencer".

Depois de começar a pensar desse modo, ele se sentiu muito melhor a respeito de todos os aspectos da questão. A hostilidade, o rancor e o desejo de vingança o deixaram. De repente, surgiu uma oportunidade inesperada de fazer um favor real para o seu adversário. Ele o fez, e sentiu-se melhor de imediato. Conforme sua atitude emocional continuou a mudar, ele descobriu que a atitude do seu adversário também mudou. Cada um deles cedeu em alguns aspectos, e logo o caso foi resolvido fora do tribunal, de maneira justa e feliz para todos.

Uma mulher de uma cidade grande abriu um restaurante e loja de doces, onde antes dois antigos donos haviam falhado miseravelmente. Ela, no entanto, fez um sucesso estrondoso. Quando lhe perguntaram como tinha conseguido se sair bem no mesmo local em que outros haviam fracassado, ela disse: "Eu só amo e abençoo meus clientes. Quando saem do meu estabelecimento, eu sempre os convido a voltar e envio-lhes em pensamento uma bênção amorosa, orando por sua prosperidade e felicidade. Quando não há clientes na loja, observo com amor as pessoas que passam na rua".

O poder curativo do amor

Você pode produzir amor sublime, alimentando pensamentos amorosos sobre si mesmo e sobre as outras pessoas e afirmando o amor divino. Mas descobri que o maravilhoso segredo do sucesso é dizer palavras apreciativas, gentis e compreensivas às pessoas. Palavras gentis produzem resultados do mesmo tipo, que significam uma vida nova, expansão e felicidade real para você.

Um executivo foi hospitalizado com uma febre muito alta, que os remédios não conseguiam baixar. Há muito tempo ele também tinha uma doença do coração, e presumiu-se que ela tinha ressurgido. Um amigo que conhecia o poder curador do amor visitou esse homem no hospital e logo percebeu que ele se sentia distante do amor, por causa de relações complicadas em sua vida.

Esse amigo ousou dizer ao paciente: "Deus ama você, e está lhe mostrando o caminho. Você é amado por Ele e pelos homens". Juntos, afirmaram que o amor divino estava realizando o seu trabalho perfeito em sua mente, seu corpo e sua vida. Subitamente, uma intensa sensação de calor atravessou o corpo do enfermo, passando em seguida. A febre havia cedido. Mais tarde, o médico declarou que seu coração parecia estar bem de novo. O unguento do amor também suavizou as complicadas relações familiares daquele homem.

Uma enfermeira foi designada para uma paciente que sofria de doença mental havia vários meses; essa moça havia sido tratada com medicamentos e tratamentos de choque, mas nada melhorava a sua condição. Finalmente, sugeriram que um repouso total poderia ser útil. Então, ela foi levada à sua casa de verão na praia.

A enfermeira particular designada para essa paciente tinha aprendido sobre a geração de amor para as pessoas. Começou a meditar sobre a paciente, vendo-a novamente como uma pessoa saudável, amorosa, gentil e feliz. Quando acompanhava a paciente à praia, e ao mar, ela a imaginava sendo imersa no amor de Deus. Quando a paciente brincava na água, a enfermeira se afastava e a envolvia com o pensamento de amor e seu poder curador.

A paciente costumava perguntar à enfermeira: "Você acha mesmo que eu posso melhorar? Há esperança para a minha condição?". A enfermeira, que conhecia o poder de dizer palavras de amor, sempre dizia: "Minha querida, você está melhorando. Agora mesmo o amor de Deus está realizando o seu trabalho perfeito em sua mente, seu corpo e sua vida, e você está sendo curada". Diariamente, incentivava sua paciente desse modo. Em seis semanas, a enfermeira foi dispensada, porque a paciente tinha respondido muito bem ao poder curativo do amor.

É fácil falar palavras de amor ou meditar amorosamente sobre as pessoas com quem se está em harmonia. Mas são as pessoas que parecem as mais difíceis, talvez as mais hostis, que mais precisam da irradiação do seu amor. A própria hostilidade delas não é outra coisa senão um grito de suas almas por um reconhecimento amoroso. Quando você gerar amor suficiente para elas, a discórdia desvanecerá.

Atire amor nas costas deles!

Um executivo me contou o seu modo especial de irradiar amor. Em seu trabalho como funcionário público, ele tinha de ver pessoas, lidar com suas queixas e ajustar as coisas para elas e para o seu empregador, o Tio Sam. A "única" coisa que ele tinha de fazer era manter todo mundo satisfeito! Para qualquer outra pessoa, isso poderia parecer impossível.

Mas esse homem tinha aprendido que "o amor nunca falha". Ele recebia as pessoas com um sorriso, a despeito do que fizessem. Ele continuava sendo cortês e gentil, não importava o que dissessem. E o tempo todo ele afirmava: "O amor divino está no controle, e tudo está bem". Quando as pessoas com problemas saíam, ele "atirava" amor nas costas delas.

Vale a pena lançar amor nas costas das pessoas? Esse homem alega que a atitude e o comportamento dos queixosos que iam ao seu escritório parecia mudar a olhos vistos quando ele afirmava o amor divino.

Posso atestar que esse funcionário público deve ter se saído bem, pois recentemente um homem de negócios veio e me disse: "Eu gostaria de saber o segredo do sucesso do Sr. Black. Ele sempre parece feliz e calmo, e tem um dos empregos mais difíceis da cidade". Esse homem ficou deliciado quando lhe contei que sabia seu segredo de sucesso: atirar amor nas costas das pessoas! Eu tive a sensação, pelo seu olhar, de que ele iria fazer o mesmo.

O amor protege

Uma mulher de Kansas City se protegeu de um assalto proferindo palavras de amor. Certa noite, ela estava andando por uma rua escura próxima ao antigo prédio da *Unity* na Tracy Avenue, quando um homem saltou das sombras e pôs uma arma nos quadris dela, dizendo: "Passa a bolsa ou eu atiro!". Ela se virou, encarou o bandido e disse: "Você não pode me ferir, porque é filho de Deus e eu o amo". Depois de repetir a ameaça duas vezes, recebendo da mulher a mesma resposta, o homem abanou a cabeça, murmurou algo como "essa louca", abaixou sua arma e fugiu. Essa mulher enfrentou uma situação extrema de um modo extremo, por meio da expressão do amor.

Invoque o amor de forma impessoal

Entretanto, você não deve sair por aí dizendo "eu amo você" a pessoas fora do seu grupo familiar. A maioria das pessoas tomará isso de maneira pessoal, e isso pode causar constrangimento e desentendimentos.

Conheço um homem que cometeu o erro de dizer a várias de suas clientes mulheres que as amava, e ele ainda está tentando explicar aos maridos o que ele realmente queria dizer.

Você pode declarar interesse, aprovação e apreciação sincera às pessoas de um modo menos pessoal. Gentileza e cortesia sempre são de bom tom; com elas, você pode irradiar tanto o amor quanto a boa vontade com relação aos outros. Um diretor de relações públicas de uma companhia mundial de seguros me contou que tinha descoberto em seu trabalho que a maior necessidade deles é a gentileza. Ele acredita que você pode satisfazer a necessidade de gentileza de outras pessoas apenas sendo "respeitoso com elas".

Escreva suas declarações de amor

Além de dizer palavras de amor, de meditar e de afirmar esse sentimento, escrever afirmações sobre ele é um meio de criá-lo. Uma senhora certa vez ouviu dizer que uma antiga amiga estava fazendo fofocas maldosas sobre ela. A crítica era dura e inadequada. Várias pessoas estavam recebendo seus telefonemas e sendo visitadas por essa ex-amiga, que investia em uma tentativa de fazê-la perder o emprego. Quando a senhora soube que tais atitudes negativas estavam se espalhando, começou a afirmar que o amor divino estava atuando na situação. Um amigo que acabara de ouvir comentários críticos, insistiu com ela: "Esta situação deve acabar. Você precisa tomar uma atitude!". Todas as tardes essa senhora sentava-se e escrevia, repetidamente: "Agora o amor divino está realizando o seu trabalho perfeito nesta situação, e tudo está bem". Essa foi a única ação que ela realizou.

Em poucos dias, ela recebeu um presente da mulher que a havia criticado, junto com um bilhete expressando palavras de amor e apreço por ela. O amor divino tinha virado a mesa.

A irradiação deliberada de amor divino é bastante útil com relação àquelas "coisinhas" da vida que podem ser muito irritantes. Uma série de pequenas questões, pequenos acontecimentos e pequenas mudanças podem moldar o seu dia e o seu mundo. Quando você dominá-las, estará se aproximando da maestria de sua vida.

Expressões pessoas de amor são importantes

Já mencionamos vários modos de criar e irradiar amor nos mais diversos aspectos da vida social, mas não podemos negligenciar o fato de que o amor também precisa ser expresso regularmente em todas as famílias. Psicólogos dizem que todos precisam se sentir amados, apreciados e importantes; é uma necessidade básica de toda a humanidade. Com frequência, as situações problemáticas em casa, na família, resultam da falta de expressão do amor. Por exemplo, cito o caso de uma senhora que estava tendo problemas em seu casamento. Perguntei a ela: "Quando foi a última vez que você olhou seu marido direto nos olhos e disse sinceramente que o amava e o achava maravilhoso?". Perplexa, ela respondeu: "Você quer dizer que eu tenho de dizer isso para salvar o meu casamento?". E eu me peguei dizendo: "Bem, não foi assim que você conseguiu casar-se com ele, em primeiro lugar?".

Esposas e maridos devem fazer seus parceiros se sentirem necessários. Eu tenho aconselhado homens que estavam envolvidos com "outras mulheres". Em resposta à minha pergunta: "Por que você está saindo com outra mulher, já que tem uma esposa adorável e uma casa maravilhosa?", a resposta mais comum era: "A outra me faz sentir importante e amado, e a minha esposa não."

Sexo, uma expressão importante de amor

O relacionamento sexual no casamento também é uma maneira importante de expressar amor. De fato, quando corretamente compreendido, o sexo é uma parte vital do sagrado sacramento do matrimônio. A expressão do sexo no casamento pode aprofundar os laços de amor.[22]

Expresse amor às crianças

As crianças, como os adultos, precisam se sentir queridas e amadas. Uma professora do sétimo ano do ensino fundamental fez um experimento

---

[22] Veja o capítulo 15 do livro de Catherine Ponder, *Os segredos da prosperidade através das eras.*

interessante com os seus alunos de 12 e 13 anos. Ela deu tiras de papel a 190 meninos e meninas, pedindo-lhes que escrevessem sobre os seus maiores problemas na vida, anonimamente.

Um menino de 12 anos escreveu:

> Meu irmão é adolescente, e todos os amigos dele me atormentam. Meu problema é que eu sou alérgico a adolescentes. O que eu posso fazer sobre isso?

Outro aluno escreveu:

> Minha mãe e meu pai me dão tudo o que eu quero em roupas, dinheiro e presentes. Mas eles nunca têm tempo para conversar comigo ou para me levar para passear. Meus amigos dizem que eu sou muito sortudo por ter pais tão generosos, mas eu preferia ter mais tempo deles, e menos dinheiro.

Aconselhando sobre os seus supostos "filhos problemáticos", descobre-se que a atitude dos pais em relação à criança frequentemente está na raiz do problema. Uma mudança nessa atitude pode ser o que basta para criar um relacionamento feliz. Em uma conversa recente, um executivo muito bem-sucedido parecia perturbado com o seu filho adolescente rebelde. Ele tinha dois filhos, um dos quais havia crescido e se tornado tudo que o pai queria, uma pessoa amorosa e obediente. O outro filho se recusava a se conformar à opinião do pai a respeito de que tipo de pessoa ele devia ser.

Esse filho mais novo possuía uma natureza altamente criativa, interessando-se pelo mundo da arte, da música e da literatura. No entanto, o pai tinha condenado esses talentos artísticos do filho, em vez de apreciá-los como dádivas divinas. Quando esse pai percebeu que não havia "nada de errado" com seu filho, que ele apenas era diferente do mais velho e de qualquer outra pessoa da família, pareceu aliviado e concordou em elogiar o filho mais novo pelas suas capacidades criativas. Depois, encorajou o caçula a fazer os cursos de arte que ele sempre quisera fazer.

Uma das coisas mais amorosas que você pode fazer pelas crianças, suas ou dos outros, é afirmar por elas: "Eu o vejo com os olhos do amor, e me vanglorio pela sua perfeição concedida por Deus. Você é filho de Deus e Ele o ama". Também é bom afirmar: "Amor divino, manifeste-se agora nesta criança, por meio dela e em sua volta".

As crianças florescem no encorajamento

As crianças florescem quando na presença de apreciação sincera, de elogio e de encorajamento, assim como os adultos; tudo isso é um tônico para elas. Sei de um caso de um menino que não estava respondendo de maneira nenhuma à escola. Sua mãe, desgostosa, marcou uma hora com um psiquiatra. Na conversa casual que tivemos, eu ressaltei a sensibilidade e capacidades criativas dele. Expliquei que suas características diferentes, que a perturbavam tanto, eram a sua força potencial para o sucesso. Sugeri que ela reservasse diariamente alguns minutos em sua agitada agenda de negócios para sentar-se com ele e conversar sobre qualquer coisa que tivesse em mente. Sugeri que ela elogiasse cada melhoria que ele apresentasse e cada boa atitude que tomasse.

Ela começou a elogiá-lo sinceramente todos os dias, e a lição de casa dele mudou. A capacidade musical do menino também floresceu. Logo, ele foi selecionado em um grupo de seis crianças de sua faixa etária, da cidade toda, para fazer uma apresentação especial. O tratamento psiquiátrico foi cancelado.

Discipline de maneira amorosa

Isso não quer dizer que você não deva corrigir comportamentos negativos ou disciplinar as crianças. Todo pai deve ser firme, porém amoroso em sua tarefa de disciplinar. A raiz da palavra disciplina significa "aperfeiçoar". Seus métodos de correção e disciplina devem conduzir a um aperfeiçoamento, e não à rebeldia, à resistência ou a mais comportamento negativo. Descobri que é melhor pedir orientação divina para cada criança individualmente, em vez de procurar aconselhamento com outras pessoas ou de bagunçar sua mente com diversas teorias sobre o assunto.

Pais acreditaram por muito tempo que tinham a difícil tarefa pessoal de educar seus filhos, imprimindo neles, a partir do exterior, o conhecimento que achavam que iria prepará-los para a vida adulta. Quando você tenta alcançar uma criança somente a partir dessa perspectiva, isso pode se provar difícil e desapontador para todos os envolvidos.

A formação intelectual tem o seu lugar, mas não é única parte da educação e do desenvolvimento de uma criança. A palavra "educar" na verdade significa "fazer sair, extrair" o que já existe no interior. A Dra. Emilie Cady escreveu: "Deus, na forma de amor infinito, subjaz em cada ser humano, aguardando apenas ser conduzido a se manifestar. Essa é a verdadeira educação".[23]

Outro modo de amar as crianças é ensiná-las que nunca foi a intenção de Deus que elas fracassassem ou que sofressem necessidades. Conheci uma família em que todas as crianças desenvolveram uma autoconfiança real, porque seus pais lhes diziam que elas podiam se sair bem e que o fracasso não era necessário. Essas crianças se reúnem na beirada da cama na hora da oração. Junto com as orações infantis normais, esses pais também afirmam declarações de prosperidade junto com seus filhos, que estão absorvendo a ideia de riqueza e prosperidade como seu direito natural. Cada presente que chega é recebido como uma "dádiva de prosperidade", cada item de roupa se torna a sua "roupa da prosperidade". Não é de admirar que essas crianças atraiam dádivas e prosperidade com frequência.

Comece onde você está, expressando amor

Lembre-se de que o amor funciona tanto nos aspectos pessoais quanto sociais da vida. Se parecer que há falta de amor em sua vida pessoal, pode ter certeza de que passará a experimentá-lo quando perseverar em doar esse sentimento com boa vontade. Se parece estar faltando amor nos aspectos sociais da sua vida, pode estar certo de que experimentará compreensão, felicidade e sucesso quando insistir em usar o amor de Deus em seus relacionamentos.

---

[23] CADY, Emilie. *Lições sobre a Verdade.* Unity Village, MO: Unity Books.

Comece onde você está, com o amor operando em sua vida agora. Abençoe o amor que ocorre em sua vida, seja pessoalmente, como em um relacionamento familiar, seja socialmente, como no sucesso profissional. Dando graças por cada pequena e grande expressão do amor em sua vida, você libera o poder multiplicador do amor, que pode, então, preencher cada vazio.

Charles Fillmore comentou sobre o poder do amor: "Você deve confiar que o amor lhe tirará das dificuldades. Não há nada que seja muito difícil de se conseguir, se confiar nisso".[24]

Cientistas sérios fizeram um estudo especial sobre o amor. Jesus Cristo, o mestre da vida vitoriosa, colocou o amor em primeiro lugar. Um dos primeiros edificadores do Cristianismo, o apóstolo Paulo, atribuiu todo o poder ao amor. Prometa que também começará a amar a si mesmo e sua família, gerando o amor divino para toda a humanidade. Caso o faça, seus problemas se transformarão em soluções, e a sua prosperidade se multiplicará. Faça isso acontecer, afirmando: "O amor divino agora tudo provê, ricamente. Os resultados perfeitos do amor divino agora aparecem".

---

[24] FILLMORE, Charles. *Talks on Truth.* Unity Village, MO: Unity Books, 1924, p. 59.

Capítulo 12: A independência financeira pode ser sua

Um dos desejos de todas as pessoas de mente próspera é que elas possam prover suas próprias necessidades e ser financeiramente independentes. A pobreza é um medo universal da raça humana, e muitas pessoas hoje a estão experimentando, apesar da prosperidade sem precedentes de nossa época.

Uma vez que tenha conhecido o poder que pode liberar por meio do pensamento próspero, você verá que a independência financeira não está tão distante, afinal de contas; perceberá que ela não é destinada somente ao outro, mas também a você!

A expressão "independência financeira" não significa a mesma coisa para todos. Ser independente significa ser financeiramente livre. Para uns, isso significa um trabalho bem pago e seguro, com o qual se possa cumprir consistentemente as obrigações financeiras e sentir-se livre das pressões diárias. Outros podem pensar em termos milionários. À medida que você progride financeiramente, suas ideias de independência tendem a se expandir, e você desejará uma liberdade financeira cada vez maior.

Portanto, o desejo de prover suas próprias necessidades é um desejo divino, implantado na natureza intelectual e emocional do homem para ajudá-lo a progredir, a alcançar mais alto e a construir uma vida digna para si mesmo. O desejo de independência financeira, representada por uma renda semanal decente ou por um *status* milionário, é um desejo divino que não deve ser *suprimido*, mas *expresso* pela mente do homem. Quando o expressa, o homem é capaz de experimentar a satisfação e a realização que Deus deseja que ele tenha.

Não aceite as coisas como elas são

Talvez um dos maiores segredos da obtenção da independência financeira tenha sido demonstrado pelo prefeito de uma cidade em New England. Muitos anos atrás, um artigo na imprensa contou os resultados notáveis do primeiro ano desse homem na prefeitura. Na época em que ele assumiu, todos diziam: "Esta cidade está morrendo, nada pode salvá-la". E havia fatos para sustentar essa visão negativa: os cortiços infectavam o centro, a população não estava crescendo e os negócios haviam abandonado a cidade. A prosperidade parecia ser coisa do passado. Entretanto, em apenas um ano, esse prefeito inspirou seus colaboradores a adotarem um programa ambicioso de limpeza. Um projeto de remoção dos cortiços começou a funcionar, limpando os cortiços da área central e abrindo caminho para novos edifícios de apartamentos, áreas comerciais, estacionamentos e prédios comerciais.

Como esse único homem foi capaz de inspirar tanto progresso e prosperidade, e tão rápido? Ele disse que os homens do conselho da sua cidade eram homens que ousaram "pensar grande", colocando a bola em jogo. O prefeito também mencionou que todas as noites ele orava pedindo orientação. Sua atitude básica era esta: "Eu não aceitarei as coisas como são. Só porque tem sido assim, não significa que não pode ser de outra forma!".

Portanto, a insatisfação é o primeiro passo rumo à conquista da independência financeira. Se você não quer aceitar as coisas como estão, isso é bom! Você tem o poder, usando o pensamento e a ação prósperos, de transformar a situação em algo muito melhor e mais satisfatório. Essa é a sua chave para a independência financeira, se você ousar usá-la.

Certa vez, vi um conhecido sair de um emprego insatisfatório para investir em seu negócio próprio, o que representou sua independência financeira, apenas seguindo com coragem a sua "insatisfação divina". Esse homem era assalariado desde a Segunda Guerra Mundial em uma joalheria, mas sempre mantivera em sua mente o sonho de possuir sua própria loja. Finalmente, a desarmonia e a desordem irromperam no local em que ele trabalhava. Depois de anos de serviço fiel, ele saiu do emprego, embora seus empregadores lhe garantissem que não conseguiria se sair bem como empregado em qualquer outro lugar. Ele lembrou a si mesmo, em silêncio, de que não tinha intenção de se sair bem em outro lugar "como um empregado", mas que pretendia se tornar independente de chefes e das ideias de outras pessoas, pois ele mesmo queria se tornar um empregador.

Quando pediu demissão, só tinha um pouco de dinheiro guardado, e também família e as responsabilidades financeiras normais. Não obstante, logo que deixou ir a sua situação financeira insatisfatória, ele começou a se sentir melhor, mais contente e, de algum modo, mais livre. As notícias logo correram. Um amigo que tinha uma joalheria em outra cidade lhe ofereceu trabalho até que ele conseguisse algo permanente. Ele aceitou, para assegurar uma receita, enquanto fazia seus planos de longo prazo.

Pouco tempo depois, outro amigo de seu ramo de negócios lhe contou que também estava insatisfeito em ser empregado. Ele queria fazer uma sociedade em uma joalheria, e tinha economias guardadas. Juntos, esses dois homens conseguiram gerar os recursos financeiros e o crédito necessários para iniciar o seu empreendimento.

Nenhum deles conseguiria se aventurar sozinho no empreendimento, mas juntos conseguiram reunir seus recursos e bens financeiros, talentos e capacidades. Formaram uma sociedade e abriram sua própria joalheria, que, desde então, os tornou prósperos. O primeiro homem teve de deixar ir; antes que as portas se abrissem, ele teve de se recusar a aceitar uma situação comercial insatisfatória.

As emoções são a sua força motriz

Outro segredo da independência financeira, depois de decidirmos que não iremos aceitar nada a não ser o melhor da vida, é a lei da concentração e conservação. A conservação do pensamento, da energia e da motivação emocional é necessária para a independência financeira. Você talvez tenha observado que algumas pessoas parecem prosperar apenas por algum tempo. O negócio parece "florescer", mas subitamente decai e elas experimentam o fracasso financeiro, do qual não parecem ser capazes de se recuperar. Em quase todos os exemplos, se você olhar com atenção, descobrirá que as emoções, as atitudes e o estilo de vida dessas pessoas se tornaram dispersos, exaurindo-as de sua capacidade prévia de prosperar.

A maioria das atividades comerciais dos homens prospera enquanto suas vidas pessoais florescem. Porém, quando aparecem dificuldades no casamento, por exemplo, os negócios também vão por água abaixo. Recentemente, conversei com um homem brilhante, que tinha feito e perdido fortunas cada vez que sua vida doméstica ficara desorganizada e suas emoções se tornaram difusas e desordenadas.

Todos nós somos criaturas de emoção e de sentimentos profundos, que tanto podem nos quebrar quanto nos fazer florescer financeiramente. As emoções são o poder divino dentro de nós, a nossa força motriz. Você deve guardá-las como uma mina de ouro, porque suas emoções na verdade são a maior riqueza que você possuirá. Pensamento desordenado e ações confusas levam a uma desorganização do seu poder mental. Isso, por sua vez, esgota a energia física, essencial para a prosperidade; exaure também a energia mental, necessária para traçar um curso inteligente de ação ou um plano para a prosperidade; suga sua motivação em colocar seus planos de prosperidade em ação.

Ouse ser diferente

A fim de se tornar sempre próspero, você deve ousar ser diferente! Pelo menos por algum tempo. O General Maxwell D. Taylor, famoso por saltar de paraquedas na Normandia no dia D, disse uma vez que devemos ousar mais justamente quando os riscos são altos. Ele nos lembrou de que devemos estar dispostos a arriscar muito, a fim de ganhar muito; de fato, devemos estar dispostos a colocar tudo à prova.

Mas compreenda: isso não conduz a uma vida entediante de eremita, mas a uma vida alegre e satisfatória, cheia de parcerias, livre de atividades não essenciais. Quando decide se tornar financeiramente independente, você para de se preocupar com o que as pessoas pensam, e ousa se concentrar no seu objetivo. À medida que se tornar próspero, não se preocupará com o que parceiros anteriores pensam, pois com certeza terá desenvolvido novos relacionamentos, mais satisfatórios e mais adequados, que o ajudarão a manter a sua visão expandida.

Pense grande!

As pessoas bem-sucedidas pensam grande e não se limitam ou restringem seus parceiros às suas próprias ideias e opiniões. Se deseja se libertar de pensamentos limitados e de opiniões mesquinhas, comece a pensar grande. Concentre-se na independência financeira e você irá deixar os pensadores mesquinhos pelo caminho, cultivando novas amizades duradouras e satisfatórias, que o ajudarão a subir a escada do sucesso.

Certa vez, conheci uma senhorinha tranquila que hoje é presidente de um grande projeto habitacional, de um conjunto de prédios e de um grande Shopping Center no subúrbio. Vinte anos atrás, o local hoje ocupado por casas, apartamentos e lojas era um grande pasto, localizado a cerca de uma milha da estrada e a cerca de cinco milhas da cidade mais próxima.

Porém, essa senhorinha tinha um sonho para a propriedade. Ela continuou construindo sua visão mental, a de que um dia aquela terra seria o endereço dos mais belos Shoppings Centers do país. Ela, tranquila e ousadamente, manteve essa visão, mesmo que parecesse impossível. É claro que esse sonho, quando concretizado, significaria a sua independência financeira.

Poucos anos depois, uma base militar próxima foi aumentada. Como resultado do tráfego crescente entre a base militar e a cidade vizinha, uma autoestrada de quatro pistas foi construída. Acontece que essa estrada beirava a propriedade dessa senhora.

Quase imediatamente, dúzias de corretores de imóveis começaram a fazer ofertas de compra, mas ela se recusou a vender. De um ponto de vista prático, poderia parecer a coisa certa a se fazer, porque a terra ainda não tinha benfeitorias e, tal como estava, era quase sem valor. Ao contrário dos corretores, ela não tinha nem o dinheiro nem os recursos necessários para desenvolver a propriedade, mas ainda mantinha seu sonho. Corajosamente, sustentou a sua visão de uma próspera independência financeira.

Os anos se passaram; a cidade próxima crescia cada vez mais. Um dia, essa senhora notou um empreiteiro com seus homens e equipamentos na propriedade ao lado da sua. Logo foi apresentada a ele, e eles ficaram amigos. Conversaram sobre a propriedade dela e sobre as possibilidades de desenvolvimento da terra. Ela contou a ele o seu sonho de possuir um lindo Shopping Center, onde as pessoas da cidade e o pessoal da base pudessem fazer suas compras com facilidade, sem ter de se envolver no tráfego da cidade. Esse empreiteiro ficou muito impressionado com o sonho daquela senhora, explicando-lhe que era possível transformá-lo em realidade sem que ela tivesse de vender qualquer parte da sua amada terra.

Ele indicou as possibilidades para a criação de uma sociedade, em que ela entraria com a terra e ele com os serviços e equipamentos para a construção e supervisão da construção. O homem também tinha um amigo empreiteiro rico, que estaria disposto o fornecer o capital e as garantias necessárias até que a construção pudesse ser completada e um financiamento de longo prazo pudesse ser obtido.

No devido tempo, criaram a sociedade. Com o aconselhamento de mais dois sócios, primeiro construíram um conjunto de prédios residenciais, aliviando a demanda por moradias da região. Depois, construíram casas para alugar e vender. Em seguida, construíram um Shopping Center em estilo colonial, incluindo desde uma loja de miudezas a um banco. Assim, a amada terra dessa senhora supriu a necessidade de centenas de pessoas, que ocuparam apartamentos e casas. O seu enorme Shopping Center é considerado um dos mais belos do sul do país. Tudo porque ela sustentou uma imagem de sucesso, prosperidade e independência financeira, até que outras pessoas, que partilhavam das mesmas ideias, se juntassem a ela para ajudá-la a tornar seu sonho real.

Tire o pó dos seus sonhos

Se você tem sonhos não concretizados e visões de prosperidade e sucesso encolhidos em um canto de sua mente, não os deixe lá por mais tempo. Ouse trazê-los para fora e tirar-lhes o pó. Ouse começar a pensar nas possibilidades de independência financeira, mesmo que, a esta altura, isso pareça ser impossível de se alcançar. Se aquele velho elemento derrotista do medo tentar sussurrar aos seus ouvidos que não há maneira possível dos seus sonhos se tornarem reais, lembre-se das ricas promessas da Bíblia: *Não temais, ó pequeno rebanho, porque a vosso Pai agradou dar--vos o reino* (Lc 12:32); *e depois fazei prova de mim nisto, diz o Senhor dos Exércitos, se eu não vos abrir as janelas do céu, e não derramar sobre vós uma bênção tal até que não haja lugar suficiente para a recolherdes* (Ml 3:10); *tudo é possível ao que crê* (Mc 9:23); *a Deus tudo é possível* (Mt 19:26).

Se você não consegue obter sucesso, é porque sente que, de algum modo, tem de fazer tudo sozinho, e esse pensamento o oprime, parecendo mais fácil tomar o rumo do fracasso. Mas como me disse um bem-sucedido engenheiro, quando eu lhe perguntei qual era o seu segredo do sucesso:

> Eu nunca consegui me sair bem, até que fiz uma "sociedade": Deus é meu sócio, o melhor que eu já tive. A orientação Dele sobre meus assuntos financeiros nunca me conduz a outro lugar senão à maior prosperidade. Eu começo o meu dia pedindo, ouvindo e esperando orientações específicas sobre todos os meus projetos de engenharia, e a orientação sempre chega.

> Recentemente, o presidente de uma das maiores empresas do país me perguntou: "Como você faz isso? Como você gerencia tudo o que tem de fazer e nunca fica contrariado ou chateado em meio a tantas exigências e expectativas?". Ele pareceu muito surpreso com a minha resposta simples: "Deus é meu sócio e deixo a tensão, a pressão e as decisões difíceis para Ele". O presidente respondeu: "Você quer dizer que uma coisa assim funciona de verdade? É prático confiar em Deus em tais importantes questões financeiras?".

> Minha resposta foi: "Veja, se você não pode confiar em Deus, que é a suprema inteligência, é todo-poderoso e governa este rico universo, em quem mais eu poderia confiar?".

Deus abre caminhos onde, para os sentidos humanos, parece não haver estradas. Negócios foram salvos, fortunas foram construídas e mortos foram restaurados à vida, mesmo depois de a sentença de derrota já ter sido decretada pela humanidade. Agradeça a Deus por Sua bondade não parar nos limites da nossa visão humana. Mantenha-se firme, mantenha a sua fé, mantenha a sua coragem; lembre-se de que Deus abre caminhos onde, para os sentidos humanos, não há estradas!

Visualize a independência financeira

Em outras palavras, você não precisa concretizar qualquer desejo sozinho. Você tem a promessa: *Pedi, e dar-se-vos-á; buscai, e encontrareis; batei, e abrir-se-vos-á* (Mt 7:7). Muitas pessoas negligenciam que essa promessa seja um segredo para a prosperidade. Geralmente, deixam que as riquezas as ignorem, só porque não sabem pedir ajuda de um Poder Maior para aprender como conseguir o seu bem.

Comece agora visualizando a si mesmo não apenas tornando-se mais próspero, mas tornando-se financeiramente independente. Emma Curtis Hopkins escreveu: "Qualquer coisa que seja vista com o olho da mente revela os seus segredos e entrega as suas dádivas".[25] É um exercício delicioso e muito estimulante para a mente, e não apenas como "sonhar acordado", se você ousar ser definitivo em seu pensamento.

Hopkins também ressaltou: "O sucesso reside em se direcionar a um único objetivo, rejeitando tudo o que o distraia do seu objetivo vitorioso". Você não precisa ser apenas moderadamente vitorioso. Ao direcionar-se a um objetivo, você pode se libertar da preocupação financeira, tendo tempo e dinheiro para desenvolver outros aspectos, que podem ser uma honra para você e para toda a humanidade. Um certo empresário texano fez algo inesperado: foi aos poços que já tinha per-

---

[25] Veja o livro dela, *Scientific Christian Mental Practice*. Marina del Rey, CA: DeVorss & Co.

furado e perfurou mais profundamente, fazendo fortuna com petróleo que ninguém acreditava haver ali. No reino do pensamento próspero, você também pode!

Você na verdade tem tudo o que é preciso para ser o mestre da sua vida em *todos os seus aspectos*! Você não precisa comprometer a sua vida, caso esteja disposto a liberar a ideia de comprometimento. Ao abrir mão de atividades, parcerias e relacionamentos desnecessários, ao parar de se incomodar com conversas de pessoas com mentes dispersivas, você descobrirá que a independência financeira pode estar bem ali na esquina, muito mais perto do que você imaginava.

Conserve o seu tempo e a sua energia

Comece a se disciplinar mais; poupe seu tempo e energia; associe-se só a pessoas de mente próspera, com as quais tenha interesses compatíveis. Se você se retirar de tudo o que é improdutivo ou não relacionado à visão maior de prosperidade, se você parar de tentar agradar os outros, ousando agradar apenas aquela "tranquila vozinha interior" do progresso que mora em seu coração, você estará no caminho certo da independência financeira!

Muitas nunca conseguem se tornar independentes porque se recusam a aceitar a disciplina necessária em sua vida, mesmo que só por algum tempo. Pode parecer uma ideia extrema você precisar se concentrar exaustivamente na prosperidade, a ponto de excluir todo o resto; a ponto de descartar parceiros com mentes negativas e programadas para o fracasso; a ponto de arrancar da sua vida todos os relacionamentos indesejáveis; a ponto de ter cuidado a respeito de com quem e como você usa o seu tempo, ainda que seja o seu tempo de lazer. Uma vez que resolva usar esse método, descobrirá que é como se estivesse quebrando uma dura casca de pensamento, sentimento e atividade limitados. Quando ultrapassar este ponto, poderá gozar um estilo de vida mais equilibrado. Existe, porém, um período de transição, de "ter um único objetivo em mente", de pensar somente no sucesso e na prosperidade. Em seguida, você se verá com um suporte financeiro muito mais elevado e descobrirá um novo sabor na vida, sendo capaz de relaxar e de se divertir. Você merece isso.

Contudo, a menos que se preserve e se concentre até chegar nesse ponto, você nunca o alcançará.

A verdade disso foi trazida à minha atenção por uma notícia de jornal, sobre um jovem que ainda não tinha trinta anos e já havia se tornado vice-presidente de uma companhia de seguros. Esse jovem havia definido um objetivo muitos anos atrás, e trabalhou nisso, por meio do pensamento próspero. Ele passou a usar todo o tempo disponível para ler livros sobre o sucesso e relacionar-se com pessoas que pensavam do mesmo modo. Sua esposa chegou a sentir que talvez ele estivesse restringindo demais suas relações sociais, apreciadas por ambos no passado. Mas quando ele explicou por que estava devotando seu tempo a isso, concentrando-se no sucesso presente e futuro, ela se mostrou disposta a deixar passar muitos eventos sociais, que tomavam muito tempo. Depois de vários anos de trabalho e estudo árduos, o jovem alcançou patamares tão elevados que ele e a esposa puderam novamente levar uma vida mais sociável. Agora, podem se dar ao prazer de relacionamentos agradáveis, com pessoas de mente próspera, que são seus novos amigos.

Assuma agora a sua independência financeira!

Uma boa maneira de cultivar a expectativa da independência financeira e as experiências felizes que ela traz consigo é começar a fazê-lo no dia, na semana ou no mês que estão diante de você. É sempre mais fácil para a mente produzir os resultados esperados no presente ou no futuro imediato. Por exemplo, inicie o seu dia de modo próspero, afirmando abundância para aquele dia, antes mesmo que ele comece. Ponha o pensamento próspero em primeiro lugar, e faça dele a última coisa do seu dia. Quando acordar de manhã e se preparar emocionalmente para o dia, antes mesmo de se levantar ou durante o café da manhã, afirme em voz alta ou em silêncio, várias vezes: "Eu espero abundância generosa todos os dias, de todas as maneiras, em minha vida e em meus assuntos pessoais. Eu espero a abundância generosa de hoje, dando graças por ela!". Desse modo, você estará enviando o pensamento próspero à frente, preparando um dia satisfatório e vantajoso, que se movimentará para entregar-lhe surpresas maravilhosas e satisfação, hora a hora.

À medida que você desenvolver um estado mental que acredita, espera e vivencia a independência financeira um dia de cada vez, isso automaticamente se expandirá, de modo que a prosperidade se torne um hábito semanal, mensal e anual. Mas você tem de começar em algum ponto de seu pensamento, e a base diária é a mais fácil, imediata e satisfatória, porque dá provas positivas de que a prosperidade está ao seu alcance, esperando seu reconhecimento e sua aceitação.

Um homem me disse há pouco tempo que seus negócios dobraram depois que ele começou a concentrar sua atenção na expectativa de independência financeira, em vez de pensar em como tudo parecia sem sentido e como era difícil o trabalho que tinha de fazer. Assim como o jovem executivo de seguros, esse homem descobriu que a expectativa de abundância pródiga, um dia de cada vez, era um grande segredo para se alcançar a independência financeira. Muitos anos atrás, ele tinha começado a passar uma hora de suas manhãs planejando mentalmente o dia, sustentando em sua mente as imagens das vendas que queria realizar. Depois, quando foi nomeado supervisor de um grupo de vendedores de seguros, ele passava um tempo todas as manhãs pensando neles e nas vendas que queria que fizessem naquele dia. Foi com esse processo diário de pensar na abundância para si mesmo e para os seus vendedores que ele pavimentou o seu caminho para um cargo executivo na empresa.

Você pode superar obstáculos sérios

A fim de se tornar financeiramente independente, a ponto de ter uma receita estável, é preciso descartar várias atitudes negativas. A maioria das pessoas pode nomear, sem pensar duas vezes, todas as razões pelas quais não tiveram sucesso. Mas quando olhamos em volta, nos surpreendemos ao perceber com que frequência as pessoas bem-sucedidas também parecem ter obstáculos sérios a superar.

Conheço uma senhora acometida por poliomelite que ia todos os dias de cadeira de rodas ao trabalho, em que era secretária particular. Era de se esperar que ela tivesse desistido de tudo muitos anos atrás, quando foi afetada pela paralisia. Porém, ela se restabeleceu e agora dirige seu próprio carro e tem um trabalho interessante e compensador. Através de sua atitude, a de se recusar a ceder à doença, ela se livrou da cama e criou sua própria independência financeira. Da última vez que ouvi falar dela, estava pensando em se casar!

Num dia de primavera, anos atrás, um jovem balconista conversou comigo sobre como se sentia desanimado e incerto sobre o futuro. Eu lhe perguntei o que ele realmente queria fazer, e ele respondeu, com timidez: "Eu queria ir à faculdade para poder lecionar". Então, sugeri que, com o poder do pensamento próspero, tudo era possível. Também sugeri que ele deveria se tornar financeiramente independente, trabalhando para conseguir frequentar a faculdade, sem se conformar com o trabalho de balconista. Deveria fazê-lo, se realmente quisesse ser professor.

Ele concordou em começar a visualizar a si mesmo indo à faculdade no outono e a pensar na abundância generosa tornando-se visível para satisfazer cada uma de suas necessidades. Ao sugerir que ele fizesse planos como se já estivesse frequentando a faculdade, ele de pronto se matriculou na faculdade que queria frequentar. Estudou cuidadosamente o catálogo da faculdade, memorizando tudo sobre a faculdade, sua história, o currículo do curso, seu corpo docente e outras coisas.

Enquanto ele continuava a se livrar do que não queria fazer, tomando atitudes relativas àquilo que queria realizar, uma coisa interessante aconteceu: no meio do verão, um parente chegou para ele e explicou que durante algum tempo o tinha observado. Disse que sentia que seu potencial era maior do que o seu trabalho atual permitia desenvolver. Então, esse parente ofereceu-se para fazer os arranjos financeiros necessários para que ele pudesse ir à faculdade, já naquele outono. Com grande alegria, esse jovem, então, confidenciou todas as suas esperanças e sonhos ao seu parente, que ficou feliz com sua própria presciência.

Recentemente, esse jovem me informou que ia se graduar dentro de alguns meses. Tudo isso aconteceu porque ele ousou se tornar independente em seu pensamento, imaginando que um bem maior pudesse acontecer com ele.

Técnicas para se tornar financeiramente independente

Comece agora a aceitar a independência financeira para si mesmo e para aqueles que ama, preenchendo sua mente com imagens da vida que você quer levar, em vez de ficar hipnotizado pela vida que parece estar levando. Guarde para si suas elevadas visões de independência financeira. Comece fazendo o que puder, ainda que pareça pouco, para ajudar a sua bênção a se concretizar.

Deixe-me partilhar com você uma técnica simples e prática para ajudá-lo a começar ainda hoje a se tornar mais próspero. Se praticar essa simples técnica, será conduzido a uma maior prosperidade, e com certeza também à independência financeira! A técnica é esta: os antigos acreditavam que o número dez tinha um poder mágico de expansão. Portanto, comece agora mesmo a multiplicar sua provisão: sempre que pensar em dinheiro, seja renda fixa ou suplementar, seja poupança ou investimentos, imagine esse valor vindo para você multiplicado por dez. Essa é uma técnica fascinante e deliciosa, que certamente irá aumentar o seu dinheiro.

Por exemplo, veja sua carteira. Suponha que há cinco dólares lá. Olha para o dinheiro e declare: "Eu agradeço porque estes cinco dólares são um símbolo da substância inesgotável do universo. Eu dou graças porque um valor dez vezes maior, cinquenta dólares, está agora vindo para mim e se manifesta rápida e perfeitamente". Multiplique cada valor que se apresente a você por dez, esperando pelo valor multiplicado. Desse modo, você começa a pensar em quanto tem e em quanto está vindo para você, em vez do pensamento comum, mas letal, de que não tem o bastante. Ao multiplicar tudo por dez, o seu pensamento automaticamente muda de sintonia, indo da carência para a prosperidade. A mente responde a números definitivos, e vai parecer que os céus e a terra estão trabalhando para impelir o dinheiro na sua direção.

Veja o saldo na sua conta. Talvez haja cinquenta dólares ali. Em vez de pensar: "Isto não é o bastante para pagar as contas", mude seu pensamento para: "Isto não é nada mais que um símbolo da substância do universo, disponível para mim. Eu dou graças porque um valor dez vezes maior, ou quinhentos dólares, está agora vindo para mim, manifestando-se com rapidez para satisfazer cada necessidade". De modo semelhante, quando as contas começarem a chegar no começo do mês, não pense: "Esta conta de vinte dólares veio muito alta este mês. Precisamos cortar as despesas". Mude seu pensamento para: "Estes vinte dólares são um símbolo da rica substância do universo, disponível para mim. Eu agradeço porque um valor dez vezes maior, ou duzentos dólares, está a caminho para mim agora, aparecendo com rapidez para que todas as obrigações financeiras sejam imediata e completamente pagas, com a rica substância do universo".

Depois de multiplicar mentalmente o seu dinheiro por dez, sempre que exista uma necessidade financeira, você deve prosseguir, enviando qualquer substância que esteja disponível para satisfazê-la. Isso abre o caminho para os valores multiplicados começarem a chegar: a saída abre caminho para a entrada.

Em cada transação financeira que se apresente a você, multiplique os valores por dez, agradecendo porque um valor dez vezes maior está vindo para o seu uso particular. Essa é a maneira mais rápida, certeira e deliciosa de conseguir o seu PhD em pensamento próspero!

Uma vendedora, ouvindo falar desse princípio do pensamento próspero, decidiu colocá-lo em ação. Na noite em que ouviu a explicação, ela tinha um dólar na carteira. A mulher pegou a nota, olhou para ela e pensou: "dez vezes esse valor está vindo imediatamente para mim: dez dólares se manifestam agora". Então, ela deu o dólar como oferta no término da palestra. No dia seguinte, ela continuou multiplicando por dez o valor total de cada venda que fazia. O resultado foi que ela vendeu mais durante aquele dia do que todos os funcionários de outros dois andares da mesma loja. Naquela noite, quando chegou em casa, havia dois cheques de cinco dólares, que tinham chegado pelo correio. Eram presentes totalmente inesperados. Aquele dólar havia produzido dez dólares para ela, e o seu poder de venda frutificara naquele dia, por meio do uso do dez, o número mágico.

Você pode levar essa ideia ainda mais longe, uma vez que ela esteja estabelecida em sua mente e trabalhando para você. Um médico que ouviu falar desse princípio pensou: "Por que eu deveria me conformar em multiplicar os valores por dez? Será que o número cem, que é dez vezes dez, é ainda mais poderoso no seu poder multiplicador?". E ele resolveu testá-lo. Também doou um dólar no final da palestra que assistiu sobre esse tema, pensando: "Estou doando; portanto, invoco a lei do recebimento. Espero receber cem vezes esse valor, ou cem dólares. Eu agradeço, pois esse valor se manifesta rápida e perfeitamente". Na tarde seguinte, uma mulher entrou em seu consultório, entregou-lhe um cheque e disse: "Eu não lhe devo nada, pois não fiz nenhum tratamento com você recentemente. No entanto, fiquei muito impressionada com a ajuda que você tem prestado a vários membros de minha família. Como agradecimento, quero compartilhar com você parte de um montante que recebi inesperadamente". O cheque que ela insistiu que ele aceitasse era de cem dólares!

Uma dona de casa, ao ouvir sobre o poder multiplicador do dez, pensou como o médico: resolveu multiplicar o dólar que tinha na bolsa por cem, em vez de dez. Em poucos dias, recebeu um cheque de cem dólares de um sócio, que há muito tempo lhe devia dinheiro!

Que liberdade essa técnica simples lhe dá do pensamento de limitação, de pobreza e do "não é o bastante"! Ela muda completamente a sua atitude, que passa a ser: "Este é um universo rico, e nele há abundância para você e para mim".

Técnicas auxiliares para o estabelecimento da independência financeira

Junto com a técnica de multiplicar todos os valores por dez, ou por dez vezes dez, eu sugiro que você faça várias outras coisas para estabelecer sua visão da independência financeira. Comece agora, preenchendo sua mente com imagens da vida que deseja ter. Estude jornais e revistas que trazem anúncios de roupas, casas, hobbies e outras bênçãos que você deseja ter e vivenciar. Construa imagens mentais de sua vida, livre de preocupações financeiras, em que você possa viajar, dedicar-se a seus hobbies, repleta de realizações compensadoras e de relacionamentos adequados. Quanto aos talentos e habilidades que você quer desenvolver, comece a estudar e a preencher a sua mente com as imagens das suas realizações neste campo. Pense nas organizações que gostaria de ajudar, e no bem que você gostaria que a sua riqueza proporcionasse.

Construa também em seu pensamento a imagem mental da independência financeira de seus entes queridos. Imagine o mundo inteiro sendo financeiramente independente. Liberte-se, liberando o pensamento de tudo o que é menor que a independência financeira. Milhões de pessoas em todo o mundo são escravas da guerra, do crime, da delinquência, da doença, do ateísmo e do comunismo, porque acreditam, de forma equivocada, que sua riqueza reside fora de si mesmos, o que os deixa dependentes de outras pessoas. Dissolva essa crença ignorante, destrutiva e hipnótica, para as outras pessoas e para si mesmo, ousando aceitar esta gloriosa verdade: a independência financeira é um dos direitos concedidos por Deus para a humanidade, e você pode ajudar a trazê-la à vida por meio de suas atitudes, ações e reações.

Você também deve começar a construir sua expectativa na independência financeira e sua fé estudando as finanças, a economia e os investimentos. Você deve orar pela prosperidade. Perceba que você não está atado à roda do trabalho ininterrupto. Você não é servo do deus da Riqueza (Mamom), mas um filho radiante do Deus da abundância universal!

Seus dez passos da sorte

Para ajudá-lo a obter a independência financeira a partir de uma base estável, quero compartilhar a seguinte fórmula, que eu gosto de chamar de "dez passos da sorte":

1. Aquiete-se, medite e pergunte ao Pai amoroso se existe alguma razão pela qual você não deveria se tornar financeiramente independente. Esse ato removerá toda a incerteza da sua mente, pois a incerteza atrasa o seu sucesso.

2. Tendo decidido conquistar a independência financeira e uma sensação de paz sobre isso ser certo para você, faça uma ima-

gem mental do mais elevado que deseja experimentar. Imagine o valor da receita que você quer e o modo que vai viver quando for independente. Construa esta imagem tão detalhadamente quanto possível. Quanto mais pensar nisso, mais detalhada será a sua imagem mental. Pense em que tipo de casa você quer, que tipo de roupas deseja vestir, as atividades que deseja fazer, os lugares que quer visitar.

3. Construa a imagem mental do que você *realmente* quer, e não do que outra pessoa quer que você tenha, ou do que você acha que é seu dever ter. Muitas pessoas levam vidas miseráveis de fracasso porque tentam agradar os outros. Sua vida é uma dádiva divina para que *você* a viva, e não para que *outra pessoa* a viva por você. Apenas o que você sinceramente deseja pode fazê-lo feliz. Construa imagens mentais sobre isso, apenas.

4. Não conte a ninguém sobre seus planos. Os outros sempre podem dizer como querem que você viva a sua vida, mas não podem vivê-la por você. Mantenha os seus planos de sucesso pra si mesmo. Não os dissipe, ou os sujeite a uma contracorrente, dando aos outros a chance de despedaçá-los.

5. Siga em frente conforme seja inspirado a tomar as primeiras providências na direção das suas imagens mentais de independência financeira. Faça o que quer que seja, ações pequenas ou grandes, para obter a sensação de que já está se movimentando na direção certa. Estabeleça uma data limite e planeje conquistar certas coisas dentro de seis meses, outras dentro de um ano, outras dentro de dois anos. Estabeleça uma data para conquistar uma independência financeira total.

6. Não fique ansioso, excitado ou irritado caso os resultados que você deseja não sejam produzidos de imediato. Não tente forçar nada, apressando suas imagens mentais para a concretização. Ansiedade, excitação, emoção, pressa e tensão são estados

mentais que produzem resultados violentos, raramente satisfatórios, e que podem ser muito desencorajadores e destrutivos.

7. Em vez de ligar para o que as pessoas dizem ou pensam, continue silenciosamente insistindo em fazer que a sua imagem de independência financeira seja trazida à vida, de qualquer maneira que ela se revele a você. Lembre-se: sempre que você está trabalhando com a rica substância do universo por meio do pensamento próspero, você não pode falhar, porque as leis do universo são imutáveis e não falham. Portanto, nada pode evitar o seu sucesso, não se você continuar pensando e trabalhando na direção correta.

8. Perceba que os seus sonhos de independência financeira já se concretizam no plano mental quando você os deseja ou fica consciente deles. Portanto, o bem maior já é seu tanto antes que ele se manifeste quanto depois de se tornar visível. Contudo, cabe a você trazê-lo à visibilidade. Você pode fazer isso declarando: "Divina substância, dê-me isso agora, do seu próprio modo perfeito", ou: "Divina substância, cumpra agora a minha demanda, da sua própria maneira perfeita", ou ainda: "Divina substância, atenda agora a minha demanda, do seu próprio modo perfeito. Isso agora é meu e se manifesta rápida e satisfatoriamente". Nunca diga: "Isso nunca vai acontecer", diga: "Isto ou algo ainda melhor agora se manifesta".

9. Lembre-se sempre de que, se os outros conseguiram a independência financeira, você também pode. O que uma pessoa realizou, muitos outros também podem realizar. O que é feito em pequena escala pode, com persistência, repetição e honestidade, ser feito em uma escala infinita. Cabe a você fazê-lo.

10. Tenha em mente que toda coisa boa já existe no reino da substância. Por meio de sua alta expectativa, de imagens mentais e de pensamento e ação prósperos, você se torna mestre do reino

> da substância e pode trazer à vida qualquer coisa que deseje. A história do mundo mostra que toda ordem mental do homem foi cumprida. Faça a sua agora. Agarre-se a ela, e terá sucesso!

Isso, entretanto, pode ou não acontecer da noite para o dia. Para resultados positivos, você deve ousar persistir em sua expectativa, em sua imaginação e na aceitação mental da independência financeira para si mesmo e para todo mundo. Inicialmente, isso pode exigir um grande esforço da sua parte, começando por acreditar que o sucesso é possível para você. Porém, os frutos desse esforço valerão cada pensamento próspero, cada esforço de imaginação, cada imagem mental construída em sua mente.

Declare sempre: "Todos os dias, e de todas as maneiras, estou me tornando financeiramente independente, com a ajuda de Deus!".

Isso com certeza acontecerá!

Capítulo 13: A lei da oração

Nestes tempos modernos, ouvimos muito falar do poder da oração, geralmente descrita como a força mais poderosa do universo. Ouvem-se com frequência frases como “a oração muda tudo”, ou “a família que ora unida permanece unida”. Por toda parte escreve-se ou fala-se sobre isso, e nunca se usou tanto a oração. Pessoas já descreveram o poder da oração deste modo: “A oração é profundamente simples e simplesmente profunda!”.

O vice-presidente de uma grande empresa imobiliária conversou comigo longamente sobre o poder da oração. Ele disse: “Este é um mundo mais espiritual do que muitos pensam. As pessoas usam máscaras, hesitando falar de sua crença na oração ou das respostas às suas próprias orações”. Depois, contou como, em um período recente de enfermidade, seus amigos supostamente “racionais” do mundo empresarial o visitaram no hospital, e depois em casa, e conversaram com ele sobre o poder da oração na restauração da saúde. Mesmo depois que ele voltou ao trabalho, muitos colegas passaram almoços inteiros com ele, falando sobre inúmeras orações respondidas em suas próprias experiências de vida.

A oração é natural para o homem

A oração tem sido descrita como o mais constante esforço do homem em conhecer Deus. Ao contrário do que a maioria das pessoas pensa, a oração é algo natural, e não uma prática estranha e misteriosa. Os homens sempre oraram e sempre seguirão orando. Em sua compreensão primitiva, o homem da antiguidade orava para o sol e para as estrelas, para o fogo e para a água, para os animais e para as plantas, criando imagens e mitos. Mas, certamente, o homem primitivo orava.

Depois, quando o intelecto do homem se desenvolveu, suas ideias avançaram e Deus foi concebido como uma deidade personificada, com emoções e sentimentos humanos. Os primeiros hebreus oravam para esse tipo de Deus, um Deus com traços humanos, um Deus que podia ser agradado com oferendas sacrificiais e a quem podiam implorar favores. Por sua compreensão espiritual não desenvolvida, os primeiros hebreus sentiam que Deus olhava para eles como "vermes cobrindo a terra". Há pessoas nos dias de hoje que ainda oram para esse tipo de Deus, não porque Ele tenha essa natureza, mas por causa da compreensão limitada da real natureza divina.

Todos os homens, em todas as épocas, oraram, de uma forma ou de outra. A humanidade está saindo de uma abordagem primitiva e puramente intelectual de Deus para uma compreensão genuinamente espiritual. Nossos métodos de oração estão mudando, se expandindo e sendo aperfeiçoados. A humanidade está percebendo que Deus não é um ser hostil, com uma personalidade dividida entre o bem e o mal, mas um Deus do amor, princípio imutável do bem supremo que permeia todo o universo. É fácil orar para esse tipo de Deus e comungar com Ele!

Reze por resultados

Ainda que várias leis da prosperidade sejam discutidas neste livro, nunca é demais enfatizar o poder da oração na obtenção da prosperidade permanente e satisfatória. É certo que a pessoa que orar diariamente alcançará bons resultados, porque estará entrando em sintonia com a força mais rica e auspiciosa do universo. Jesus prometeu: *E, tudo o que pedirdes na oração, crendo, o recebereis* (Mt 21:22).

Essa promessa bíblica deixa claro que não há nada de errado em orar pedindo coisas. Muitos não têm usado o poder da oração porque acreditam, incorretamente, que é errado orar para pedir. Jesus não quis dizer que fazer pedidos em oração era a única maneira de orar, ou mesmo que essa fosse a forma mais elevada de fazê-lo. Porém, Jesus sabia que orar pedindo coisas leva à descoberta do verdadeiro poder da oração. Você, então, desejará ir adiante, aprofundando-se, desenvolvendo a força de suas orações.

Conta-se a história de uma mulher que orava de forma definitiva, pedindo um marido, e ela o conseguiu em seis semanas. Depois, ela orou durante seis anos, pedindo para se livrar dele! O que essa mulher não percebeu é que, quando você ora pedindo, deve buscar a "escolha divina", que é sempre a resposta correta e sublime à sua necessidade específica.

É correto e justo orar pedindo coisas caso precise delas, porque você está vivendo em um universo rico, que deseja preencher e satisfazer todas as suas necessidades. Entre as figuras bíblicas que oraram pedindo coisas específicas estão Abraão, Asa, Daniel, David, Elias, Ezequiel, Habacuque, Hannah, Josafá, Jeremias, Jonas, Josué, Moisés, Neemias, Sansão e Salomão. Em varias ocasiões, mesmo Jesus orou pedindo coisas.[26]

Tennyson expressou de maneira bastante poética o poder de orar pedindo coisas em sua frase: "Mais coisas são conseguidas pela oração do que sonha este mundo!". Emmet Fox certa vez descreveu o poder de orar pedindo coisas:

> A oração realmente muda as coisas. A oração faz tudo acontecer ao contrário do que aconteceria se a oração não tivesse sido feita. Não faz diferença alguma que tipo de dificuldade você tem. Não importa as causas da situação. Uma quantidade suficiente de oração o tirará de qualquer dificuldade, se você for persistente o bastante em seu apelo a Deus.[27]

Talvez você já tenha ouvido esta velha frase desgastada: "Ore e tudo ficará bem". Deixe-me compartilhar com você os quatro métodos básicos de oração, para que tudo *fique realmente* bem.

---

[26] Veja o livro de Catherine Ponder, *O milionário de Nazaré*, e os seus livros sobre a oração.

[27] FOX, Emmet. *The Sermon on the Mount.* New York: Harper & Row Inc., 1938, p. 11.

1. Oração Geral

Em primeiro lugar, existe a oração geral. Trata-se de uma oração feita ao Deus amoroso e compreensivo de seu próprio jeito. Você pode ficar de joelhos ou em qualquer posição confortável. A oração pode ser expressa em voz alta ou em comunhão silenciosa, com um livro de orações ou folheando a sua Bíblia, meditando em suas passagens favoritas, ou parafraseando-as para satisfazer as suas necessidades.

Métodos especiais de oração geral

Um bom modo de começar a usar uma oração geral é com o Pai Nosso, considerando cada frase, silenciosamente e em voz alta. Os antigos acreditavam que o Pai Nosso era onipotente; repetiam-no várias vezes, de doze a quinze, sem parar. No santuário de Lourdes, os que buscam a cura são ensinados a dizer o Pai Nosso quinze vezes enquanto estiverem entrando nas águas. Acredita-se que o número quinze tenha o poder de dissolver a aflição e a adversidade. De minha experiência pessoal, conheço o profundo poder espiritual que é contatado e vivificado quando se repete o Pai Nosso várias vezes, silenciosamente ou em voz alta.

Outro modo efetivo de fazer contato com o poder espiritual da oração é tomar o nome "Jeová", do Antigo Testamento, ou "Jesus Cristo", do Novo Testamento, e declará-los repetidas vezes. Certa vez, uma dona de casa me contou que seu marido obteve muito sucesso nos negócios, depois de vários fracassos anteriores, quando ela começou a invocar e se concentrar no nome "Jeová". Isso parecia gerar um poder espiritual que liberava novas ideias, ações e resultados.

Charles Fillmore escreveu a respeito do nome "Jesus Cristo":

> Jesus Cristo ainda vive no éter espiritual deste mundo, e está em contato permanente com aqueles que elevam seus pensamentos a Ele em oração... Dizer o nome de Jesus Cristo libera a mais poderosa vibração. Este é um nome superior a todas as regras e autoridade, é aquele que está acima de todos os nomes, que detém todo o poder dos céus e da terra, tendo o poder de moldar

a substância universal... Quando pronunciado, coloca forças em ação e produz resultados, como Jesus prometeu, quando disse: *E tudo quanto pedirdes em meu nome eu o farei, para que o Pai seja glorificado no Filho. Se pedirdes alguma coisa em meu nome, eu o farei* (João 14:13-14).[28]

Outra maneira poderosa de oração invocando o nome, a presença e o poder de Jesus Cristo é imaginá-lo tomando conta de tudo, de qualquer situação ou pessoa que o perturbe no momento. Por exemplo, uma mulher escreveu-me, certa vez, sobre esse tipo de oração:

> Durante vinte anos, tive como marido um homem que eu odiava cada vez mais. Ainda estou casada com o mesmo marido, mas agora ele é um homem que a cada dia se torna mais amigável e amoroso. Mesmo com todo o meu esforço, eu não conseguia amar aquele primeiro homem. Ele parecia espiritualmente morto: era muito egoísta, bruto, duro, negligente e nada afetuoso. Eu tinha filhos pequenos para cuidar, e não conseguia trabalhar para mantê-los. Assim, eu tinha de ficar com o meu marido. Então, comecei a pensar na presença e no poder de Jesus Cristo, imaginando-o atuando na situação.
>
> Diariamente, comecei a pensar em Jesus Cristo acompanhando meu marido ao trabalho. Eu via Cristo atuando nele e por meio dele, trabalhando com ele e até mesmo almoçando com ele. Eu visualizava meu marido e Cristo juntos, chegando em casa felizes e contentes para mim e para minha família, para refeições bem preparadas.
>
> Como resultado, agora, embora eu ainda esteja casada com o mesmo homem, ele na verdade é um novo homem: gentil, atencioso,

---

[28] FILLMORE, Charles. *Jesus Christ Heals*, p. 11, e *Prosperity*, p. 36, ambos publicados pela Unity Books. Unity Village, Mo, 64065.

feliz e amoroso. Neste exato momento, ele está sentado na varanda, assobiando feliz a música *Rock of Ages*, enquanto conserta sua jaqueta de couro para o trabalho amanhã. Trazendo Jesus Cristo devotamente para a situação, consegui o companheirismo que ansiava ter. Eu amo meu marido, de verdade. Gostaria de sugerir às esposas que brigam muito e condenam seus maridos que tentassem a minha receita.

Às vezes, uma oração comum pode ajudar você. Outras vezes, serão necessárias formas específicas de oração, dependendo de sua demanda. Nesta época em que ouvimos tanto falar da oração afirmativa, geralmente descrita como uma "oração científica", e de meditação e orações silenciosas, é bom lembrar que a velha e honesta oração, usada de maneira geral, não saiu de moda e ainda contém grande poder espiritual.

A oração cura

Certa vez, ouvi um executivo relatar sobre como a oração geral satisfez uma necessidade de sua família. Seu filho pequeno havia estado doente, com uma tosse grave, por várias semanas. Os médicos não haviam ajudado muito, e a tosse persistia. Uma noite, desesperado, esse homem pegou o filho, de pijama, foi a seu escritório e sentou na cadeira mais próxima. Em seguida, ofereceu uma curta oração de agradecimento, porque seu filho havia sido curado da tosse e da infecção. Foi provavelmente uma oração similar àquela que Jesus fez antes de Lázaro voltar à vida: *Pai, graças te dou, por me haveres ouvido* (João 11:41). De qualquer jeito, a criança tossiu mais duas vezes, depois da oração, e se recuperou. Este é o poder da oração!

A oração dissolve a amargura

Uma dona de casa me escreveu sobre algumas de suas experiências com a oração geral. Ela e o marido queriam desesperadamente um bebê. Durante três anos, oraram todos os dias, pedindo que a vontade de Deus fosse realizada na questão. Sua oração foi respondida, e agora eles têm uma adorável filhinha.

Em outro exemplo, uma dona de casa esteve afastada muito tempo de seu pai, que havia se divorciado de sua mãe quando ela ainda era pequena. Um dia, depois de anos sem nenhuma notícia, recebeu uma carta dizendo que ele gostaria de fazer uma visita. Em um primeiro momento, a antiga amargura do passado brotava nela quando pensava que ia ver seu pai de novo. Então, ela se ajoelhou ao lado da cama e orou, pedindo que a vontade de Deus se realizasse no assunto. Ela sentiu uma sensação de paz e calma, sendo inspirada a escrever, dizendo que ele poderia ir visitá-la. Quando o pai chegou, ela ficou surpresa ao perceber quanto era compatível com ela, seu marido e sua filha. Ela disse: "Ele foi o melhor hóspede que eu já tive". Eles riram, compartilharam muitas coisas e ficaram muito felizes durante a visita de dez dias. Seis meses depois, ela ficou sabendo que ele havia morrido em uma cidade distante, e que apreciara aquela sua última e feliz visita à filha.

Orando pelo seu casamento

A assistente do tesoureiro de um banco percebeu que já era hora de se casar. Era atraente, com muitos amigos, e participava de muitas atividades, mas nunca havia encontrado o "homem certo". O zelador ouviu sua observação e lhe disse que era muito possível que ela conhecesse a pessoa certa e se casasse em breve. Ele lhe sugeriu que orasse a respeito.

A mulher respondeu que já orara muitas vezes, sem adiantar. Hesitante, concordou em orar novamente se ele a acompanhasse na oração, o que ele fez. Certa manhã, meses depois, ela entrou correndo no banco, usando um lindo diamante, e anunciando que iria se casar em breve. Conhecera seu futuro marido jogando golfe no *country club*, e havia sido "amor à primeira vista". Desde então, ela insiste em dizer que seu feliz casamento é resultado da oração.

Orando por trabalho

Um músico estava sem trabalho. A banda com quem ele tocava havia recebido um convite para ir à Flórida. Quando chegaram lá, o trabalho prometido não se concretizou, e eles ficaram desamparados.

Esse músico fez uma oração, pedindo que o bem divino intercedesse na questão. Um dia, ele e os outros membros da banda estavam na sede do sindicato, esperando que aparecesse alguma coisa, quando o agente deles ligou de Nova York, dizendo que havia conseguido um contrato no Texas. Ninguém do grupo sabia que esse músico acreditava e praticava o poder da oração. Não obstante, enquanto eles iam para o Texas para um longo e bem-sucedido contrato, ele sentia que as suas orações haviam sido respondidas.

Orando por proteção

Uma dona de casa estava em casa em sua fazenda, em meio a uma densa região florestal. Enquanto seu marido estava fora em uma viagem de negócios, um incêndio irrompeu na floresta, consumindo tudo em volta da sua propriedade. Como o fogo a cercou, ela não pôde sair para informar o marido, que, de qualquer maneira, estava em trânsito, não podendo ser alcançado. Então, ela orou: "Pai, cabe a ti me salvar e salvar minha casa e minha propriedade. Não há nada que eu possa fazer". Em seguida, ela liberou o assunto, foi para a cama e dormiu (bem). Na manhã seguinte, acordou cedo, descobrindo que só havia uns poucos tocos ainda em chamas. Depois de investigar, percebeu que o fogo queimara tudo até os limites da sua propriedade... e tinha parado! Parecia um milagre. Mais tarde, ainda naquele dia, quando o guarda florestal chegou, ele disse: "Não há outra explicação para isso. Você deve ter orado".

A oração é dinâmica

Talvez neste momento você esteja pensando como o meu jovem filho, certa vez. Um amigo o encontrou na rua e perguntou por mim. Ele respondeu que eu estava bem, com exceção de uma coisa: "Só há uma coisa errada com a minha mãe". Alarmado, o amigo perguntou o que havia de errado. A resposta enfática foi: "Ela ora demais". Então, o amigo perguntou: "Acontece alguma coisa quando sua mãe ora?", ao que ele se iluminou e respondeu: "Oh, sim, algo *sempre* acontece quando minha mãe ora".

Se você sente que a sua experiência com a oração não foi suficientemente satisfatória ou poderosa, e que nada aconteceu como resultado das suas orações, talvez seja porque você precisa desenvolver um tipo mais específico de oração.

2. Orações de Negação

O segundo tipo de oração é um tipo pouco conhecido ou compreendido. É a oração de negação. Muitas pessoas encolhem-se à menção da palavra "negação", acreditando que seu único significado é "retirar ou impedir". Mas a palavra "negar" também significa "dissolver, apagar ou libertar-se de algo, recusar-se a aceitar como verdadeiro ou correto algo que é apenas relatado como tal". Orações de negação são usadas justamente para este último objetivo: recusar-se a aceitar como necessário, verdadeiro, duradouro ou correto qualquer coisa que não seja boa ou satisfatória.

Orações de negação são as suas orações de "não". Elas o ajudam a rejeitar as coisas como são e a dissolver os seus pensamentos negativos a respeito delas, abrindo caminho para algo melhor. As orações de negação o fazem extinguir, livrar-se do que não é "o melhor" em sua vida. São expressas nas atitudes que dizem: "Eu não suportarei ou aguentarei mais esta experiência, nem a encararei como necessária, duradoura ou correta. Eu me recuso a aceitar as coisas como elas são. Sou filho de Deus e não aceitarei nada exceto a plena bondade divina".

A humanidade necessita intensamente usar orações de negação, ou do "não". Muitas pessoas levam uma existência menor, repleta de medo, concessões e insatisfação, quando poderiam gozar uma vida de um bem muito maior, se apenas aprendessem a dizer "não" às experiências negativas. É bom vigiar seus pensamentos sobre o que você quer ou não. Depois de declarar: "Não, eu não aceitarei isto", você deve acrescentar: "Sim, eu aceitarei aquilo ou algo melhor".

Jesus estava falando dos seus poderes positivos e afirmativos quando disse: *Seja, porém, o vosso falar: Sim, sim; Não, não* (Mt 5:37). O profeta Oseias entrou em mais detalhes quando aconselhou: *Tomai convosco palavras, e convertei-vos ao Senhor; dizei-lhe: Tira toda a iniquidade, e aceita o que é bom; e ofereceremos como novilhos os sacrifícios dos nossos lábios* (Os 14:2). Essa passagem é uma formula dinâmica de oração positiva e negativa. Você pode negar qualquer situação que seja insatisfatória, declarando ao Pai amoroso: "Tira toda a iniquidade". Em seguida, use a afirmação: "Eu só aceitarei o que é bom".

Muito tempo antes da época de Jesus, os egípcios usavam o comando de afastar a iniquidade pelo poder da negação. Usavam o sinal da cruz para indicar a anulação ou a destruição do mal, uma forma de negação ainda usada por algumas igrejas.

Daniel sem dúvida usou orações de negação na cova dos leões para garantir sua segurança. Uma imagem famosa mostra Daniel dando as costas aos leões, sem olhar para eles; ele é mostrado olhando pela janela que dá para Jerusalém. Quando o rei pergunta por que Daniel não foi despedaçado pelos leões, ele responde: *O meu Deus enviou o seu anjo, e fechou a boca dos leões, para que não me fizessem dano* (Dn 6:22).

Como dissolver o medo, a preocupação e a tensão

Orações de negação dissolvem o medo, a preocupação, a dor, a doença, a tensão e outras emoções negativas. Esse tipo de oração parece neutralizar os efeitos de tudo o que é negativo. Por exemplo: um homem certa vez falou comigo sobre casar-se com uma moça que havia acabado de sair da prisão. Eles estavam muito apaixonados; ela já havia cumprido uma longa sentença, sendo uma prisioneira exemplar. Contudo, ele receava "o que as pessoas poderiam pensar". Eu lhe perguntei se algum de seus amigos sabia do histórico dela, e ele respondeu que não, mas que temia que eles descobrissem.

Depois de orar com ele, tive a sensação de que seu casamento com aquela moça estava em divina ordem; ela teria uma segunda chance na sociedade, depois de ter pagado por seu erro. Sugeri que ele usasse o exemplo de Daniel. Quando qualquer medo ou preocupação tentava se abater sobre ele, Daniel costumava negá-los, declarando: *O meu Deus enviou o seu anjo, e fechou a boca dos leões, para que não me fizessem dano* (Dn 6:22). Esse homem usou essa oração, e nunca houve reações desfavoráveis a seu casamento.

Ao falar deste segundo e do terceiro tipo de oração – a oração negativa e a oração afirmativa –, devo salientar que são tanto atitudes mentais quanto métodos formais de oração, que você pode aplicar silenciosamente ou em voz alta, em qualquer lugar que esteja, quer como orações formais ou informalmente, como atitudes mentais.

Qualquer secretária conhece a sensação de ser chamada às pressas quando o chefe deseja ditar uma carta, e ser informada de que deve trabalhar com bastante rapidez. Isso pode ser irritante, a menos que ela saiba como usar as atitudes mentais de negação. Lembro-me de uma vez, na época em que eu era secretária de uma firma de advocacia, quando me disseram que um longo ditado que eu acabara de anotar tinha de ser transcrito imediatamente (se não antes!) para um dos clientes mais importantes da empresa. Parecia uma tarefa impossível, então comecei a pensar: "Não há necessidade de pressa. A divina ordem está agora estabelecida e mantida nesta situação". Em poucos minutos, o cliente mudou de ideia sobre a urgência do assunto e informou ao chefe que voltaria no dia seguinte para assinar os papéis. Isso fez com que houvesse tempo para prepará-los com calma.

Muitas pessoas têm a ideia equivocada de que outra pessoa pode tirar o bem destinado a elas. Assim, vão pela vida, infelizes, acreditando nisso. Orações de negação podem dissolver tais falsas crenças. Quando você se pegar pensando dessa forma limitada, mude o pensamento e declare: "Nada pode se opor ao meu bem". Quando fizer isso, descobrirá que, quando as pessoas e questões parecerem estar trabalhando contra você, tudo mudará e começará a trabalhar a seu favor.

Um dos maiores dilemas da humanidade é como superar e dissolver o medo. Quando é capaz de vencer o seu medo que sente de qualquer problema, você conquistou o controle sobre ele; o problema não mais o controlará, e você estará a caminho da solução. Uma oração poderosa para negar o medo é: "O amor perfeito expulsa o medo".

Diga "não" à infelicidade

A noiva de um soldado americano, com quem havia se casado durante a guerra, veio de além-mar para os Estados Unidos com seu marido. Durante alguns anos, pareciam felizes. Porém, as antigas lembranças da guerra começaram a brotar na mente da mulher, e ela se tornou muito infeliz, deprimida e confusa. Finalmente, seu marido teve de confiná-la em um hospital psiquiátrico. Depois, se divorciaram, e ele se casou com outra pessoa. Em meio a toda essa infelicidade, longe de casa e entre estranhos, essa mulher aprendeu a atitude mental de negação, a atitude do "não aceito mais". Ela tinha um único amigo fora do hospital, a quem começou a escrever: "Eu não vou continuar nesta situação. Eu sei que eu posso ser ajudada. Eu sei que eu vou melhorar". Aos poucos, ela começou a melhorar. Logo foi liberada do hospital, indo trabalhar em outro. Quando isso aconteceu, disse ao amigo: "Viu? Eu disse que podia". Em pouco tempo, estava casada de novo, com um médico que conheceu em seu novo emprego.

Se ao menos as pessoas soubessem dizer "não" às experiências infelizes, em vez de se aborrecerem com elas! Os hebreus foram prevenidos muitas vezes para não se curvarem e adorarem falsos ídolos ou deuses. Os deuses da infelicidade, da carência e da limitação são "deuses pagãos" que ainda estão entre nós. Eles nos causam tanta devastação agora quanto a adoração aos falsos deuses causou aos primeiros hebreus.

A afirmação: "Não há nada a temer. O espírito do bem de Deus está atuando e resultados divinos aparecerão" dissolve o medo, a preocupação, a tensão e a ansiedade. Como os cientistas sabem: "A ausência de vida, substância ou inteligência não existe em lugar algum, então não as há nesta situação ou na minha vida". Essa afirmação dissolve a incerteza, a confusão, e, muitas vezes, dissipa doenças psicossomáticas ou carência financeira. Numa ocasião, quando a gripe asiática era corrente, eu declarava amiúde: "A ausência de vida, substância ou inteligência não existe em nenhum lugar". Um dia, meu filho voltou para casa da escola e disse: "Mãe, eu fui o único garoto a ir ao treino de futebol hoje. Todo mundo está em casa com a gripe asiática. Por quê?".

Imunize a si mesmo contra a negação

A atitude mental de negação não convida os problemas a entrarem, ao discuti-los. A atitude mental de negação diz "não" à conversa alheia que enfatize outra coisa a não ser o melhor, ou que dê atenção ao que você não quer vivenciar. Em vez de multiplicar os problemas, por meio de longa discussão sobre eles em voz alta, em vez de se lamuriar sobre as questões do mundo ou sobre os problemas dos outros, faça qualquer coisa construtiva que puder para resolvê-los. Use a atitude: "Não, eu não aceito isto como duradouro, permanente ou necessário", e para tudo.

Quando as pessoas tentarem irritá-lo ou aborrecê-lo com um monte de blá-blá-blá negativo, declare mentalmente: "Não, eu não aceito isto como verdadeiro ou necessário". Logo eles passarão a assuntos mais construtivos, ou irão embora!

Do mesmo modo, em vez de pensar que você tem de "suportar" a insatisfação em sua vida como algo permanente, use seu poder de negação, declarando: "Não, eu não tenho de aceitar esta situação. Deus, em Sua onipotente bondade, está dissolvendo e removendo toda a negação do meu mundo. Nenhuma situação me atemoriza, pois Deus, o espírito do bem, está comigo, me apoiando, me sustentando e retificando tudo".

Para questões financeiras, aqui está uma oração de negação: "Apesar dos impostos, do custo de vida ou da taxa de desemprego, minha renda pode e agora aumenta ricamente através da ação direta de Deus".

Quando ousar usar o seu poder mental de negação em uma situação tumultuada e infeliz, você conseguirá controle mental e emocional sobre ela, em vez de deixá-la controlar você. Então, os passos positivos a fim de alcançar a vitória lhe serão revelados.

3. Orações de Afirmação

O terceiro tipo de oração: as orações de afirmação. Essas devem ser usadas junto com as de negação. Quando usa as orações de negação, você apaga, dissolve, suprime. Em seguida, vai querer criar um novo bem, o que é feito por meio das orações afirmativas.

Um caixeiro-viajante, certa vez, contou como ele fazia isso. Ele havia contraído uma pesada dívida, e vinha tentando obter um empréstimo no banco para quitá-la. Como não tinha garantias adequadas, não conseguiu. Desesperado, decidiu dizer "não" às dívidas, e "sim" à prosperidade. Então, passou a declarar com frequência: "Agora Deus me faz prosperar". Apenas poucos dias depois que ele começou a fazer isso, fez a maior venda da sua vida. Pôde, então, pagar todos os seus débitos, com muito dinheiro de sobra. A oração afirmativa é amplamente discutida no capítulo 6.

4. Orações de Meditação e Silêncio

O quarto tipo de oração é a oração de meditação e silêncio. Quando estamos em meditação ou em oração silenciosa, contemplativa, podemos sentir mais fortemente a presença da bondade divina. Nesse tipo de oração, você pega algumas palavras significativas e pensa sobre elas e se alimenta delas. À medida que pensa nelas e as contempla, elas crescem em sua mente como ideias expandidas, dirigindo-o à ação correta, ou talvez a uma certeza pacífica de que tudo está bem e de que nenhuma ação é necessária. Mesmo que nada pareça acontecer na meditação, você ao menos fez que sua mente ficasse receptiva ao bem divino. No devido tempo, ideias e oportunidades serão reveladas como resultado do exercício espiritual da meditação.

Talvez você esteja pensando: "Isso é uma teoria espiritual linda, mas como eu sei que a meditação e a oração silenciosa produzirão resultados tangíveis e satisfatórios em meu mundo cotidiano?". Moisés, Elias e Jesus, entre outros, provaram o poder prático e funcional da meditação silenciosa. Talvez, então, você pense: "Mas eu não sou Moisés, Elias ou Jesus, e, francamente, não tenho certeza de estar praticando a meditação ou a oração silenciosa". A verdade é que você medita, esteja ciente disso ou não. Todo mundo medita. A palavra "meditar" significa "pensar sobre, contemplar, considerar profunda e continuamente".

Como meditar

Qualquer coisa sobre a qual você pense com frequência é tema da sua meditação. Na oração silenciosa, vale meditar sobre a solução divina para seus problemas. Você pode começar com a expressão "solução divina", deixando-a crescer em sua mente. Pegue alguma frase ou palavra espiritual, pense sobre ela, e deixe que se revele a você; ou simplesmente limpe sua mente, feche seus olhos, e volte sua atenção para dentro de si, pensando em "Deus", "amor", "Deus é amor", "paz", ou em qualquer outra ideia que lhe dê a sensação de unidade com o bem, e sempre de forma relaxada.

Eu entro em meditação silenciosa para conseguir orientação ou a sensação de encorajamento, renovadora e edificante, trazendo nova energia. Se me retiro para meu quarto para uma meditação silenciosa por volta da hora do jantar, depois de um dia atarefado, já descubro após poucos minutos que estou renovada e pronta para uma noite de mais trabalho ou de outra atividade. Alguém já disse: "a oração alimenta". Eu posso atestar que a meditação alimenta emocionalmente, trazendo sensação de harmonia, elevação e paz; que a meditação alimenta intelectualmente, com novas ideias, ou amiúde com vislumbres de algo que preciso saber sobre uma situação presente; e que a meditação alimenta fisicamente, com a sensação de renovação do corpo, uma nova energia e um bem-estar, dissolvendo a fadiga e a tensão.

A meditação resolve problemas

É por meio da meditação silenciosa que eu planejo os meus dias, minhas palestras e meus livros. Não é necessário ser muito desenvolvido espiritualmente para usar o poder da meditação silenciosa de forma efetiva. Eu usei o poder da meditação com frequência no mundo empresarial.

Alguns dos resultados mais empolgantes são conseguidos quando tomamos um problema, sentamos sozinhos e meditamos: "A solução divina é a solução sublime. Eu a aceito e a reclamo nesta situação, agora". Gentilmente, deixe que a mente se expanda nesse pensamento. "Energia do medo", gasta se preocupando e lutando com o problema, pode ser transmutada em "energia da fé", trazendo novas ideias e a resposta correta. Sempre que alguém tiver um problema e se propuser a meditar sobre ele, contemplando a solução a partir de uma perspectiva divina, lhe será revelado o que fazer.

Um engenheiro me contou que ele usa esse método. Quando seus homens enfrentam qualquer dificuldade em um projeto de engenharia, ele vai para o seu gabinete e medita sobre ele mesmo, sob uma perspectiva divina, e inevitavelmente chega a uma solução. Um de seus engenheiros mais novos perguntou-lhe, numa ocasião, como sempre conseguia obter as respostas corretas quando estas eram mais necessárias. Quando ele explicou o seu método simples, o jovem declarou, ceticamente: "Quer dizer que você *simplesmente medita* sobre a solução, em vez de se concentrar no problema?". O mundo empresarial está cheio de pessoas estressadas e tensas, tentando resolver seus problemas de modos externos, em vez de pegar o "atalho interno".

Todo mundo deveria reservar um tempo para meditar tranquila e silenciosamente. Na meditação diária reside o seu segredo do poder. Você pode estar muito ocupado com suas muitas atividades e responsabilidades, a ponto de sentir não ter tempo para parar um pouco. Mas o convite bíblico foi: *Vinde vós, aqui à parte, a um lugar deserto, e repousai um pouco* (Mc 6:31). Esse é o único modo de conquistar sabedoria definitiva, frescor de experiência, estabilidade de propósito ou o poder para enfrentar e vencer o desconhecido na vida diária. Se você começar a praticar a meditação diariamente, descobrirá que algumas de suas atividades e demandas não são mais necessárias, e que é melhor deixá-las ir em vez de negligenciar seu tempo de quietude, meditação e paz, consigo mesmo e com o seu Criador.

Quando se retirar do mundo por meio da meditação, é melhor não pensar em seus fracassos. Em vez disso, acalme-se e foque sua atenção em Deus e em sua bondade onipotente. Se possível, deixe todas as pequenas preocupações de lado por um instante e volte seus pensamentos para algumas das palavras simples de Davi. Sustente em sua mente algum pensamento que o auxilie, mesmo que ele pareça simples demais: "Eu e o Pai somos um", "Seja feita a Sua vontade", "Deus, eu o amo", "Obrigado, Pai", "Estou em Sua presença, Senhor", "Hoje é o dia que o Senhor criou, e eu me regozijo e me alegro nele", "Paz, aquiete-se".

Até que tenha praticado a presença de Deus desse modo simples, você não fará ideia de como isso acalma as tensões físicas, o medo, a supersensibilidade, as pequenas asperezas do dia a dia. Um período de tranquila e quieta espera, a sós com Deus, é revigorante e restaurador. Este é o "esconderijo do Altíssimo" de que Davi fala (Sl 91:1). Esta é a recomendação feita por Jesus: entrar no seu quarto e fechar a porta (Mt 6:6).

O local secreto de paz, poder e plenitude

Dos quatro tipos de oração – *geral, de negação, afirmativa e meditação* –, use aqueles que lhe pareçam apropriados no momento, ou misture os vários tipos. Mas ore com frequência! Esse pode ser o segredo da paz, do poder e da plenitude.

Capítulo 14: Os seus poderes excepcionais para a prosperidade

Além dos poderes normais de observação e percepção, todas as pessoas possuem as qualidades mentais mais profundas da intuição e da imaginação criativa, assim como os poderes especiais que serão discutidos no capítulo seguinte. Todos podem ser considerados poderes ativados por meio de nossa prática diária da oração e de nossos consistentes estudos.

As pessoas que o mundo considera geniais são aquelas que tiveram a coragem e a confiança de ouvir e de seguir a orientação de suas intuições e de sua imaginação criativa. Conforme essas pessoas seguiram suas orientações interiores, os resultados foram tão maravilhosos que os demais acreditavam que eles tivessem poderes incomuns. Porém, não se trata de algo sobrenatural; simplesmente, estavam usando a intuição e a imaginação criativa, em vez de sufocar esses poderes mentais, como a maioria de nós acaba fazendo. Mas todos nós também podemos estimular a intuição e a imaginação criativa como poderes excepcionais para a prosperidade, para o sucesso e para uma vida mais satisfatória.

À medida que você desenvolver seus poderes geniais, você poderá ouvir aqueles "tambores diferentes" de que Henry David Thoreau falou. Eu sempre tive uma natureza intuitiva altamente desenvolvida, e isso às vezes me confundia, porque eu não a compreendia. Eu tinha a impressão de que, se a obedecesse, estaria sendo estranha, excêntrica, até mesmo anormal. Quando eu era criança, com frequência não podia explicar às outras pessoas por que me sentia compelida a seguir as sugestões da minha intuição, ou de onde vinha esse impulso. Por outro lado, descobri que, se eu não obedecesse, meu mundo se tornava confuso e infeliz. Descobri que, quando seguia fielmente meus pressentimentos, era sempre conduzida ao resultado correto.

Você descobrirá, observando pessoas no seu meio que tenham sido brindadas com a originalidade, que elas deixam de lado as ideias do mundo; e, então, pensamentos novos e criativos ficam livres para se expressarem por meio delas. O mundo precisa desse tipo de pensamento original, especialmente nesta época excitante e progressista em que vivemos.

Do ponto de vista da prosperidade, as pessoas não sabem o que fazer com seus poderes de intuição e imaginação criativa. Os que desenvolveram tal visão interior – que alcança a todos nós – comumente são considerados esquisitos ou anormais por seus colegas de trabalho, caso isso seja expresso em vez de ser suprimido. A maioria de nós foi ensinada a não levar a sério pessoas assim.

Você tem poderes excepcionais

No entanto, nesta era iluminada, estamos começando a perceber que somos humanamente equipados com cinco sentidos físicos, mas não apenas isso: como seres espirituais que somos, nascemos com poderes mentais, que são pouco reconhecidos e usados. São essas habilidades inexploradas que parecem ter o poder de produzir vidas prósperas e bem-sucedidas.

Como a nossa atenção geralmente está voltada ao mundo exterior, não ouvimos ou prestamos atenção à orientação da intuição. Um executivo me disse certa vez que, se pudéssemos fazer um registro de nossas orientações intuitivas, ficaríamos surpresos em ver quantas vezes elas teriam nos revelado um caminho correto, caso as tivéssemos seguido.

Todos já ouvimos falar da expressão "intuição feminina", em geral usada de forma jocosa. A crença geral é de que a intuição talvez seja uma idiossincrasia peculiar mais comum às mulheres, e de que dificilmente seria segura para os homens. Entretanto, agora estamos descobrindo que todos têm intuição, homens ou mulheres. Se as mulheres parecem desenvolver sua natureza intuitiva mais do que os homens, talvez seja porque a atenção masculina tem se voltado mais para o mundo dos negócios e de outras demandas similares, externas. Tais interesses podem ser uma distração quando estamos desenvolvendo nossos poderes mentais. O lugar da mulher tradicionalmente tem sido em casa, uma atmosfera mais calma, mais estimulante à atitude responsiva às sugestões internas de sua natureza intuitiva.

Todavia, nos tempos modernos, a situação mudou. A atenção de homens e mulheres é dada aos negócios e às atividades exteriores. Para desenvolver nossos poderes excepcionais de intuição, é preciso alguma orientação decisiva.

Você deve desenvolver a sua intuição

O dicionário define intuição como "a habilidade imediata de saber algo sem o uso consciente da razão; apreensão instantânea". Assim, sua intuição é seu conhecimento interior. A intuição é semelhante ao equipamento de recepção de rádio, por meio do qual ideias, planos ou pensamentos aparecem na mente consciente. Esses *flashes* têm sido descritos como intuições, inspirações ou sugestões da "pequena voz interior".

Elias descobriu que a "voz mansa e delicada" que ouvia era a voz do próprio Deus, surgindo como orientação e sabedoria suprema (1Rs 19:12). Essa voz interior é um poder espiritual, pois é o próprio poder divino.

Nesta época de conformidade geral, é hora de perceber que a verdadeira realização vem de "ousar ser diferente", expressando sua individualidade e distinção. Isso não quer dizer que você deve se esforçar para ser um dissidente! Como Charles Fillmore apontou: "Se você foi educado e modelado pelo padrão normal de família humana, pode acabar vivendo uma vida mediana, sem nunca ter um pensamento original sequer".

A crença popular nos anos recentes tem sido a de que, se um indivíduo não se encaixa em um certo modelo de pensamento e comportamento, ele é "desajustado". Os perigos de tal conformidade agora estão sendo percebidos, embora a pressão pela normatividade ainda exista. Por exemplo, muitas grandes organizações têm mudado suas atitudes, descobrindo que a conformidade de seus empregados leva à estagnação e ao declínio da produção. Algumas empresas agora estão buscando modos de estimular um novo individualismo. O progresso americano em todas as áreas é, de fato, resultado da engenhosidade individual. Um autor ressaltou que a Nova Era exige um "individualismo ousado e persistente", e que esse traço é geralmente encontrado na pessoa que aprendeu a ouvir seu interior e a seguir suas intuições.

Talvez você não tenha seguido suas intuições porque pareciam fantásticas, e por isso esperou, argumentando com suas intuições, antes de escolher a ação. A intuição não está relacionada à razão, pois é a faculdade mental que não explica. Ela indica o caminho, deixando-o livre para tomá-lo ou não, seguindo ou ignorando suas sugestões. As pessoas geniais têm autoconfiança e fé em suas sugestões interiores, seguindo-as sem questioná-las. É por isso que são considerados gênios. Pessoas comuns em geral esperam por "provas", e, consequentemente, se debatem nos conflitos do raciocínio intelectual.

É por meio da intuição que músicos, artistas, escritores e santos têm feito contato com a mente onipotente de Deus, para depois derramar a inspiração sobre o mundo. Há intuições que chegam internamente, e há aquelas que chegam externamente, mas todas chegarão apenas se você permitir.

Os aspectos "sim" e "não" da intuição

A intuição tem aspectos do "sim" e do "não". O aspecto afirmativo chega de maneira tranquila e gentil, de modo que, pelo menos no início, tendemos a ignorá-lo: ele não vai tentar convencê-lo de nada. No entanto, se você desconsiderar esse aspecto da intuição, esta encontrará formas de voltar à sua mente de novo e de novo, até que você tome consciência dela.

O aspecto da negação é geralmente mais pronunciado. Durante anos, parecia que as únicas vezes em que minha intuição se apresentava era quando dizia "não" enfaticamente, quando sentia inquietude, desconforto ou desgosto. Esse aspecto da intuição é mais alto e mais enfático, e se manifestará por meio de uma sensação desagradável que você não conseguirá afastar, a menos que siga a sua intuição.

Você pode aprender a contatar os aspectos do "sim" e do "não" de sua intuição, buscando sua orientação, observando diariamente períodos de silêncio. Nesses momentos, a mente fica livre dos pensamentos turbulentos, relaxada e receptiva às sugestões intuitivas. A intuição não força seu próprio caminho, mas espera pacientemente por um estado mental relaxado no qual ela possa trabalhar. Entretanto, quando existe uma forte necessidade, uma intuição pode funcionar mesmo através de uma mente atarefada.

Cinco passos simples para revelar sua intuição

Aqui está uma fórmula decisiva para o desenvolvimento dos poderes do "sim" e do "não" de sua intuição.

Primeiro: Perceba que a intuição é uma faculdade espiritual da mente, que não explica ou argumenta, mas que simplesmente indica o caminho para um bem maior.

Por exemplo, uma secretária se candidatou a três empregos diferentes. Um deles pagava muito bem, outro pagava medianamente, e o salário inicial do terceiro era muito baixo, mas oferecia o maior potencial de avanço e satisfação. A razão humana tentou dizer-lhe para pegar o primeiro emprego, que trazia um salário maior. A razão humana também ressaltou que o segundo emprego, que pagava moderadamente, era um "trabalho glamouroso", em uma bela vizinhança. Contudo, suas intuições ou pressentimentos diziam que ela devia aceitar o terceiro emprego, que pagava menos e não ficava numa região interessante. Porém, o potencial era maior, porque o empregador tinha um futuro ilimitado à frente, em um novo negócio que tinha acabado de começar. Então, ela seguiu sua intuição, que não tentou argumentar ou provar que estava certa, simplesmente indicou o caminho. E este se provou o melhor emprego que ela já teve. Em pouco tempo, uma nova e bela mobília foi colocada no escritório. Seu empregador conseguiu a liderança no seu ramo de negócios, e o salário dela foi aumentado, chegando a ser três vezes maior que as ofertas dos outros dois empregos.

Cabe a você seguir o caminho intuitivo, com fé e confiança, a fim de reclamar o bem que é seu por direito. Tudo o que você vê à sua volta surgiu por causa da intuição de alguém, que usou suas ideias e pressentimentos para criar um mundo mais maravilhoso.

Segundo: Enquanto você vive sua vida cotidiana, quer seu trabalho seja mental ou físico, aja como se estivesse na presença da inteligência divina e da divina intuição.[29] Treine-se para perceber que a intuição divina é a certa para você, está interessada em você, sabe tudo a seu respeito e se delicia em orientá-lo e ajudá-lo.

Logo que tomar essa atitude mental sobre qualquer coisa que esteja fazendo ou que esteja lhe acontecendo, você descobrirá uma nova habilidade para executar as coisas. Atrairá melhores condições e experiência mais felizes. Quanto mais pensar nessa amorosa e onipotente inteligência divina e em sua orientação, a intuição trabalhará com você e por você, e seu esforço para consertar as coisas será cada vez menor. Para ajudá-lo a obter esse estado mental, afirme: "A intuição divina agora me mostra o caminho. A divina intuição agora atua *em* mim e em todos os envolvidos, e *por meio* de mim e de todos os envolvidos, produzindo um resultado perfeito".

Uma amiga me contou que usou esse método quando sua filha resolveu se casar de uma hora para outra. Em vez de ficar ansiosa, ela invocou a intuição divina para consertar tudo. O resultado foi que fizeram tudo o que era necessário em apenas um final de semana: desde selecionar a igreja, o padre, a música e as flores até escolher as roupas do casamento, quem iria servir na festa, a lista de convidados, os convites, a porcelana, a prataria e os cristais. Depois, minha amiga comentou: "Graças à intuição divina, conseguimos fazer em três dias o que normalmente levaríamos pelo menos três semanas para providenciar". Tanto o casamento quanto a festa foram lindos, e a noiva e o noivo logo se mudaram para uma nova e bela casa.

---

[29] Veja o capítulo 8 do livro *Open your mind to Prosperity.* Marina del Rey, CA: DeVorss&Co., 1983.

Terceiro: Tomando esses passos mentalmente, você descobrirá que não precisa lutar, nem mesmo em pensamento, para consertar ou melhorar as coisas. Em vez disso, verá que qualquer coisa em que pensar, qualquer coisa a que dedicar sua atenção ou por que se interessar começará a revelar seus segredos para você. O dicionário descreve intuição também como a "capacidade de ver, considerar ou contemplar". Você descobrirá cada vez mais que aquilo que você observa e contempla deseja conhecê-lo.

Você deve parar de pensar em seu bem como algo separado ou afastado de você. Pare de pensar no bem que deseja como algo difícil de se conseguir. Pare de fazer esquemas e de tentar manipular e manobrar pessoas e eventos. Em lugar disso, você começará a perceber que, com a ajuda da intuição divina, tudo já está a seu alcance, pronto para chegar a você em forma de ideias, planos ou esquemas e, no devido tempo, de resultados felizes.

Quarto: Depois de começar a fazer tudo como se estivesse na presença da inteligência divina e da sabedoria intuitiva, que conhecem suas necessidades, estando nelas interessadas, sendo capazes e ficando feliz em ajudá-lo, você perceberá que não só as suas capacidades aumentarão, mas que você também estará sendo instruído pelo seu interior sobre muitas coisas que precisa saber!

De repente, você terá "um pressentimento" ou "uma intuição" sobre o que deve ou não fazer. Quando seguir essa intuição, ficará agradavelmente surpreso em descobrir que a intuição divina, que lhe deu tal sugestão, já se adiantou e preparou o caminho para a concretização! Descobrirá que, à medida que seguir a sugestão intuitiva com fé, sem argumentar com ela, seu bem se revelará mais rápido do que você pode aceitá-lo. Portanto, uma intuição, ou sugestão intuitiva, indica que o bem que você almeja na verdade deseja ser seu. *O desejo é Deus batendo na porta da sua mente, tentando lhe dar o bem maior.* Se você deseja algo profundamente, essa é a prova positiva de que aquilo já foi preparado para você, estando à espera de que você o reconheça e o aceite. Isso não significa que você deva desejar o bem que enxerga em outra pessoa. Você deve, sim, desejar o *equivalente divino* do bem de outra pessoa, este destinado a você, agradecendo pelas bênçãos concedidas a você por Deus.

Se, depois de pensar sobre uma intuição, ainda precisar de um pouco mais de segurança antes de se lançar no desconhecido para segui-la, perceba que você pode conseguir tal segurança, se pedir por ela. Peça uma indicação ou um sinal de que está indo na direção certa. Uma atitude mental poderosa para tais situações é: "Eu escolho isto, se for para o meu mais alto bem. Se não for, a divina intuição me envia agora o equivalente divino". Quando dúvidas sobre sua intuição o assaltarem, é bom perguntar: "Intuição divina, qual é a verdade perfeita sobre esta situação? Revele-a para mim agora, e torne-a tão clara e cristalina que não exista chance de me enganar sobre ela".

Quinto: Depois de fazer seus decretos incluindo a inteligência divina, você deve se preparar para as surpresas.

Seus problemas não são sempre resolvidos do modo que você tem em mente, nem a sua herança divina de bem vem sempre do modo que você espera. Se não está acostumado a surpresas a este ponto, você pode deixar o seu bem escapar. Este é o ponto em que você faz uma decisão definitiva, escolhendo somente o bem e aceitando somente o bem nas experiências que se seguirão. Os resultados sempre seguem as decisões; tudo começa a acontecer a fim de concordar com as suas decisões. Nessas atitudes mentais, você pode desenvolver a sua intuição de *maneiras internas*, chegando como sugestões ou indicações, ou como conhecimento direto, vindo daquela pequena voz tranquila dentro de você, dizendo "sim" ou "não".

A intuição também se revela de maneiras externas

Mas a intuição pode chegar também de maneiras *externas e objetivas*. Depois de pedir orientação, suas indicações podem chegar por meio das palavras de um amigo, de uma frase em um livro ou uma revista, ou de uma série de eventos ao seu redor.

Por exemplo, uma amiga pediu orientação sobre se ela deveria sair de férias ou não. Dias depois, não tinha recebido nenhuma indicação interna ou intuição a respeito. Porém, conforme folheava uma revista, estas palavras em negrito capturaram sua atenção: "Por que você não vai?". E isso encerrou a questão! Ela aceitou a ideia de que as férias eram possíveis, e o caminho se abriu para que isso fosse realizado.

As maneiras externas pelas quais a intuição pode se manifestar são tão variadas quanto interessantes. Uma mãe, preocupada com seu filho, cujo comportamento estava sendo muito problemático, considerava a possibilidade de mandá-lo a uma escola particular, embora ele parecesse muito jovem para ficar longe de casa. Ela pensou no que deveria fazer, e lembrou-se de pedir orientação intuitiva. Logo depois, abriu o jornal da noite, e estas palavras captaram sua atenção: "O lar é o lugar das crianças problemáticas". Ela aceitou isso como sua orientação, dispensando a ideia de enviar seu filho a qualquer outro lugar. Então, foi conduzida a dar a seu filho mais atenção amorosa, à qual ele respondeu com uma significativa melhora no comportamento.

A intuição de um homem de negócios disse "não"

Um executivo me contou como sua intuição disse "não" quando ele não foi capaz de captar a orientação interna. Ele queria fazer uma viagem de férias muito cara e não tinha o dinheiro, embora pudesse arranjar um empréstimo. O desejo de fazer essa viagem era tão forte que ele sentia a necessidade de indicações externas definitivas, mesmo contra seu melhor julgamento. Certa manhã, esse desejo era tão forte, apesar da dívida que as férias envolveriam, que ele resolveu decidir a questão de qualquer jeito. Decretou que queria saber o que fazer ainda naquele dia. Então, tentou me telefonar várias vezes para pedir orações de orientação, sem conseguir falar comigo.

Ao meio-dia, ele decretou que, se não conseguisse falar comigo até as 17h em ponto, iria considerar esse fato como uma indicação definitiva de que sua resposta era "não". Fiquei livre às 17h15, e então liguei para ele. No entanto, o prazo final era às 17 horas. Consequentemente, ele tomou o fato de eu ligar depois do prazo como uma indicação definitiva de que não deveria emprestar dinheiro para a cara viagem. Em vez disso, ficou em casa, tranquilo, descansando, e fez muitas coisas de lazer que seu horário de trabalho (que lhe tomava a tarde e a noite) normalmente não permitia. Ele tinha recebido a sua resposta, um "não", e logo percebeu que isso era para o seu mais alto bem. Mais tarde, percebeu que seu intenso desejo anterior de fazer a viagem não tinha sido uma intuição profunda, mas algo vindo de uma qualidade mais superficial da vontade humana, simplesmente querendo se manifestar.

Peça orientação direta sobre tudo

Um médico afirmou que nunca trata um paciente até que tenha recebido uma orientação intuitiva sobre o que fazer. Enquanto estiver indeciso sobre o problema do paciente ou incerto sobre o diagnóstico, ele não faz nada além de conversar e examinar o paciente. Descobriu que, às vezes, é preciso que um paciente venha a várias consultas até que ele tenha a certeza de qual é o tratamento adequado. Como tem um consultório grande e bem-sucedido, comprovou o sucesso do poder da intuição.

Com frequência, descubro que, quando peço conhecimento ou orientação diretos, alguém que não tem meios de saber que tenho aquela necessidade vai telefonar, escrever ou marcar um encontro para me dizer exatamente o que eu preciso saber.

Resolva seus problemas de forma intuitiva

Quando aparecer um problema pessoal ou profissional em sua vida, não o carregue por aí, cuidando dele ou demorando para se livrar dele. Em vez disso, peça orientação direta sobre a questão e observe o que suas intuições interna e externa têm a dizer.

Comece agora a desenvolver sua intuição. Se agir com fé nas sugestões intuitivas internas e externas, você nunca se adiantará nem chegará atrasado, e nada sairá errado. Não se perturbe caso as coisas pareçam dar errado, mesmo depois de você começar a seguir suas fortes intuições. Afirme que a intuição divina está produzindo o resultado perfeito, e o bem aparecerá. Às vezes, as coisas parecem erradas quando, na verdade, estão sendo arranjadas para uma conclusão correta. Emerson percebeu o poder espiritual da intuição quando previu em seus ensaios: "Estamos passando para um Novo Mundo. O espírito será entronizado no coração do homem. Então, virá a filosofia do *insight*, que, a partir daí, transformará o espírito em poder prático". O *insight* é outro nome para a intuição, a partir da qual o poder do espírito pode ser transformado em poder prático, levando a resultados igualmente práticos.

O seu segundo poder excepcional é a imaginação criativa

Salomão certamente estava descrevendo o poder da imaginação criativa quando declarou: *Não havendo profecia, o povo perece; porém o que guarda a lei, esse é bem-aventurado* (Pv 29:18).

Você pode usar o poder excepcional da imaginação criativa de maneiras bastante interessantes. Individualmente, você pode desenvolver, de uma maneira simples, porém agradável, sua imaginação criativa como um poder para a prosperidade. Todos nós desejamos obter controle espiritual dos eventos vindouros, fazendo planos de prosperidade. Toda noite antes de se recolher, pense nos planos do dia seguinte.

Para liberar o poder da imaginação criativa, sugiro que você use a seguinte técnica: em vez de se preocupar com os eventos dos próximos dias, ou de ficar remoendo algum aspecto problemático deles, traga à sua mente tudo o que sabe sobre tais eventos. Inicie suas atividades matutinas organizando mentalmente os eventos do dia inteiro, como você gostaria que eles acontecessem. Cada vez que brotar em seus pensamentos alguma possibilidade infeliz, assuma o controle, afirmando: "Eu abençoo você com o bem do Deus todo-poderoso. O bem de Deus está agora retomando o controle, e está tudo bem". Acentue os eventos positivos que você quer vivenciar neste dia e assuma o controle de tudo, afirmando o controle do bem divino na situação. Para todas as atividades do dia, afirme: "Eu agradeço pelo proceder divinamente satisfatório e pelos resultados divinamente satisfatórios". Depois disso, descarte a questão problemática de sua mente.

Assim, você usa a imaginação criativa para afetar o resultado de cada situação. Circunstâncias, situações, pessoas – todos os envolvidos – tudo irá gravitar na direção de uma conclusão perfeita e próspera. Esse é um método poderoso para fazer que a mente traga o bem, expandido sua vida em questões familiares, de negócios, sociais e espirituais.

A imaginação criativa pode dissolver lembranças infelizes

Você também pode usar a sua imaginação criativa para dissolver recordações infelizes, fracassos nos negócios, desarmonia nos relacionamentos e outras experiências do passado. No reino da inteligência divina não há passado, presente ou futuro: o elemento tempo não existe. Como você vive, se move e existe em meio a esta imensa inteligência, pode obter o domínio sobre o seu passado, o seu presente e o seu futuro. Assim, pode trazer à mente os elementos de qualquer situação do passado que queira dissolver e extirpar para sempre.

Você deve pensar no tempo, no espaço e nas pessoas envolvidas. Então, deve rever mentalmente os elementos da situação, afirmando: "Eu abençoo você com o bem todo poderoso de Deus". Deve refazer a experiência em sua mente, vendo-a como desejava que tivesse acontecido. Quando você constrói algo positivo sobre uma memória desagradável, o padrão negativo é dissolvido pelo pensamento positivo e amoroso que você está colocando em seu lugar. Declare para a memória retrabalhada e para tudo o que se refere a ela, seja no plano terrestre ou não: "Eu abençoo você, abençoo pela bondade de Deus, que está atuando em mim e por mim. Eu reclamo para mim e para você que o bem onipotente de Deus esteja presente nesta experiência. Todo o resto é agora permanentemente dissolvido". Se emoções negativas e sentimentos profundamente enraizados tentarem explodir, afirme: "Sejam dissolvidos, agora e para sempre".

Com esse método, você pode libertar sua mente das lembranças negativas que vêm estorvando e abarrotando sua mente, talvez durante anos. Em seguida, se sentirá mais livre, mais aliviado do que nunca. Logo, ideias novas, ricas e prósperas começarão a preencher o espaço antes ocupado pelas lembranças negativas. Sua imaginação criativa pode, dessa maneira, revelar um novo bem para você.

Outros podem se juntar a você

Muitas pessoas prosperaram por meio de coordenação de grupos e do intercâmbio de ideias. Quando duas pessoas começam a pensar de modo harmonioso em um mesmo objetivo, há um poder mental dobrado em funcionamento. Então, essa energia aumentada é liberada sobre o objetivo. Jesus estava falando desse poder quando disse: *Também vos digo que, se dois de vós concordarem na terra acerca de qualquer coisa que pedirem, isso lhes será feito por meu Pai, que está nos céus* (Mt 18:19).

Qualquer membro confiável de sua família ou amigo é o bastante. O único requisito para a liberação do poder espiritual é que a pessoa esteja em completa harmonia com você, e que ele ou ela não discuta seu problema ou ideia com outras pessoas. Na verdade, "silêncio e confiança" são sua força em tais circunstâncias.

Diga à pessoa em quem você confia qualquer coisa que tenha em mente; desabafe, solicitando suas ideias e ajuda na oração. Muitas vezes, apenas discutir a situação com alguém já é suficiente para refrescar as ideias. Novas perspectivas são geradas, e resultados corretos não tardam a aparecer. Quando duas mentes são unidas e direcionadas a um único propósito, elas parecem sintonizar-se a um Poder Maior, repleto de ideias mais elevadas e de inteligência onipotente, revelando, então, a maneira correta de proceder.

Como mencionado em meu livro *As leis dinâmicas da oração*, tenho usado esse método com muito sucesso, durante várias décadas, com meus "parceiros de oração". Entre os que me auxiliaram ao longo dos anos estão uma empregada doméstica, um magnata e várias donas de casa. Que diferença a ajuda deles fez em minha vida, tanto pessoal quanto profissionalmente![30]

Supere a depressão com a imaginação criativa

Quando estiver se sentindo deprimido, desanimado, com a impressão de que não pode seguir em frente, é hora de usar a abordagem da imaginação criativa. Converse com alguém com quem você possa desabafar. Permita que ele ou ela o ajude a conseguir um ponto de vista novo,

---

[30] Veja também o capítulo 5 de *O Milionário Moisés.*

fresco e elevado. Em tais ocasiões, outras pessoas podem reconstruir sua autoconfiança, quando você parece incapaz de fazê-lo sozinho.

Lembro-me de uma vez, vários anos atrás, quando uma colega de trabalho me "repreendeu". Ela disse que eu era um fracasso total, que não iria durar, que não tinha o que era preciso para fazer sucesso, e que estava fora de moda. Essas palavras foram um grande choque para mim, pois antes essa mesma colega tinha me encorajado em todas as minhas iniciativas. Se eu não conhecesse o método da imaginação criativa, poderia ter desistido. Porém, lembrei que, com a ajuda de uma única pessoa, eu poderia virar a mesa e neutralizar todos os pensamentos negativos que me tinham sido dirigidos. Aflita, contei todos os detalhes do que tinha acontecido a um amigo confiável, que então reverteu cada negatividade que ela havia me falado, declarando: "Você sabe que não é um fracasso. Foi vitoriosa muitas vezes, e continuará a ser bem-sucedida. Você sabe que tem o que é preciso e, acima de tudo, sabe que não está 'fora de moda'. Não, você está indo rumo às estrelas!". Então, esse amigo me explicou que as declarações negativas sobre mim eram completamente insignificantes. Minha reação a elas era tudo o que importava.

Com a ajuda compreensiva do meu amigo, pude reconquistar minha autoconfiança. Na verdade, a única coisa que ficou em minha memória de tudo isso foi a declaração alegre e positiva: "Você está indo rumo às estrelas!". Eu passei a afirmar essa declaração com bastante frequência!

Use a imaginação criativa no nível familiar

Nos últimos tempos, temos ouvido falar da técnica de *brainstorming*, que nada mais é que uma maneira expandida da técnica da imaginação criativa. As pessoas se sentam juntas, discutem uma questão, combinam suas ideias e descobrem, enfim, que o objetivo já está realizado, geralmente com resultados surpreendentes.

Uma mulher relatou que a empresa de seu marido fez excelente uso dessa prática. Eles apresentavam um objetivo ou plano; então, deixavam os "São Tomé" do grupo dizerem por que aquilo não poderia ser concretizado. Depois que todos haviam limpado suas mentes dos pensamentos negativos sobre a questão, o líder do grupo declarava: "Agora sabemos como e por que não podemos atingir esse objetivo. Mas esse não é o nosso propósito. O nosso propósito aqui é *alcançar* o nosso objetivo." Em seguida, pedia sugestões para a concretização do objetivo, construindo um plano a partir delas.

Um modo fantástico de liberar o poder espiritual da imaginação criativa em seu grupo familiar é reunir a família toda, para que todos cheguem a um acordo a respeito de questões comuns. Muitas vezes, os pais lutam muito para prover luxos para seus filhos; contudo, se fizessem as crianças se unirem a eles na concretização desses desejos, os resultados viriam mais facilmente do que se continuassem lutando sozinhos.

Uma família que eu conheço fazia isso. Eles pediam a cada filho que escrevesse uma lista de desejos. Pediam também que relacionassem desejos que a família inteira queria ver realizado. O poder reunido na sintonia familiar sobre os objetivos tem produzido resultados mais que satisfatórios.

Os seus poderes geniais respondem à harmonia

Onde existe um propósito comum, também existe um grande poder de realização, desde que você esteja sintonizado com pessoas que concordem com o seu objetivo. Esse processo permite que você sintonize seus poderes e ideias mais elevados para transformar qualquer objetivo em resultado. Apenas pensar desse jeito fará que o objetivo revele seu próprio método de concretização. Porém, você deve insistir em lhe dar sua atenção.

Em uma empresa ou em uma situação de grupo, a harmonia, a sintonia e o objetivo comum são de importância vital na liberação da imaginação criativa como um poder espiritual. Se apenas uma das pessoas que trabalha com você não se harmonizar com seu objetivo, essa pessoa pode encher o ar de pensamentos de dúvida, medo e antagonismo, de maneira que a atmosfera negativa interrompa o fluxo de imaginação criativa. Do ponto de vista corporativo, você deve escolher com cuidado seus associados, a fim de liberar esse poder espiritual.

Seus dois poderes geniais, a intuição e a imaginação criativa, respondem melhor a mentes harmoniosas. Seus poderes excepcionais são delicados, e vêm à tona somente em condições mentais e atmosfera receptivas.

O silêncio é necessário

Tanto a intuição quanto a imaginação criativa funcionam melhor em períodos de silêncio e isolamento, especialmente quando você estiver relaxado e descansado. Descobri que elas muitas vezes me fornecem as melhores ideias e orientações pouco antes de eu me recolher à noite.

Certa vez, eu estava sentada tranquilamente em casa, em estado mental relaxado, depois de um dia atarefado. Meu filho tinha se recolhido e era uma hora tranquila. De repente, percebi que havia uma questão financeira que exigia minha atenção, mas não tinha certeza do que fazer a respeito. Então, tinha mantido esse problema em banho-maria na minha mente. Agora, ele surgia, e percebi que eu tinha de decidir em poucos dias o que fazer com ele.

Então, perguntei: "Intuição divina, qual é a verdade a respeito dessa questão financeira? Como eu devo lidar com ela?". Em instantes, uma série de ideias pululou em minha mente, trazendo uma instrução detalhada de como proceder. Não pareciam maneiras racionais de se lidar com a questão, mas, mesmo assim, no dia seguinte segui minhas intuições. Os passos se revelaram de forma objetiva, produzindo, então, um resultado perfeito.

Nunca subestime o poder da quietude

Em períodos tranquilos, reflexivos, pacíficos, quando a mente está relaxada e de algum modo ociosa, os poderes interiores são mais capazes de conseguir sua atenção e liberar o verdadeiro gênio dentro de você. Pessoas que correm para lá e para cá o tempo todo e que nunca têm períodos de reflexão tranquila, quieta e pacífica frequentemente trabalham duro demais. Se ouvissem mais suas orientações interiores, receberiam ideias ricas, novas e inteligentes, que poderiam facilitar sua vida, tornando-a mais rica.

Há pouco tempo, um executivo contou-me os maravilhosos resultados que conseguiu fazendo isso. Ele ia se aposentar da sua empresa, mesmo que ainda não se sentisse pronto para a cadeira de balanço. Começou, então, a afirmar que um trabalho divinamente satisfatório iria aparecer. Como ele não conhecia ninguém que podia fazer esse trabalho surgir, não fez contato algum. Em vez disso, começou a passar muito tempo em seu escritório, pensando: "Inteligência divina, qual é a verdade sobre o lugar certo para eu trabalhar?".

Um dia, depois de voltar da sua reunião do Clube Rotary, sentou-se calmamente, sabendo mais uma vez que havia uma solução divina para a sua situação, que havia um trabalho novo, perfeito para ele, e que a verdade sobre isso lhe seria revelada. Neste momento, seu assistente entrou para dizer que alguém tinha telefonado durante o almoço, e que ele deveria retornar a ligação. O telefonema era uma oferta de um emprego similar em outra companhia, em outro estado. Em uma semana, ele recebeu por carta uma proposta semelhante, de outra empresa. Como essas duas empresas conseguiram o nome dele, ele ainda não sabia. Não havia mencionado seu desejo de continuar trabalhando para ninguém. Em pouco tempo, pediu demissão do seu emprego, vendeu a casa e fez sua mudança para outro trabalho, que apresentava uma prosperidade ilimitada, em outro estado.

Poderes excepcionais desenvolvem a autoconfiança

Você sentirá e irradiará maior autoconfiança sobre o seu passado, o seu presente e o seu futuro quando desenvolver a sua intuição e a sua imaginação criativa.[31]

Recapitulando: desenvolva a sua intuição interior com os guias do "sim" e do "não", observando seus sentimentos íntimos, suas intuições e suas ideias. Desenvolva sua intuição externa observando os eventos, as situações e as declarações enfáticas que atraírem sua atenção, depois de pedir à intuição divina que indique o caminho. Desenvolva sua imaginação criativa imaginando seu bem, revendo mentalmente seu passado, presente e futuro; converse com alguém em quem você confia e que concorde com os resultados que você deseja; forme um grupo de imaginação criativa, chegando com harmonia a um acordo sobre os resultados desejados. O grupo pode ser ligado ao trabalho, ou formado por membros

[31] Veja o capítulo 16.

de sua família, ou por amigos confiáveis. Com essas maneiras simples, você desenvolverá, entrará em contato e liberará seus poderes excepcionais para a prosperidade.

Nunca subestime os seus poderes geniais! Eles querem trabalhar para você, trazendo-lhe maior felicidade, sucesso e confiança em sua própria capacidade de receber orientação para cada passo de sua vida. Por que não deixá-los fazer isso? Com essa finalidade, declare: "Eu dou graças, porque meus poderes excepcionais da intuição e da imaginação criativa agora são liberados, e porque com isso cumpro meu destino divino com alegria".

Capítulo 15: Os poderes especiais para a prosperidade

Nesta Nova Era, os poderes mentais mais profundos, que permaneceram dormentes nas eras anteriores, estão começando a vir à tona na raça humana. O mundo científico nomeia tais poderes como *telepatia, clarividência, percepção extrassensorial, precognição* e *psicocinese*. Vamos considerar esses poderes especiais não apenas do ponto de vista científico, mas também da perspectiva da prosperidade.

A telepatia é uma arte antiga

Telepatia é a consciência das atividades mentais de outras pessoas, sem que essa consciência tenha sido transmitida pela visão, audição, toque ou qualquer um dos cinco sentidos conhecidos. Em outras palavras: quando a mente se comunica com outras mentes sem o uso dos sentidos físicos ou de dispositivos mecânicos, essa transferência de pensamentos é descrita como telepatia.

Não há nada de incomum na telepatia. Ela foi praticada pelos havaianos nativos durante séculos antes que o homem branco entrasse em cena para "civilizá-los". No Taiti também se usou a telepatia durante anos. Na África, há notícias de decisões políticas sendo tomadas e recebidas telepaticamente horas e até mesmo dias antes de serem anunciadas pelas autoridades. Os homens santos e mestres do Extremo Oriente também praticaram a telepatia durante séculos, como um exercício mental regular. Em tempos mais recentes, o Dr. J. B. Rhine, da Universidade Duke, fez muito para tornar a telepatia cientificamente plausível. A Bíblia dá muitos exemplos do seu uso. Jesus não hesitou em usar seus poderes telepáticos para o bem. Quando a mulher samaritana lhe disse: "Eu não tenho marido", Jesus respondeu: *Disseste bem: Não tenho marido; Porque tiveste cinco maridos, e o que agora tens não é teu marido; isto disseste com verdade* (Jo 4:17-18).

Prestando uma atenção extra à questão e praticando-a, você pode desenvolver mais do que simples habilidades telepáticas ocasionais. Se desenvolvida da forma correta, a telepatia pode ajudá-lo a viver uma vida próspera e bem-sucedida. No entanto, esse não é o único dos seus poderes para a prosperidade. Não fique muito fascinado com a telepatia, deixando-se "dominar" por ela, concentrando-se tanto nisso a ponto de negligenciar seus outros poderes especiais.

Como desenvolver a telepatia

Um motivo para que, no passado, esses poderes especiais não fossem levados tão a sério talvez seja porque as pessoas observaram o que eu mesma observei: aqueles com habilidades telepáticas ou alguma forma de clarividência com frequência são vistos como pessoas desequilibradas e irracionais. Contudo, seus poderes mentais podem e devem ser desenvolvidos, e por razões exatamente opostas: para tornar a sua vida mais equilibrada, próspera e bem-sucedida. Você pode se beneficiar de seus poderes especiais, seguindo atentamente as sugestões contidas neste capítulo. Para essa finalidade, afirme: "A divina telepatia agora está revelando para mim toda a verdade sobre os meus poderes especiais para a prosperidade".

Quando quiser fazer contato com outras pessoas para o seu bem comum e um direto talvez não seja conveniente, você pode alcançar essas pessoas telepaticamente, afirmando: "A divina telepatia agora está revelando a você e a mim, a nós, toda a verdade sobre esta situação".

Há pouco tempo, desejei fazer contato com uma amiga de infância que eu não via havia vários anos. Ouvi dizer que ela havia se casado e se mudado várias vezes desde a última vez que nos vimos, e eu não fazia a menor ideia de onde ela estava morando. Com algum tempo e esforço, talvez eu pudesse localizá-la, mas minha necessidade não era assim tão grande. Ainda assim, eu desejava reencontrá-la. Muitas vezes, quando sua lembrança entrava em minha mente, eu meditava: "A divina telepatia fará esse contato para mim, pois eu não sei onde ela está". Cerca de dez dias depois, fiquei espantada ao encontrar uma carta dela na caixa de correio, respondendo todas as perguntas que eu tinha em mente sobre sua vida, e também passando seu novo endereço.

Com frequência, irrompem situações no meio de um dia atarefado com as quais você não tem tempo de lidar de imediato. Se pensar nas outras pessoas envolvidas, abençoando-as, imaginando que a divina telepatia lhes está revelando o que precisam saber, em breve todos começarão a receber telepaticamente seus pensamentos, respondendo, então, com ações apropriadas.

A telepatia é um poder harmonizador

O desenvolvimento do seu poder telepático o mantém livre de conversas, telefonemas, cartas desnecessárias ou atividades cansativas, que podem consumir tempo demais. O desenvolvimento de habilidades telepáticas o ajuda a manter o equilíbrio e a conseguir realizar tarefas essenciais com muito mais facilidade.

Uma executiva tinha um determinado prazo para cumprir em um trabalho. Na noite anterior ao término do prazo, ela se viu com uma necessidade enorme de ajuda técnica em uma questão específica. O nome da amiga que podia lhe ajudar continuava vindo à sua mente. No entanto, ela não sabia como localizá-la à noite, e seu telefone residencial não atendia. Essa moça hesitou em localizar sua amiga, pois sentia que podia parecer uma imposição pedir-lhe que trabalhasse até tarde da noite. Finalmente, parou de pensar em entrar em contato com ela, pensando: "Se ela deve me ajudar, a telepatia divina o revelará para mim. Caso contrário, agradeço pela solução divina desta situação, agora". Em menos de quinze minutos, o telefone tocou, e a amiga disse: "Estou jantando em um restaurante no centro da cidade. Tive a sensação de que você precisava da minha ajuda. Estou livre e ficarei feliz em trabalhar com você". Dentro de meia hora, estavam trabalhando juntas, ativamente, para terminar o projeto.

Um ministro estava com uma grande necessidade, e queria conversar com um amigo confiável, que tinha se mudado para um estado distante. Continuou pensando: "Se eu pudesse falar com meu amigo sobre essa situação, me sentiria muito melhor. Ele poderia me ajudar a conseguir uma decisão a respeito disso". Bem cedo na manhã seguinte, o amigo distante acordou pensando nesse ministro. Depois de um momento, ele pensou: "Eu queria conversar com ele". Assim, telefonou. "Isso é fantástico. Preciso tomar uma decisão hoje, e fiquei pensando que uma conversa com você poderia me ajudar a resolver tudo. Hesitei em ligar ou escrever, porque já lhe pedi ajuda tantas vezes antes". Então, conversaram sobre o problema e chegaram a uma solução feliz.

Todos têm poderes telepáticos

Todos nós temos habilidades telepáticas. É apenas uma questão de perceber este fato, desenvolvendo, então, nossas habilidades, sempre em bases positivas. Como qualquer poder, é claro que você nunca deve usar suas habilidades telepáticas para coagir ou induzir outras pessoas ao seu modo de agir e pensar. Fazer isso é destrutivo e lhe trará experiências igualmente destrutivas.

Certa vez, conheci um homem que havia ficado fascinado com esses poderes mais profundos da mente, esforçando-se para desenvolvê-los. Começou, então, a usá-lo de forma egoísta, tentando convencer as pessoas a fazerem o que lhe agradasse. Em várias ocasiões, fez outras pessoas ficarem emocionalmente desnorteadas e mentalmente perturbadas, pelo menos antes que ele fosse descoberto. Quando você usa seus poderes mentais de forma egoísta e destrutiva, eles diminuem. Ao tentar usar mal ou abusar dos seus poderes, não somente você os perderá, mas também terá de arcar com uma reação negativa. No caso desse homem, seus assuntos pessoais ficaram muito confusos, e sua saúde foi afetada.

Em outro exemplo, uma pessoa que fazia mal uso de seus poderes mentais teve um colapso nervoso, tornando-se alcoólico e sendo internado em uma instituição. Porém, apenas afirmando que a divina telepatia está revelando o que é necessário para o *bem* de todos os envolvidos, a destrutibilidade mental é evitada.

Junto com tal afirmação, uma maneira prática de desenvolver seus poderes telepáticos é pensar em qualquer situação, pessoa ou condição sobre as quais você tem alguma dúvida. Em seguida, você deve escrever o nome dessa pessoa ou questão, junto com a pergunta referente a ela. Depois, sente-se todos os dias por alguns instantes, olhe para o nome escrito e pense nele, fazendo a pergunta mentalmente. Aquiete-se e ouça as ideias que virão à sua mente, revelando a resposta. Se esta não vier nesse momento, pode aparecer em seu pensamento depois, em um momento mais tranquilo. Se ainda assim não aparecer, mantenha esta prática todos os dias, e com certeza lhe será mostrado o que você precisa saber. Isso exige prática, sendo um meio muito mais simples, menos árduo e mais rápido para conseguir informação verdadeira do que quando a obtemos por meios comuns. Com esse método, você pode descobrir as atitudes e motivos reais de uma pessoa, mesmo que tenham escondido isso de você.

Seu segundo poder especial

Clarividência é o seu segundo poder especial para a prosperidade. Significa literalmente "visão clara", e é uma consciência de fatos ou eventos externos sem que tal conhecimento tenha sido transmitido pelos cinco sentidos. Ela pode incluir consciência de eventos do passado, do presente e do futuro. No entanto, cientistas têm descrito a clarividência como "precognição": conhecimento presciente de eventos futuros.

Membros do clero de todas as épocas têm sido treinados para desenvolver suas habilidades clarividentes. Nas antigas civilizações da China, Egito, México e mesmo os nativos americanos tentavam desenvolver a consciência de eventos que aconteciam a grande distância. A Bíblia também atesta os poderes clarividentes do homem. Jesus, enquanto meditava sob uma figueira, viu Natanael antes que ele chegasse à sua presença (Jo 1:47). Isto é prova de que a mente aberta, receptiva e crédula é capaz de ver coisas no mundo invisível que surgirão no mundo visível, quando é para um bom propósito.

A chave para o desenvolvimento da clarividência está em saber que a consciência de fatos e eventos externos deverá ser fortalecida por intermédio da natureza divina. Você não quer se tornar sensível aos estratos mentais humanos, nos quais flutuam ideias sobre guerra, crime, doença e outras crenças destrutivas. Conheci uma mulher que desenvolveu sua clarividência em tais bases negativas. Sintonizar-se com essas ideias e condições era destrutivo, e isso trazia desequilíbrio para ela. Finalmente, o marido a deixou, os filhos lhe foram tomados, sua saúde declinou e suas emoções ficaram profundamente estilhaçadas.

Você deve desenvolver sua consciência clarividente para o bem. Ao afirmar o desenvolvimento de seus poderes, você cresce espiritualmente, sendo conduzido a contribuir para o bem-estar de outras pessoas. Há vários relatos sobre clarividentes que ficaram cientes de eventos negativos. Não admira que o público em geral tenha evitado a ideia da clarividência, por não quererem se envolver com os problemas do mundo: já tem o bastante em suas vidas!

Tornar-se consciente de fatos negativos por meio da clarividência só atravanca a mente e evita que você fique receptivo às coisas positivas, progressistas e prósperas da vida. Alem disso, não é necessário "captar" as correntes negativas de pensamento. Se você ficar consciente de algo assim através da clarividência, pode usar o poder de "negação" para dissolvê-los, em vez de aceitá-los como inevitáveis.

Deixe a clarividência guiar você

Se estiver procurando orientação para algum problema nos negócios e quiser uma consciência de fatos e eventos externos concernentes a isto, faça assim: como Jesus fez embaixo da figueira, aquiete-se e medite em um estado mental receptivo, disposto a ouvir. Em seguida, deixe este pensamento entrar em sua mente: "A divina clarividência agora está me revelando toda a verdade sobre esta situação, condição ou evento, tanto no passado quanto no presente".

Se há certos fatos ou eventos que você deve saber, declare em sua meditação: “A divina clarividência agora está me revelando toda a verdade sobre estes fatos ou eventos específicos”. Então, reveja os pontos da questão, com a melhor compreensão disponível no momento. Quando sua mente absorve o pensamento de cada ponto, absorvendo também a ideia de que a divina clarividência está revelando a verdade sobre aquilo, a verdade iluminadora chegará. Eventos externos provavelmente acontecerão para substanciar as impressões mentais que você tiver.

Uma técnica de medicina percebeu que poderia desenvolver suas habilidades clarividentes e começou a declarar que a divina clarividência estava lhe revelando tudo o que precisava saber. Ela estava planejando uma viagem, pensando em roupas novas que precisaria comprar. Certa noite, enquanto meditava, pensava em um lindo vestido de linho que queria levar na viagem. Afirmou: “A divina clarividência sabe onde está este vestido e está me conduzindo até ele, se for para o meu mais alto bem”.

Pela manhã, uma amiga telefonou de uma loja do centro da cidade, dizendo: “Tem um vestido lindo aqui na estante. Quando eu o vi, pensei em você”. Duas horas depois, ela terminou seu expediente e foi até a loja. Quando chegou, descobriu que alguém havia comprado o vestido. Percebeu que havia visto o vestido por meio de clarividência, então não ficou perturbada. Ela disse, com indiferença: “Se esse vestido deve ser meu, será. Se não, o equivalente vai aparecer”. No dia seguinte, sua colega telefonou, dizendo: “A cliente devolveu aquele vestido. Ele está aqui na estante, vou reservá-lo para você, caso queira vir vê-lo”. Assim, ela comprou o vestido, idêntico ao que ela tinha visto antes em sua meditação.

À medida que você desenvolve esses profundos poderes mentais, que são seus servos obedientes e adoram trabalhar para você, descobrirá que não terá de trabalhar tão duro no mundo físico para conseguir os resultados certos. A verdade disso me foi revelada há pouco tempo: numa manhã, bem cedo, recebi um interurbano dizendo que a agenda do dia havia sido mudada. Eu precisaria fazer uma viagem de várias centenas de milhas que não estava em meus planos. Minha primeira reação foi que eu não queria viajar, que não era conveniente para a minha programação do dia, e também que eu não queria dirigir sozinha. Então, lembrei-me de meditar e afirmar: "A divina clarividência agora está me revelando a verdade sobre esta experiência". Uma sensação de paz e harmonia sobreveio, relativa a essa mudança inesperada de planos. Mais tarde naquela manhã, uma amiga chegou em meu estúdio e disse: "Estou aqui para viajar com você". Surpresa, perguntei: "Como você sabe que eu vou viajar hoje? Eu soube há poucos minutos". Minha amiga respondeu que, em sua meditação matutina, um pensamento insistia em voltar, dizendo que ela iria viajar hoje. Sabendo do poder das ideias, fez seus planos de acordo. Mais tarde, quando falou com minha secretária, ficou sabendo da minha viagem inesperada. Ela, então, me acompanhou, e ainda dirigiu seu próprio carro, o que tornou a experiência muito mais agradável.

A clarividência providencia uma solução

Um homem de negócios se envolveu em uma disputa com outros dois executivos. Ele já tentara tudo o que sabia, mas nada havia adiantado. Certa noite, enquanto conversava sobre a sua confusa situação com um amigo ao telefone, disse que havia feito tudo o que podia fazer, e que iria liberar a situação para que ela se resolvesse por si mesma. Quando a conversa acabou, esse homem viu em sua mente o rosto de um dos envolvidos na disputa, e veio-lhe à mente o pensamento de que ele iria visitá-lo dentro de um ou dois dias, para resolver a questão. Ele não contou a ninguém sobre esse *flash* de clarividência, mas afirmou: "A divina clarividência está se revelando a todos os envolvidos e produzindo uma solução perfeita e harmoniosa". Dois dias depois, à noitinha, ao encerrar uma reunião de negócios, ele saiu para a sala contígua e encontrou o homem esperando para vê-lo! Ele o saudou cordialmente, e disse: "Tenho a sensação de que, se nos sentarmos e conversarmos, poderemos resolver nossas diferenças". E assim eles fizeram.

Um amigo meu costumava falar das habilidades clarividentes de seu enteado, que sempre parecia saber quando algo estava errado em casa. Frequentemente, parava o que estava fazendo no meio do dia e ligava para a esposa. Outras vezes, falava para a secretária: "Não me perturbe, porque minha esposa vai me ligar para contar algo importante". E ele sempre estava certo.

A clarividência dissolve o passado

A clarividência revela não somente a consciência de eventos atuais, que estejam acontecendo longe dali, mas também pode revelar acontecimentos passados, se estes forem importantes para o presente. Conheço duas pessoas, um homem e uma mulher, que têm o poder de "ver" o passado. Cada vez que as pessoas os procuram buscando ajuda, eles garantem que não lhes serão mostrados fatos do passado de alguém a não ser que isso possa ajudá-lo a se libertar desse passado. O homem é capaz de descrever as ações passadas das pessoas em detalhes, desde que estejam ligadas a algum problema do presente.

Você pode desenvolver esse aspecto da clarividência para seu próprio bem, se declarar em qualquer situação que pareça estar velada com mistério e incerteza do passado: "Divina clarividência, revele-me a verdade do passado e do presente com relação a esta situação". Você se surpreenderá com o que lhe será mostrado.

Um homem, que tinha tido um passado triste, começou a perceber que certos eventos futuros exigiriam que ele voltasse à sua cidade natal, a que ele não ia havia anos. Pensava em como seria recebido, e decidiu que a clarividência poderia prepará-lo para essa reação, caso ele pedisse para lhe ser revelado o que aconteceria. Afirmou para eventos passados e futuros: "Divina clarividência, revele-me a verdade do passado e do presente sobre esta visita. Como as pessoas se sentem a respeito do meu passado?". Então, ele sentiu uma sensação de paz sobre a situação, descartando a questão. Poucos dias depois, recebeu uma carta de um amigo de sua cidade natal, de quem não tinha notícias havia vários anos. O amigo escreveu alegremente: "Há pouco tempo encontrei um parente seu na rua. Perguntei de você, pois não tenho notícias suas há anos. Ele me contou das suas realizações e dos seus planos de vir em breve à cidade. Quando soube de tudo o que você está fazendo, fiquei tão empolgado que não pude deixar de contar a todos os nossos velhos amigos. Meu amigo, eles querem que você saiba como estão felizes por você, e que esperam ansiosamente a sua visita!".

Talvez você tenha usado a clarividência sem perceber, quando precisou encontrar alguma coisa perdida. Se você fica quieto e pensa sobre o objeto perdido, muitas vezes um pensamento de onde ele está acaba aparecendo em sua mente.

O seu terceiro poder especial

A percepção extrassensorial é o seu terceiro poder especial para a prosperidade e para o sucesso. Trata-se de uma mistura de telepatia, quando você se torna consciente dos pensamentos de outras pessoas, e da clarividência, quando se torna consciente de fatos ou eventos. A maioria de nós experimenta graus variados desse poder mental especial ocasionalmente. Por exemplo: um palestrante estava planejando uma viagem a um estado distante, onde fora convidado a falar por um amigo. A data estava acertada, e foram feitos planos iniciais. Poucas semanas antes de sua partida, o palestrante começou a se sentir desconfortável a respeito da viagem, imaginando se seria prudente fazê-la. Durante sua meditação, ele afirmou: "Percepção divina, revele-me a verdade sobre esta viagem: devo ir ou não?".

À medida que continuou meditando sobre a questão, teve a impressão de que uma grande hostilidade surgiria ali. Sentiu que alguém da cidade onde a palestra estava agendada tinha uma rivalidade pessoal contra ele, ressentindo-se de sua vinda. Tudo parecia próspero, mas ele finalmente escreveu a seu amigo a respeito das impressões incomuns que vinha sentindo. Seu amigo respondeu com rapidez, dizendo que ele provavelmente estava enganado, que não havia hostilidade nenhuma e que todos ali estavam esperando alegremente pela palestra. Todavia, o palestrante continuou inflexível e cancelou a viagem. Mesmo que isso tenha causado algum conflito entre ele e o amigo, o homem ficou aliviado com sua decisão.

Depois, cada vez que pensava na situação, ele afirmava: "A divina percepção revela a todos os envolvidos a verdade sobre esta situação. Que seja revelado se existe qualquer hostilidade". Cerca de seis meses depois, chegou uma carta com um selo da cidade onde a palestra fora agendada. Era um bilhete anônimo, com uma caligrafia desconhecida, dizendo coisas hostis sobre o amigo que ele tinha na cidade. Ele mandou esse bilhete não assinado ao amigo, que reconheceu a letra como sendo de um outro amigo seu. O autor do bilhete estava com ciúmes da amizade íntima entre os dois. Mais tarde, ficaram sabendo que, logo após enviar o bilhete hostil, o terceiro homem se mudara. O palestrante, então, fez a sua palestra, como previsto.

Como desenvolver a percepção extrassensorial

A maioria de nós experimenta ocasionalmente graus diversos de percepção extrassensorial (PES) . Você já sentiu como se algo maravilhoso fosse acontecer, ainda que talvez não soubesse o que seria? Você já teve um pressentimento de que algo desagradável estava próximo, deixando-o inquieto e desconfiado?

Quando você começa a sentir que algum bem está a caminho, tem o poder e a autoridade para ajudar esse bem a se manifestar de modo perfeito, afirmando: "Eu o abençoo com o resultado perfeito, por meio do auxílio da percepção divina." Por outro lado, quando sentir que algo negativo está para acontecer, sempre reserve um tempinho para dissolver essa sensação, afirmando: "Seja dissolvida, com a ajuda da percepção divina". Continue pensando assim, até que a sensação de desconforto ou inquietação diminua. Você pode até não saber o que está dissolvendo, mas, se isso lhe causou uma sensação negativa, de desconforto ou inquietação, pode estar certo de que essa experiência não era para o seu mais alto bem. Você tem o poder de dissolvê-la mentalmente, pois é no reino mental que todos os problemas se manifestam primeiro. Usando seu poder especial, você pode evitar que experiências infelizes aconteçam, bastando ousar reservar um tempo para dizer "não" a elas, neutralizando-as.

Um executivo estava em uma viagem de férias. Certa manhã, ele e a esposa se levantaram bem cedo, pois teriam de dirigir mais de 800 quilômetros de volta para casa. O homem teve uma sensação de desassossego, de apreensão. Sem perceber que isso era a sua percepção extrassensorial tentando lhe prevenir que não fosse, seguiu viagem. Resultado: rodaram poucos quilômetros e houve um acidente, em que ele, a esposa e uma outra pessoa se feriram gravemente. Esse executivo me confidenciou depois que, se tivesse entendido suas sensações de desconforto, poderia ter evitado o acidente.

O seu quarto poder especial

A precognição é outro dos poderes especiais para o sucesso. Enquanto a clarividência é uma consciência de acontecimentos do passado e do presente que acontecem a uma grande distância, a precognição é um aspecto da clarividência que traz conhecimento de eventos futuros, sem o uso de qualquer agente físico para a obtenção de tal conhecimento. Às vezes recebemos essas informações pelos sonhos, em *flashes* ou durante a meditação.

Conheço uma criança que frequentemente prevê os eventos que vão acontecer em sua vida na semana seguinte. Certa vez, essa criança veio e perguntou: "Como é que eu sei tudo o que vai acontecer na semana que vem?". Eu sugeri que ele escrevesse o que previa e voltasse uma semana depois para conversarmos a respeito. Quando ele voltou com suas anotações, ficou claro que nada grande tinha acontecido. Ele sabia quanto dinheiro seus pais lhe dariam, o que ocorreria na escola dominical e o resultado de alguns jogos na escola. Sabia quantos sorvetes iria comprar durante a semana! Uma noite, ele não se preocupou em estudar para uma prova porque disse que já sabia que tiraria 94 na prova, o que de fato aconteceu. Em sua segunda visita, ele disse que não podia sempre ver uma semana à frente, embora com frequência soubesse o que ia acontecer no dia seguinte. Eu sugeri que ele não discutisse seu poder clarividente de precognição com ninguém, mas que afirmasse com frequência: "A divina precognição está tornando meu caminho fácil e bem-sucedido. Eu sei o que preciso saber, quando preciso saber, para o meu mais alto bem". Assegurei-lhe que não havia nada de errado ou diferente com ele, e que essa habilidade de prever acontecimentos em sua vida era um poder especial que todos têm, mas que apenas poucas pessoas optam por desenvolver. Ele ficou muito satisfeito quando percebeu que, se soubesse de algum evento futuro que parecesse negativo, poderia dissolvê-lo mentalmente, dizendo "não" à experiência. Em várias ocasiões, o menino reverteu o que parecia uma experiência infeliz, pensando: "Não, eu não aceito que isto aconteça. Só aceito o que é para o meu mais alto bem". Em seguida, ele pensava nos resultados que realmente desejava que acontecessem.

Uma dona de casa que eu conheço diz que tem sido muito cuidadosa em não ganhar todos os jogos de *bridge* quando joga com suas amigas. Por causa de suas habilidades de prever os resultados, ela com frequência sabe quais cartas estão em jogo, e quais serão os resultados finais!

Desenvolva o seu poder discretamente

Quando receber impressões ou *flashes* relativos a eventos ou resultados futuros, em vez de sair correndo discutindo com outras pessoas o que viu, é melhor pedir orientação silenciosamente a respeito disso. Uma dona de casa ficou ciente de que o marido de sua vizinha morreria em poucos meses. Depois de orar pedindo orientação sobre se devia ou não contar à vizinha, ela se sentiu inspirada a contar, pensando que isso poderia explicar a recente alteração de comportamento dele; a vizinha ficou grata pelo aviso, pois ela também sentia que a vida de seu marido estava para terminar, e talvez ele mesmo soubesse disso. Então, ela pôde fazer que os últimos meses da vida dele fossem mais felizes, e o choque da sua morte não a dominou completamente.

A ciência de eventos futuros pode também chegar por meio dos sonhos. Entretanto, em vez de ficar muito envolvido na análise de sonhos, você pode saber seu verdadeiro significado apenas perguntando: "Inteligência divina, qual é a verdade sobre este sonho? O que ele significa?". Certa vez, escreveram sobre Charles Fillmore, um corretor de imóveis que se tornou cofundador da *Unity*:

> Como José e Daniel, Charles Fillmore sentiu que Deus vinha até ele em sonhos e visões durante a noite, revelando a ele grande parte da verdade sobre a qual escrevia e falava. Ele sempre via à frente. Previu o rádio e falou sobre isso em sermões e em artigos. Previu que o átomo seria dividido e se tornaria uma fonte de poder.[32]

---

[32] FREEMAN, James Dillet. *The Story of Unity.* Unity Village, MO: Unity Books, edição revisada de 1978, p. 18.

A Bíblia está cheia de exemplos de precognição. Por exemplo, os quatro reis magos foram avisados em um sonho que não deveriam voltar a ver Herodes depois de terem encontrado o Cristo; eles foram avisados para voltar para casa por outro caminho (Mt 2:12). Os primeiros cristãos eram regularmente instruídos por seus sonhos, e assim foram bem-sucedidos na divulgação da mensagem cristã no exterior.

O seu quinto poder especial

O seu quinto poder especial para a prosperidade é a psicocinese, que é a influência direta exercida sobre um objeto físico sem o uso de qualquer instrumento ou energia intermediária. Esse poder tem sido usado para influenciar dados para estudos científicos. Você pode pensar em objetos físicos e influenciá-los para o bem. Do ponto de vista da prosperidade, você pode afetar mentalmente a sua carteira, a sua conta bancária, seus investimentos, suas roupas, seus carros ou os prédios da região onde mora e trabalha. De fato, você está constantemente moldando o seu mundo exterior, pensamento a pensamento.

O seu pensamento afeta objetos inanimados

Objetos "inanimados" têm o poder de responder a seus bons pensamentos, especialmente aos ricos e prósperos, pois estes são repletos de inteligência divina. Esses objetos parecem "saber" o que você está pensando sobre eles. Quando algo próximo a você "se comportar mal", dê a ele o benefício da sua bênção com bons pensamentos, em vez de criticá-lo. Fiquei sabendo de uma máquina de escrever elétrica que nunca funcionou adequadamente, porque o empregador que a comprou não desejava que seu empregado a tivesse: depois de resistir à compra, ele sempre achou defeitos na máquina.

Tudo em seu mundo está preenchido de inteligência, até mesmo os chamados objetos inanimados. Trate-os também com inteligência, caso queira obter deles resultados inteligentes e harmoniosos. Uma dona de casa diz com frequência que seu dinheiro parece comprar mais no mercado se ela "se arruma" antes de sair para fazer compras. É como se a substância e a inteligência contidas nas mercadorias nas prateleiras a alcançassem graciosamente e se multiplicassem para ela, por causa de seus ricos pensamentos e de sua rica aparência.

Outra dona de casa contou como usou a psicocinese para atrair objetos físicos e influenciá-los diretamente. Durante muitos anos, ela e o marido lutavam para pagar as contas do mercado. Tinham uma família grande, que os visitava regularmente, o que fazia com que sua despensa se esvaziasse com rapidez. Esse casal adorava os seus familiares, mas mal podia sustentar suas visitas!

Ela imaginou mercadorias de todos os tipos, e de onde elas vinham. Pensou em frutos do mar passando do pescador para o mercado, e em seguida para ela. Pensou no gado nos campos passando pelas mãos do fazendeiro, e eventualmente para ela. Visualizou vegetais, comida enlatada, comida congelada, pães e bolos, e outros alimentos, ao mesmo tempo que agradecia pelas inúmeras pessoas ao longo do caminho que preparavam tais mercadorias para o seu uso. Imaginava todos os tipos de alimentos chegando à sua cozinha em abundância, sem nenhum pensamento de pressão financeira ou de suprimento limitado.

Depois disso, quando os parentes foram visitá-la, mas levaram com eles presentes maravilhosos: frutos do mar frescos, pão, manteiga, leite e outros derivados, iguarias especiais de padaria, e assim por diante. Nunca mais ela teve de se preocupar com a conta do mercado, ou de onde viria sua provisão de alimentos. Era como se os vários itens alimentícios soubessem que ela os amava e os apreciava, tendo, então, a tendência de correr para ela, na melhor e mais elevada forma.

Tudo reflete a sua atitude

Quando fala de modo negativo sobre suas questões financeiras, você está usando mal o seu poder especial de psicocinese. Jesus usou esse poder especial para fazer a figueira secar, a fim de provar o efeito das palavras sobre os objetos físicos. Você influencia mental e verbalmente tudo o que há em seu mundo. Um executivo contou-me sobre uma magnólia que tinha comprado para o seu jardim. Os amigos lhe disseram que ela não daria flores antes de sete anos. Como ele queria ver a linda magnólia florescer e apreciar seu perfume, visualizava constantemente a beleza de sua árvore, abençoando-a com muito amor e apreciação. Então, após apenas quatro anos, a magnólia irrompeu em flores!

Nunca fale de modo depreciativo de um objeto. Nunca fale de um item de roupa ou de mobília como "Ah, essa coisa velha!", a menos que você queira que eles envelheçam e sumam rapidamente de seu mundo. Lembre-se: tudo em sua volta reflete a sua atitude, reagindo de acordo.

Lembro-me de visitar uma senhora que tinha pensamentos belos e grandiosos. Ela mantinha uma elevada visão do bem, e seu entorno sempre resplandecia com beleza e elegância. Cerca de um ano depois, voltei àquela vizinhança, mas ela não estava mais lá. Descobri a mesma mobília, cortinas e outros objetos ainda no mesmo lugar, mas eles pareciam ter perdido a resplandecência e beleza. Algumas das peças de mobília pareciam tristes e surradas. Logo percebi que as peças não poderiam ter se desgastado em apenas um ano. Os pensamentos elegantes, belos e apreciativos daquela senhora as sustentavam em seu estado de beleza.

Uma boa oração para usar quando estiver tentando irradiar uma atmosfera de beleza é: "Eu sou um com o Deus Todo-Poderoso. Meu ambiente está brilhando com beleza, riqueza e bens radiantes".

A psicocinese funciona em toda parte

Você certamente sentiu o poder da psicocinese em ação em vários ambientes nos quais entrou. Ou eles irradiaram harmonia ou desarmonia para você. Aqueles que são mais ativos em seu ambiente influenciam os objetos físicos ali presentes com seus pensamentos e palavras, sejam elas de harmonia ou discórdia, e você pode ver e sentir o resultado. Charles Fillmore descreveu como você pode usar o poder da psicocinese para o bem:

> Abençoar a substância aumenta o seu fluxo. Se a sua provisão de dinheiro está baixa ou sua carteira está vazia, pegue-a nas mãos e a abençoe. Veja-a preenchida com a substância viva, pronta para se manifestar. Enquanto prepara as refeições, abençoe a comida com

o pensamento da substância espiritual. Quando se vestir, abençoe suas peças de roupa e perceba que você está constantemente sendo vestido com a substância divina. Quanto mais consciente se tornar da presença da substância viva, mais ela irá se manifestar para você. E mais rico será o bem de todos.[33]

Acredite em seus poderes especiais

Você hesita em acreditar que tem poderes especiais para a prosperidade? Esta é a época mais iluminada que o mundo já viu. Já se disse que mais progresso foi feito no planeta nos últimos cem anos do que nos últimos dez mil anos! Jesus prometeu que, quando o Espírito da Verdade vier, Ele nos guiará até a verdade. A verdade sobre Deus, o homem e o universo está sendo explorada e revelada agora como nunca foi.

Nunca duvide do poder de seus poderes profundos e especiais para a prosperidade, o crescimento e a rica realização. Ouse pensar e acreditar neles, deixando que revelem seus segredos a você. Conforme surja a necessidade, a divina inteligência expressará esses poderes por meio de você, com um poder milagroso. À medida que surgirem, você reconhecerá os seus poderes interiores especiais, aprendendo, então, a acentuar sua expressão, sempre usando as declarações específicas dadas neste capítulo.

Quando ousar começar a desenvolver esses poderes, você descobrirá que eles são o seu equipamento especial para viver vitoriosamente nesta Nova Era.[34]

---

[33] *Prosperidade*, p. 24.

[34] Quando a autora escreveu inicialmente sobre esses poderes mentais do homem, descritos nos capítulos 14 e 15, eles ainda eram considerados por muitos como poderes extraordinários. No entanto, agora se acredita que muitas pessoas nascidas a partir da Segunda Guerra Mundial são dotadas com poderes mentais acelerados. E já foi previsto que mais e mais pessoas que estão nascendo agora, e ainda mais pessoas nascidas no século 21, terão esses poderes desenvolvidos já ao nascerem. Sente-se que elas são destinadas a desempenhar um papel importante na geração da Nova Era de iluminação espiritual e metafísica da humanidade, a "Era de Aquário" (N. E.).

Capítulo 16:
A lei da autoconfiança

Um corretor da bolsa contou que estudou as leis da prosperidade sob todos os ângulos, observando as muitas pessoas de mentalidade próspera que compram e vendem ações e lendo muitas biografias de pessoas bem-sucedidas. A partir desses estudos, ele decidiu que, se a prosperidade pode ser descrita em uma palavra, esta seria "autoconfiança", que significa fé em suas próprias capacidades, em seus talentos inatos e fé na ajuda divina para desenvolvê-los.

Psicólogos declaram que existe uma força gigantesca na autoconfiança, que dobra os poderes e multiplica as capacidades do indivíduo. Esse meu amigo corretor da bolsa disse-me que, depois de ganhar confiança nas leis da prosperidade e usá-las em seu trabalho, sua renda subiu vertiginosamente. Um mês após ele começar a invocar as leis apresentadas neste livro, sua renda era quatro vezes maior que antes. Seu sucesso é ainda mais notável quando percebemos que aconteceu em um período de recessão econômica!

O segredo da autoconfiança

Talvez o segredo mais importante da autoconfiança seja este: por mais que existam cursos e livros para ajudá-lo a conquistá-la, saiba que você já a possui! É parte de sua natureza espiritual, e você foi dotado de autoconfiança quando foi criado à imagem e semelhança de Deus. Davi o lembra de que você foi feito pouco abaixo dos anjos e foi coroado com glória e honra. E o Mestre disse: *Não está escrito na vossa lei: Eu disse: Sois deuses?* (Jo 10:34).

Nós nascemos dotados de confiança, e essa verdade pode ser vista nas ações e reações da maioria das crianças, antes que comecem a ser preenchidas de medos, fobias e inibições. As crianças têm o delicioso hábito de dizer e fazer qualquer coisa que sintam que têm de dizer ou fazer.

Uma criança brilhante, mas sem autoconfiança, não possui metade do potencial para uma vida bem-sucedida que possui uma mediana que confie em si mesma. Conheço uma professora de escola dominical que, percebendo isso, leva seus alunos a afirmar, todo domingo de manhã: "Deus me ama, Deus vive em mim, Deus respira por meio de Deus, eu sou Seu filho, Ele me ama e me ajuda o tempo todo!". É interessante observar seus alunos desabrocharem com nova coragem e confiança, que se refletem em lições de casa, na vida doméstica e também no sucesso de sua vida social.

Caso muito diferente é o de uma mulher com quem eu conversei há pouco tempo. Ela alegou que, anos atrás, usou o poder do pensamento próspero com resultados bastante felizes. Um amigo, contudo, lhe disse que tal pensamento era estranho e errado, e que ela não deveria mais se meter com isso. Ela confiou mais no conselho do seu desorientado, ainda que bem-intencionado, amigo do que em suas próprias convicções, concedidas por Deus. O resultado foi que, agora, ela tem de voltar a pensar prosperamente para restaurar sua vida doméstica com seu marido, para manter o dragão financeiro longe de sua porta e para recuperar sua saúde. A falta de confiança em suas próprias convicções quase arruinou sua vida.

Você deve ter autoconfiança para ser bem-sucedido

Talvez você já tenha se perguntado por que algumas pessoas avançam para posições bem-pagas enquanto outras, com igual formação ou melhor, não são promovidas. A partir de um estudo atento, você poderá perceber que aqueles que avançam acreditam em si mesmos e em suas capacidades. Eles parecem ter um ouvido interno, através do qual recebem orientação e conhecimento. Parecem saber que há algo de especial em seu interior, a que têm acesso constante para obter sabedoria e visão expandidas. Você notará que essas pessoas irradiam equilíbrio e segurança, de forma que quem está a seu redor simplesmente acredita neles e segue suas ideias.

Uma das soberbas razões para desenvolver a autoconfiança é que ela é contagiosa, impelindo e convencendo outras pessoas! Josué, o general que comandava os hebreus, provou isso. Os hebreus já vagavam no deserto por quarenta anos, mas, quando Josué assumiu o comando, depois da morte de Moisés, seu primeiro ato foi garantir aos hebreus que eles cruzariam o rio Jordão e tomariam a Terra Prometida em apenas três dias... E assim eles fizeram! É interessante que a palavra "sucesso" seja encontrada apenas duas vezes na Bíblia, ambas no livro de Josué.[35]

Ninguém presta muita atenção a quem não tem confiança. Este não atrai outras pessoas ou as convence de seu valor, porque sua mente é uma força negativa que repele, em vez de atrair. Uma das declarações que usamos centenas de vezes em nossas turmas de prosperidade, para invocar a inteligência inata na forma de autoconfiança, é: "Nada faz prosperar como o sucesso. Com a ajuda de Deus, eu agora passo de um sucesso para um sucesso maior ainda. Agradeço, porque meu sucesso é grande, poderoso e irresistível, e porque ele aparece agora!".

A autoconfiança dissolve a inferioridade

Ao ter confiança em sua divindade, reconhecendo-a, você encontra a motivação para realizar o bem. É bom declarar diariamente para si, fazendo uma afirmação de fé e confiança: "Eu, (diga o seu nome), confio na orientação e capacidades dadas por Deus. Com a rica ajuda de Deus, me vejo agora passando deste sucesso para um ainda maior. O meu sucesso é grande, poderoso e irresistível, e ele aparece agora!".

---

[35] Veja o livro publicado pela Novo Século, *O Milionário Josué*.

Conheço vários casos em que os complexos de inferioridade foram dissolvidos e a autoconfiança foi restaurada, à medida que a pessoa preenchia sua mente com afirmações audaciosas e reconfortantes.

Se você se pergunta por que dizer palavras de bem pode ter tanto poder, pode gostar de saber disto: uma só declaração positiva de bem já é mais poderosa que mil pensamentos negativos, e duas afirmações de bem são mais poderosas que 10 mil pensamentos negativos.

Portanto, quando o desânimo, a dúvida ou o medo do futuro tentarem sobrepujá-lo, afirme: "Eu sou forte no Senhor e no poder da Sua força. Todo o poder para o bem supremo me foi concedido nas questões mentais, físicas e pessoais. Agora, reclamo e vivencio isso".

Construa pensamentos de confiança antes de dormir

Um modo poderoso de desenvolver a autoconfiança, que é seu poder atrativo da prosperidade, é alimentar sua mente com pensamentos de confiança quando for dormir. Se você encher sua mente com pensamentos felizes e de sucesso, prosperidade e bons resultados, seu subconsciente irá tomá-los como ordens suas. Durante o sono, um amanhã próspero será obedientemente preparado para você. Portanto, você pode obter o controle de cada dia na noite anterior, entrando no espírito e estado mental de como quer que o dia seguinte seja, como mencionado no capítulo anterior.

Uma linda e jovem modelo certa vez me relatou os resultados que conseguiu dessa maneira. Ela estava mal, deprimida e insegura de si mesma, por causa de um romance que havia terminado de modo infeliz. Certa noite, sentindo-se muito desencorajada, ela pegou um livro que alguém lhe havia enviado, sobre o poder da mente durante o sono. Percebendo o poder de transformar sua infeliz situação apenas alterando seu estado de espírito e seus pensamentos dominantes, começou a pensar em como ficaria empolgada se encontrasse alguém legal e compatível com ela. Com tranquilidade, a jovem começou a pensar no tipo de homem que desejava conhecer. Nesse estado mental relaxado, ela dormiu profundamente. Na manhã seguinte, acordou com o telefone tocando. A chamada era de um milionário solteiro, a quem um amigo comum havia sugerido que ligasse para ela da próxima vez que passasse pela cidade. E ele provou ser a resposta aos sonhos de casamento daquela modelo!

Um importante metafísico recomenda esta afirmação poderosa antes de dormir: "Eu devo dormir, mas o meu Deus interior continua acordado, trazendo uma conclusão bem-sucedida aos meus problemas atuais, de acordo com a ordem divina".

É bom dar apoio a si mesmo, afirmando com frequência: "Deus me ama, Deus está me guiando, Deus está me mostrando o caminho". Não espere que os outros o tranquilizem, elogiem ou expressem a confiança deles em você. Em vez de ficar se lamuriando porque não o fazem, garanta a si mesmo que "alguém se importa": Aquele que o criou e que está sempre interessado em você.

As afirmações desenvolvem a sua confiança

Para desenvolver a confiança inata em sua capacidade de ser bem-sucedido, eu sugiro que você releia o capítulo 6, "A lei do comando", e use as palavras de comando dadas ali. Use afirmações para liberar sua autoconfiança de três maneiras: (1) diga-as em voz alta pelo menos cinco minutos por dia, em algum lugar em que você tenha privacidade; (2) ao longo do dia, leia as afirmações que você escreveu em cartões ou em um livro; (3) pegue-as e leia-as também quando o medo ou a incerteza parecerem querer agarrá-lo. Você pode fazer isso estando em meio a outras pessoas, atendendo telefones e no meio de atividades frenéticas, e ninguém jamais saberá de onde as suas "descargas" de confiança vêm.

Um supervisor responsável por um grupo de vendedores de livros em um período de recessão era o encarregado de treiná-los para vender enciclopédias. Porém, eles voltavam regularmente de suas excursões de vendas reclamando que os tempos eram difíceis e que ninguém estava comprando. Como tinha de continuar positivo e parecer confiante, o supervisor disse que a única maneira com a qual conseguia neutralizar o pessimismo dos vendedores, convencendo-os de que poderiam vender, era indo para outra sala, pegando suas afirmações e lendo-as repetidas vezes. Em seguida, ele inspirava fundo, ajeitava sua postura, voltava à sala onde estavam os vendedores e fazia novas afirmações positivas, reiterando sua confiança em todos ali, em sua capacidade de vendas, na qualidade do produto e na necessidade que os clientes tinham dele, a despeito das condições financeiras. Deste modo, ele restaurou a confiança dos envolvidos, e eles recomeçaram a vender.

Pelo menos uma vez por dia, escreva durante quinze minutos (ou mais) sua afirmação favorita para o sucesso, confiança e resultados perfeitos. Escrever essas palavras de confiança o ajudará a implantar a ideia com firmeza em seu subconsciente, que então trabalhará cada vez mais duro e mais rápido para produzir bons resultados. As afirmações são os construtores mais eficazes de confiança.

Quando a dúvida ou o medo quanto à sua habilidade de ser bem-sucedido se abater sobre você, talvez deva usar esta série de afirmações, que uso para vencer a timidez e a sensação de não ser boa o bastante: "O bem divino é destinado a mim, eu devo tê-lo, e eu o reclamo agora".

Com relação a qualquer situação, problema ou pessoa que tente despedaçar sua fé e sua confiança na bondade de Deus, afirme: "Eu tenho fé inabalável na conclusão perfeita de cada situação em minha vida, pois Deus reina absoluto".

Depois de usar as afirmações, desenvolva sua autoconfiança preparando-se para o pior e ousando lutar pelo que deseja, ainda que antes tivesse medo de tentar. Primeiro, declare: "O poder onipotente de Deus vai à minha frente, tornando meu caminho fácil, bem-sucedido e agradável". Se começar a se sentir em dúvida ao longo do dia, eleve-se, afirmando: "Eu posso tudo através Dele, que me fortalece. Eu sou forte no Senhor e no poder de Sua força. O resultado perfeito surge agora!".

Fique firme quando a sua autoconfiança estiver sendo testada

Outro pensamento poderoso com o qual você pode preencher sua mente para chegar à autoconfiança é este: "A infinita sabedoria me guia, o amor divino me faz prosperar, eu sou bem-sucedido em tudo o que realizo". Um executivo ressaltou que, depois de afirmar o sucesso e tomar as primeiras atitudes para que isso aconteça, com frequência sua fé e sua confiança são testadas. Ele descobriu, por exemplo, que, quando comprava novas ações, seu preço parecia baixar durante um período, de modo que parecesse que ele havia investido imprudentemente. Durante tais períodos de teste, ele sempre afirmava as palavras que descrevi acima. Essa prática lhe deu fé e confiança para suas próprias decisões, fazendo que ele aguentasse firme até que as ações subissem, conseguindo, assim, um bom lucro com elas.

Esse é um ponto importante a lembrar depois que você ousa seguir suas convicções. É como se você fosse desafiado por forças invisíveis, que testam sua confiança em suas decisões. É hora, então, de segurar firme no que você acredita sinceramente ser verdadeiro. Você já lançou a fundação com as afirmações de sucesso e de resultados perfeitos. Agora, deve provar a si mesmo e aos outros que tem o que é preciso para seguir adiante com suas convicções. À medida que o faz, a maré com certeza virará, e sua confiança será multiplicada, enquanto a confiança dos outros em você com frequência é triplicada. É nesse ponto que você pode afirmar: "Nada faz prosperar como o sucesso".

Quando em circunstâncias terríveis, é bom invocar a autoconfiança, afirmando: "Deus ordenou a Seus anjos que me guardem". Um executivo me contou como, numa noite escura, pareceu que ele tinha um anjo da guarda protegendo-o. Ele havia acabado de sacar seu salário, e sua carteira estava recheada. Como um amigo havia prometido pagar-lhe uma soma que lhe devia, foi a uma área mal iluminada da cidade para receber. Ao passar pela esquina de um prédio mal iluminado, dois sujeitos estavam nas sombras. Um deles estava em posição para alcançar e agarrar um transeunte, com uma arma à vista. O segundo homem estava perto de seu cúmplice. Entretanto, enquanto esse executivo contornava a esquina do prédio, os dois homens ficaram parados, permitindo que ele passasse incólume, embora seus bolsos estivessem cheios de dinheiro. Quando entrou naquela região sombria, ele se lembrou das palavras do Salmo 23: *Ainda que eu andasse pelo vale da sombra da morte, não temeria mal algum, porque tu estás comigo.*

Desenvolva a sua confiança através da imaginação

Para ajudar a desenvolver sua confiança em seu poder concedido por Deus, sugiro que você releia o capítulo 5, "A lei da imaginação", e que faça uma Roda da Fortuna, colocando nela imagens do bem tangível que você quer obter. Olhando todos os dias para os resultados representados em sua Roda da Fortuna, você estará preenchendo sua mente com imagens confiantes do bem que deseja.

Uma das declarações que certa vez coloquei na minha Roda da Fortuna era: "Coisas boas começam a acontecer agora". Uma série de resultados felizes surgiu. Outra declaração que acho muito poderosa para minha Roda da Fortuna é esta: "Esta é a hora da realização divina. Agora, milagres se sucedem, e as bênçãos divinas nunca param". Ao preencher sua mente com imagens mentais, você concede a ela a confiança de transformar essas imagens em resultados tangíveis.

De fato, se você criar uma imagem mental, ela criará as condições de que você necessita. Se não tem confiaça que seus desejos se tornarão reais, coloque uma imagem do resultado desejado onde você possa vê-la todos os dias. Sua mente irá convencer-se disso, e suas convicções se realizarão.

Outra maneira simples de desenvolver a autoconfiança é pedir diretamente ao Pai amoroso por orientação sobre qualquer coisa que o preocupe. Como já dissemos antes, a solução divina é a solução sublime!

Associe-se a pessoas autoconfiantes

Outro modo delicioso de desenvolver a sua autoconfiança é conectar-se com pessoas que também sejam autoconfiantes. Ainda que não perceba, você irá começar a absorver a atmosfera de segurança que emana dessas pessoas e que logo se tornará viva também em você. Se fizer contato com uma ou duas pessoas com mentalidade próspera e autoconfiante, estas irão subconscientemente inspirá-lo e elevar-se a níveis cada vez mais elevados de pensamento e expectativa. Talvez Jesus estivesse pensando no poder da autoconfiança quando disse: *E eu, quando for levantado da terra, todos atrairei a mim* (Jo 12:32).

Outras formas de desenvolver a autoconfiança foram explicadas no capítulo 14, relativas ao desenvolvimento da intuição e da imaginação criativa, assim como os cinco "supersentidos", discutidos no capítulo anterior.

Invoque o bem nas outras pessoas

Vamos refletir agora sobre a última maneira de desenvolver sua autoconfiança e ajudá-la a surgir em outras pessoas. Comece apreciando, elogiando e invocando o bem nos outros. Fale com outras pessoas sobre seus aspectos positivos. Ouse elogiá-los. Diga palavras de gentileza, edificadoras e de sucesso. Conheço um executivo cujo fracasso prévio se transformou em sucesso, depois que sua esposa renovou a confiança em suas capacidades empresariais, passando a falar disso para ele todos os dias. Há pouco tempo, ouvi também a declaração de um fotógrafo, dizendo que seu grande sucesso no mundo da moda foi resultado da atitude de expressar às modelos sua confiança na capacidade delas, mesmo antes de começarem a sessão de fotos. Ele disse que, apenas mostrando sua confiança nelas, as modelos se tornavam radiantes diante da câmera. Então, ele podia fazer o dobro do trabalho na metade do tempo. Poucas repetições eram necessárias.

Se você pensa algo bom sobre alguém, diga-lhe! Se tem confiança em uma pessoa que ainda está batalhando para ser bem-sucedida, diga-lhe! Não espere até depois que ela tenha sucesso para dizer: "Fulano, como estou orgulhoso de você... Mas eu sempre soube que você conseguiria". Diga palavras de elogio e confiança antes que ele ou ela obtenha o sucesso. É justamente quando ele mais precisa delas. Mais sobre isso no capítulo sobre o charme.

A maioria das pessoas usa uma máscara. Se você puder ver atrás das máscaras de suas vidas, poderá perceber como palavras gentis são revigorantes. É como atirar uma boia para alguém que está se afogando. É melhor exagerar, se for possível, do que deixar passar a oportunidade de elogiar alguém. Suas palavras podem ser o ponto de virada de alguém na escalada rumo ao sucesso. E alguém pode fazer o mesmo por você, quando você mais precisar. Até pessoas que o mundo considera altamente bem-sucedidas anseiam por palavras de confiança, atenção e apreciação. A confiança sincera em nós mesmos e nas outras pessoas tem um poder milagroso quando expressa.

A verdade disto me foi relatada há pouco tempo por uma dona de casa, que escreveu: "Ninguém melhor que eu conhece o poder das palavras de elogio e apreciação, quando ditas por alguém. Antes de perceber esse poder, eu era uma lamentadora crônica, e toda a atmosfera à minha volta era saturada de reclamações e dedos apontando defeitos. Descobri que palavras de confiança, atenção e apreço não só ajudam os outros, mas também eliminam a dor de meu corpo e a preocupação de minha mente".

Desde que adotei o método de expressar elogios e demonstrar confiança a outras pessoas, houve uma grande mudança em minha vida doméstica; isso é especialmente verdadeiro com relação a meus filhos e minha empregada. Eu não a censuro mais por aparentes descuidos ou acidentes, elogiando-a, sim, por suas boas intenções, sua fidelidade e sua bondade. Descobri que o próprio ato de falar com confiança com e sobre eles invoca neles as qualidades que lhes são necessárias. Vi esse método realizar o que alguns poderiam chamar de milagre.

O poder de dizer palavras de elogio

Pude observar o poder de dizer palavras de confiança quando visitei uma família feliz, consistindo de marido, esposa e cinco filhos. Fiquei maravilhada com os cinco filhos bem-ajustados, bem-comportados, e não pude resistir a fazer a pergunta: "Qual é o seu segredo para ter cinco filhos tão felizes e corretos, nesta época de comportamentos perturbados?". A esposa, que era introvertida e quieta, disse: "Meu marido é o segredo. Ele é *tão* maravilhoso com as crianças". Eu pensei: "Como o marido pode ser *tão* maravilhoso com as crianças quando está longe, trabalhando dez horas por dia, seis dias por semana?". Mas foi então que percebi um olhar de adoração no rosto dele. Ele *acreditava* honestamente que era bom com as crianças! Depois, enquanto preparava alguma coisa para o jantar, a esposa disse ao marido, com uma apreciação sincera: "Meu querido, que fogo maravilhoso você fez!". E, de novo, pensei: "Quem elogia um homem pelo fogo que acendeu?". Porém, funcionou: ele quase fez uma fogueira! Tive a sensação de que, se ele tivesse feito uma fogueira e posto fogo no quintal, sua esposa provavelmente responderia dizendo: "Meu marido não é o mais maravilhoso incendiário?". Não é de se admirar que a família seja tão feliz!

Invoque a confiança discretamente

Junto com palavras deliberadas de elogio, gentileza, consideração e apreciação a outras pessoas, é bom declarar silenciosamente para elas e por elas: "(Fale o nome de quem você deseja abençoar), eu tenho confiança em sua orientação e nas habilidades concedidas a você por Deus; eu o vejo agora passando de um sucesso para outro ainda maior, com a rica ajuda divina. Seu sucesso é grande, poderoso e irresistível e se manifesta agora". Isso não quer dizer que você esteja tentando ganhar um controle hipnótico sobre a mente de outra pessoa. Você simplesmente está lhe abençoando com seus elevados pensamentos de sucesso. Controlar a mente de outra pessoa é objeto do pensamento de um pensador próspero. A hipnose tem o seu lugar na pesquisa médica e científica, mas não é para uso geral. Uma pessoa nunca tem o direito de assumir o controle do pensamento de outra. Tais ações em geral só trazem confusão e infelicidade a todos os envolvidos.

A liberdade é uma das grandes leis mentais do universo, e um pensador próspero sabe disso. Se você declarar ideias de sucesso e de bênçãos para outras pessoas, não há perigo em tentar controlá-los mentalmente. O controle chega quando se tenta ser específico, forçando mentalmente as ações dos outros a seu próprio modo egoísta de pensar. As afirmações para você mesmo não vão hipnotizá-lo. Em vez disso, elas o libertam das ideias de fracasso e negação que você eventualmente pode ter aceitado, antes que percebesse o poder do pensamento.

Um executivo de uma grande empresa conseguiu o sucesso expressando a seus empregados ideias de elogio, apreciação e confiança. Certa vez, um jovem prisioneiro em liberdade condicional lhe foi apresentado como candidato a um emprego. Esse executivo expressou sua confiança na capacidade do ex-prisioneiro de fazer o bem, contratando-o. Ao longo dos anos, ele continuou expressando confiança e expectativa positiva a seu funcionário. Hoje, o ex-prisioneiro é um executivo naquela empresa!

A sua autoconfiança irá se multiplicar

Você não faz ideia de quanto suas palavras de confiança significam, nem quanto elas podem gerar de bem para outras pessoas. Quando diz palavras de confiança a outros, acaba atraindo o bem para você, pois o que é enviado retorna multiplicado.

Além desses vários métodos de desenvolvimento da autoconfiança, e com os mais científicos que lhe demos nos últimos dois capítulos, aqui está mais um que nunca deve ser subestimado. Psicólogos dizem que a oração é um dos maiores construtores de confiança do mundo, e eu acredito nisso. Sugiro que você releia o capítulo 13, que fala dos quatro métodos básicos de oração. Orando, você se conecta a *algo divino* no seu interior e a seu redor, liberando grande fé e poder. Então, você é preenchido com confiança e com o entusiasmo para seguir adiante.

Alguém já disse que é quem "pensa que pode" que consegue realizar. Lembre-se: o esforço para impressionar os outros também é um excelente construtor de confiança. Ao fazer o que pode para conseguir a confiança, você dará a si mesmo e aos outros a impressão de sucesso garantido. Seus próprios pensamentos e os das outras pessoas então se multiplicarão, e os resultados exitosos esperados virão a você.

Por meio dos vários métodos mencionados aqui, seus pensamentos são elevados e a autoconfiança se torna um estado mental habitual, começando, inconscientemente, a trabalhar para você. Em seguida, sua prosperidade chegará, numa avalanche de sucesso repleta de elogios!

Capítulo 17: A lei do charme

Sir James Barrie certa vez escreveu sobre o poder do charme: "Se você o tem, não precisa de mais nada. E se você não o tem, nada mais que você tenha interessa!".

A palavra "charme" fascina a maioria das pessoas. Uma vez, quando eu estava em uma palestra para um clube feminino no Alabama, o único homem presente era um executivo que tinha feito sua palestra antes. Imediatamente após sua sessão, a presidente do clube disse: "Nós sabemos como você é ocupado. Por favor fique à vontade para ir embora, se sua agenda exigir". Ele respondeu: "Oh, não. Eu quero ficar para ouvir o que a oradora tem a dizer sobre o charme. Os homens também se interessam sobre esse assunto". Esse assunto, aliás, foi trazido à minha atenção pela primeira vez há vinte anos, quando fiz as anotações originais para este capítulo. Tais esboços foram descartados depois que a versão final foi escrita. Numa época em que o triturador de papel não era popular, um zelador encontrou aquelas notas em minha cesta de lixo e perguntou se poderia ficar com elas para estudá-las: "Eu também quero saber mais sobre o charme". Mais recentemente, fui convidada para falar para quinhentas senhoras no Country Club de Phoenix sobre o charme... e que tumulto isso causou! Por quê? Muitos dos maridos delas também queriam ir à palestra!

O termo "charme" encanta as pessoas porque é quase indecifrável, indescritível, e seu mistério rende fascinação. Todavia, o dicionário descreve "charme" como "a capacidade de cativar, agradar ou de encantar". Esse é, com efeito, um aspecto do charme, mas não é toda a verdade sobre ele. Ainda assim, apenas esse aspecto do charme já faz que a maioria das pessoas queira dominá-lo em suas muitas facetas.

Como fui apresentada ao charme

Muitas décadas atrás, tive uma experiência no meu primeiro ano no ministério que me fez querer saber mais sobre essa coisa chamada charme. Numa noite de verão, recebi um telefonema urgente de uma jovem senhora que insistia em me ver imediatamente. Quando ela entrou em meu estúdio, era tão bela e afável que devo admitir que fiquei mais impressionada com o charme dela do que com os seus problemas, ainda que não fossem para ser subestimados. Ninguém como ela tinha cruzado meu caminho ainda, nem enquanto eu ainda trabalhava no mundo empresarial, nem depois, como ministra. Talvez fosse o meu aspecto estritamente feminino se reafirmando, mas eu fiquei fascinada quando descobri que ela era dona de uma escola de modelos ("escola de charme"), da qual ela era a melhor propaganda.

Depois de aconselhá-la, nós oramos pela solução divina de seus problemas. Quando ela se levantou para sair, eu me lastimei que a nossa entrevista tivesse terminado, pensando: "Aí está alguém que eu provavelmente nunca mais verei". De maneira inocente, presumi que as pessoas do mundo glamouroso das passarelas e da moda não deveriam prestar muita atenção ao pensamento religioso. Poucos domingos depois, no entanto, eu a vi sentada na congregação. Logo iniciamos uma amizade que estava destinada a durar várias décadas e milhares de quilômetros. Ela, que tinha vindo a mim para ser aconselhada, também me aconselhou no desenvolvimento do meu interesse no fascinante assunto do charme.

O que o charme tem a ver com a prosperidade

Você pode estar pensando: "Mas o que o charme tem a ver com a prosperidade?". Resposta: "Tudo!". "Mas por quê?" Porque, embora o charme tenha muitas facetas, se ele pudesse ser definido em apenas uma palavra, essa palavra seria "harmonia": harmonia da mente, do espírito, do corpo, nos relacionamentos, nos eventos da vida da pessoa e na atmosfera em que ela vive e trabalha. A harmonia é a primeira condição para a verdadeira prosperidade e para o sucesso. Enquanto a desarmonia desvia, repele e dissipa o bem da pessoa, a harmonia atrai tudo isso para ela.

Dois executivos texanos desenvolveram um conglomerado de bancos, companhias de seguro e incorporadoras imobiliárias, de costa a costa nos Estados Unidos. Eles agora gozam um estilo de vida bastante cosmopolita. No entanto, há pouco tempo eles explicaram a um novo empregado: "Nossa primeira exigência é que nossos empregados trabalhem discretamente, com facilidade, em paz e em harmonia. Nós não permitimos pressa, estardalhaço, alvoroço de telefones tocando nem de equipamento de escritório, e não permitimos fofoca entre nossos funcionários. Desenvolvemos um amplo negócio multimilionário insistindo na harmonia, na paz e na confidencialidade em cada aspecto da nossa organização". Esse novo empregado comentou: "Imagine! Sentar em um escritório onde milhões de dólares são gerados e, mesmo assim, permanecer em tamanho silêncio e harmonia que eu poderia ouvir um alfinete cair!".

O charme é harmonia, e a harmonia atrai prosperidade.

O charme soluciona problemas

A vida pode ser linda; ela não precisa ser chata, cheia de problemas ou frenética, e essa não somente é a mensagem da maioria das grandes religiões mundiais, filosofias e estudos metafísicos. É também a mensagem básica do charme.

Todas as pessoas normais procuram, em algum nível, o charme em sua vida, na forma de harmonia. O desenvolvimento do charme leva ao progresso individual, tanto interno quanto externo. Uma autoridade no assunto certa vez disse ser grata pelas circunstâncias infelizes da sua vida, pois justamente estas a tinham feito perceber a importância de apurar o charme.

A despeito de como você o chame, o que a humanidade deseja é ter mais charme na vida. E por que não? Esse é um desejo básico, concedido por Deus. Libertar-se dos aborrecimentos é uma necessidade universal que não deveria ser suprimida, mas expressa de formas definitivas, construtivas e satisfatórias. Macbeth, de Shakespeare, descreve uma vida charmosa como "aquela protegida do mal como que através de mágica". O charme dá à pessoa autoconfiança[36] e "aquele quê a mais" que ajuda a pessoa a enfrentar e vencer os obstáculos de seu caminho. Os problemas arrumam um modo de se transformar em soluções quando a pessoa é capaz de enfrentá-los com a confiança e o equilíbrio interior vindos do charme. Tais aspectos podem fazer da vida uma aventura excitante, em vez de uma experiência repleta de tédio. E é disso que se trata "uma vida charmosa". Emerson poderia estar descrevendo os benefícios do charme quando escreveu: "Grandes corações enviam forças secretas que incessantemente atraem grandes acontecimentos".

Uma vez, recebi uma "crítica construtiva" de um famoso crítico, que era qualquer coisa menos construtiva. Nada estava certo, nem na minha palestra nem no local onde ela foi realizada. Ele reclamou que as ideias apresentadas por mim simplesmente não funcionariam para ele. Quando consultei meu grupo de orações sobre como lidar com a situação, eles sugeriram que começássemos a afirmar para aquele viúvo solitário, infeliz e crítico: "Você anda pelo círculo de charme do amor divino, e agora você se torna irresistível a seu mais alto bem". Essas palavras funcionaram mais cedo do que nós esperávamos. Ele conheceu a viúva de um ferroviário, que não queria se casar com ele para não perder os substanciais benefícios que recebia como pensão. Porém, ela ficava feliz em ser amiga dele. Em pouco tempo, foram juntos a uma de minhas palestras, sentando-se juntos na primeira fila, e de mãos dadas. Depois dessa primeira palestra, essa viúva olhou seu acompanhante e disse, muito inocentemente: "A palestra dela não foi maravilhosa?". Isso pôs um fim às atitudes desarmoniosas e críticas daquele homem, que logo estava levando uma vida feliz, com a companheira que esperara por tanto tempo. O charme da harmonia se restabelecera, na minha palestra.

---

[36] Veja o capítulo 16.

O charme não tem idade

Margery Wilson nos garantiu: "O charme não tem uma idade particular. Velhos, jovens e todos os intermediários podem ser perfeitamente adoráveis".[37] A Sra. Ponder, minha finada sogra, provou-me isso. Ela tinha uns 60 anos quando a conheci, e viveu até os 89. Nesse período, sempre foi uma mulher encantadora. Embora nunca tenha feito o curso de Dale Carnegie, sempre falava com as pessoas nos termos dos interesses delas, e não dos seus próprios interesses. Era uma "senhora sulista da velha guarda", com a etiqueta correspondente. Bonita, ela não era, mas era inesquecível. Ela sempre foi um membro da "geração do agora"; nunca olhou para trás. Sempre maquinava o futuro, mesmo quando as enfermidades da idade tentavam pegá-la. Embora seus últimos anos tenham sido desagradáveis, com dores e outras questões físicas, ela nunca mencionava isso. Os desapontamentos e as dores que a vida tinha lhe dado nunca eram discutidos. Ela foi uma líder da vida e das pessoas até o fim. Antes que eu a conhecesse, não podia entender por que sua família falava dela com tanta afeição. Quando a conheci, compreendi perfeitamente.

Outro "encantador" era um senhor de 78 anos. Em um dia frio fui chamada ao hospital onde ele estava em observação. Minha programação estava tão lotada na época que eu me sentia cansada e deprimida. Porém, no instante em que entrei no quarto, ele começou a contar todas as experiências engraçadas que tinha vivido no hospital, e eu imediatamente comecei a me sentir melhor. Quando a visita acabou, me sentia no topo do mundo de novo, e graças ao paciente. Admirei-me do charme daquele homem; era um homem maduro, e apreciava cada minuto de sua vida.

Mencionei no capítulo 11, que fala sobre o amor, quando uma professora pediu a seus alunos adolescentes que escrevessem quais eram seus maiores problemas na vida. Suas respostas anônimas indicaram que seu desejo básico era mais harmonia em suas experiências de vida, especificamente em seus relacionamentos. Então, o desejo pela harmonia do

---

[37] WILSON, Margery. *Charm.* Filadélfia/Nova Iorque: Lippincott Co., 1928.

charme não pertence a nenhum grupo em particular. Pessoas de todas as idades anseiam por isso, e as muitas qualidades do charme podem ser desenvolvidas durante toda a vida.

O charme é inato, e paga grandes dividendos

Quando penso no passado e nas milhares de pessoas que conheci, desejaria ter conhecido mais daquelas que irradiam o verdadeiro charme, sincero e genuíno. Embora muitos de nós sintam que o charme aparece apenas em pequenas doses em nossas vidas e que pareça ser uma qualidade rara, isso não tem que continuar assim. O charme não é uma qualidade que apenas alguns recebem ao nascer, como muitos de nós fomos ensinados a acreditar. Não, o charme é inato dentro de cada um de nós, estando apenas à espera para ser desenvolvido. Ele, como a beleza, está nos olhos de quem o tem. Assim, seu desenvolvimento pode tomar uma forma diferente para cada um. Dos meus estudos sobre o assunto, sinto que há três níveis em que o charme pode ser desenvolvido, expresso e apreciado: (1) Espiritual, (2) Mental-emocional e (3) Físico.

Primeiro nível: o charme espiritual

Uma *expert* internacionalmente conhecida certa vez disse: "O charme real vem de dentro. É uma irradiação, um brilho interno." O charme espiritual é desenvolvido pela prática diária de quietude, reflexão, oração, meditação e estudos edificantes.

Uma vez, visitei um grupo de pessoas que havia conhecido muitos anos antes. Embora antes fossem líderes cultos e abastados da comunidade, dessa vez pareceram totalmente sem graça, chatos e monótonos, até. Quando refleti sobre isso, percebi em pouco tempo a razão: durante muitos anos, depois que os conheci, fiquei imersa no trabalho espiritual, tendo contato diário com pessoas que oram, irradiando algo diferente das que não o fazem. Esses antigos conhecidos não faziam parte dessa fase de minha vida. Eles não investiam tempo diário na prática de oração, meditação e estudos inspiradores, e eu pude sentir isso. Meu contato com eles lembrou-me de que não há nada mais sem graça que uma pessoa que não ora. A prática diária de desenvolvimento espiritual dá ao indivíduo um poder atraente, magnético, um charme místico que ninguém mais possui. Como um certo policial nova-iorquino, que ia à missa todas as manhãs. Aprendi com ele que o brilho espiritual interior tem um charme próprio.

Nas muitas palestras que dei, em igrejas de várias denominações, descobri que, ao entrar em uma igreja, eu quase sempre podia dizer se nela havia um ministro, um grupo ou líderes que praticavam a oração. Quando havia, dali irradiava uma atmosfera harmoniosa, elétrica, feliz. Ao contrário, as igrejas com um perfil mais comercial não eram tão abençoadas. Frequentemente pareciam frias, sem vida, e com tendência a problemas. *A oração, a meditação e o estudo inspirador estão entre os modos mais rápidos e mais permanentemente satisfatórios de desenvolver o brilho interior, a irradiação interna associada ao charme espiritual.* Lares, negócios, igrejas e outras atmosferas podem refletir o benefício do charme espiritual, assim como as pessoas.

O charme espiritual tem um poder próspero

O charme espiritual tem o poder de fazer prosperar por irradiar uma sensação magnética que atrai aqueles que desejam ter um bem maior em suas vidas. A troca faz prosperar. Muitas pessoas levam vidas tão corridas, dispersas, confusas e desarmoniosas que afugentam a prosperidade para longe. Mas essas mesmas pessoas com frequência são atraídas por outras, que dedicam parte de seu tempo para serem sagradas, ou para se tornarem inteiras e bem integradas interna e externamente. Pessoas assim desenvolvem um senso de bem-estar e de segurança interna, apreciado pelo mundo inteiro.

Um médico me disse que o segredo de sua atividade bem-sucedida era passar uma hora todas as manhãs meditando. Ele decretava que o Espírito do Senhor seguia em sua frente naquele novo dia, tornando o seu caminho fácil e bem-sucedido. Ele orava para que as pessoas que podia curar fossem atraídas para ele. Esse médico obtinha, assim, paz, entusiasmo, poder e controle de seu dia. Depois, antes de abrir o consultório, passava mais quinze minutos meditando com seus funcionários, afirmando juntos a "ordem divina" e "resultados divinos". Ao longo do dia, ele repetia: "Sou elevado e sustentado pela mente do Cristo, e nada pode perturbar a tranquila paz da minha alma".

Um procurador certa vez relatou que sua bem-sucedida prática advocatícia era resultado de períodos diários de oração e estudo espiritual. Declarou: "A Bíblia está cheia de 'segredos do charme', seja nos Salmos, nos Provérbios e nos Evangelhos". Ele mantinha inúmeros livros edificantes em suas prateleiras, assim como livros de direito. Quando seus clientes estavam muito perturbados, junto a seu aconselhamento legal, esse procurador com frequência também sugeria que lessem um livro inspirador.

O desenvolvimento do charme espiritual tem o poder de fazer prosperar porque dá a capacidade de assumir o controle de seu mundo, primeiro de dentro para fora e, depois, de modos externos. O charme espiritual o ajuda a dar a volta por cima dos problemas da vida, levando-o a ajudar os outros. Portanto, esse provou ser um dos melhores investimentos que você poderia fazer!

Um corretor de ações disse que teve seu melhor mês depois que passou a usar a oração que apareceu em sua mente em um período de meditação matutina: "Ideias ricas e divinas agora vêm para mim, e sou prodigamente guiado, prosperado e abençoado".[38]

Segundo nível: o charme mental-emocional

Os aspectos mentais e emocionais do charme têm a ver com atitudes positivas e reações emocionais construtivas às diversas experiências da vida. A professora que me introduziu ao tema do charme refez seu curso depois de ouvir sobre tais questões. Com suas instruções sobre a faceta física do charme, ela começou a enfatizar os demais aspectos. Ensinava suas alunas a encarar a vida de modo afirmativo, alegre e esperando o bem, expressando a atitude de que algo positivo pode ser obtido de cada

---

[38] Para o desenvolvimento do charme espiritual, estude o capítulo 13. Também é sugerido o estudo dos livros *As leis dinâmicas da oração* e *O poder próspero da oração*.

experiência. Uma ocasião, enquanto visitava uma de suas aulas, observei uma jovem tentando aprender uma nova maneira de se sentar, sem muito sucesso. Finalmente, disse: "Eu não consigo fazer isso". A instrutora respondeu: "Nunca diga que não pode, porque, sim, você pode. Observações negativas não trazem resultados charmosos". A aluna tentou de novo e, desta vez, conseguiu.

Depois que a professora incluiu os três aspectos do charme, suas alunas passaram a ser mais requisitadas para trabalhos fotográficos, na televisão e em desfiles de moda; várias delas fizeram "fama e fortuna". Como resultado da ênfase sobre a natureza tripla do charme, essa instrutora se tornou uma palestrante popular. O comentário feito com mais frequência pelas pessoas que a ouviam era: "Eu nunca havia recebido uma explicação tão completa e satisfatória sobre o que é o verdadeiro charme".

Em nossa exuberância juvenil, ela e eu certa vez nos unimos para dar um curso especial de charme para senhoras da minha igreja, enfatizando os três aspectos. O curso foi tão popular que não foi possível acomodar todas as pessoas que queriam fazê-lo. O jornal local ouviu falar que um curso de charme estava sendo dado em uma igreja, e mandou um repórter investigar. Ele ficou tão intrigado com o curso que tivemos problemas em nos livrar dele, ainda que o tenhamos feito graciosamente. Quando ele escreveu um belo artigo sobre nós, isso só aumentou (e reforçou) nosso sucesso.

Embora varias décadas tenham se passado e essa professora de charme esteja vivendo sua vida feliz em outro lugar, ela ainda continua a dar cursos de charme. Há pouco tempo, ela me contou esta experiência:

> Eu acabei de organizar a festa e o desfile anuais de Natal para minhas alunas em um *country club* próximo. Havia trezentas pessoas, e as vinte modelos do desfile eram estreantes. Estavam muito nervosas, pois muitas pessoas na plateia eram modelos profissionais e caçadores de talentos de Nova Iorque. O *backstage* estava uma confusão só. Logo percebi que tínhamos de nos acalmar antes que

o desfile começasse. Então, reuni todas as garotas em um grande círculo e declaramos juntas as palavras que aprendi há 25 anos: "Eu ando no círculo de charme do amor divino, e agora sou divinamente irresistível ao meu mais alto bem". Com essas palavras, tudo foi posto em ordem e o desfile então aconteceu, e com grande sucesso.

O charme é gentileza

A harmonia do charme mental-emocional pode ser definida basicamente como "gentileza". Esse aspecto do charme tem sido descrito como a "capacidade de fazer alguém pensar que *ambos* são maravilhosos"! O autor dos Provérbios descreveu esse aspecto do charme: *Não te desamparem a benignidade e a fidelidade; ata-as ao teu pescoço; escreve-as na tábua do teu coração. E acharás graça e bom entendimento aos olhos de Deus e do homem* (Pv 3:3-4). Pesquisas têm demonstrado que a maior necessidade humana é a de gentileza, de cortesia e de ser tratado decentemente. Aqueles que parecem não ter problemas podem justamente ter os maiores problemas de todos; então, todos precisam de gentileza e consideração.

Uma divorciada estava sentindo pena de si mesma e vivia reclamando a um amigo sobre os problemas de ser mãe solteira. Ela disse: "Eu queria ter tido a vida boa do Prof. Smith. Ele é um solteiro despreocupado, sem família para sobrecarregá-lo". O amigo engasgou, surpreso: "Você evidentemente não sabe muito sobre os desafios da vida do Prof. Smith. Os pais dele morreram cedo, deixando-o com seis irmãos e irmãs para criar e educar. O último deles acabou de sair da faculdade e vai exercer a profissão que escolheu. O Prof. Smith só agora está começando a ter uma vida normal".

Todos nós somos um punhado de emoções, e por isso uma palavra gentil é muitas vezes tudo o que precisamos para nos renovarmos, restaurarmos e elevarmos a um estado mental vitorioso. Certa ocasião, quando estava retida em um aeroporto, como resultado de um voo cancelado, uma criança pequena chegou e começou a conversar comigo. A visita dela me fez ganhar o dia!

Uma pessoa charmosa ousa expressar sua gentileza dizendo coisas bonitas para os outros. Se pensar algo elogioso sobre alguém, não apenas pense, nem diga isso para uma terceira pessoa: diga (ou escreva) diretamente à pessoa envolvida. Ouse cumprimentar as pessoas e transmitir-lhes elogios. Como mencionamos no capítulo sobre autoconfiança, quando alguém tem problemas, não espere até que estes tenham sido resolvidos para dizer: "Eu sempre soube que você iria conseguir". Se é assim que você pensa, por que não dizê-lo quando mais precisam ouvi-lo de você? Dê às pessoas um impulso *antes* que apareçam os sinais da vitória. Essa é a verdadeira gentileza, o charme genuíno em ação.

Quem é mental e emocionalmente charmoso sabe como receber e como fazer um elogio. Se você subestima um elogio ou um ato de gentileza, esse pode ser o último que vai receber. Aceite com gratidão palavras e ações com expressões simples de agradecimento. Se alguém elogiar um objeto inanimado, o dono nunca deve responder: "Oh, aquela coisa velha?". Deve, em vez disso, dizer: "Obrigado. Fico feliz que tenha gostado". Esse ponto pode parecer insignificante, até mesmo básico, mas um elogio é um grande ato para a pessoa que usou o seu tempo e se importou em fazê-lo. A rejeição de um elogio pode ter o mesmo efeito de um tapa na cara.

Um vizinho consciencioso uma vez relatou como se sentiu mal por ter se esforçado para preparar um prato de sopa quente em um dia frio e levá-lo à sua amiga doente. Em vez de dizer: "Obrigada", a mulher disse, quase asperamente: "Oh, não precisava". Ela sem dúvida quis ser gentil, mas suas palavras deram a impressão de desconsideração. O vizinho aceitou o que ela disse e nunca mais tentou outro ato de gentileza com ela.

A cortesia de escrever notas de agradecimento também não saiu de moda. Conheço uma jovem que perdeu a oportunidade de ter seu curso superior pago porque se recusou a escrever notas de agradecimento por presentes menores, ainda que precisasse deles e não os pudesse ter sozinha. Conheço várias pessoas que perderam heranças substanciais por causa de indiferença semelhante. Em cada caso, os doadores da generosa prosperidade pensaram que, como os presenteados desdenhavam presentes menores, embora valiosos, certamente não saberiam tomar conta de presentes maiores.

Como superar a destrutividade da fofoca

Uma forma importante de imprimir a gentileza do charme é percebendo que a fofoca é considerada um erro tanto social quanto espiritual. Hoje em dia, quando há tantas coisas construtivas e fascinantes para comentar, denegrir alguém ou ser mexeriqueiro é sempre algo sem graça e desapontador, repelindo o bem de todos os envolvidos. Podemos selar nossos lábios parafraseando as sábias palavras dos Provérbios: *O bom siso te guardará e a inteligência te conservará* (Pv 2:11).

Certa vez, quando um colega tentou denegrir um amigo comum durante a hora do almoço, uma executiva olhou para ele incrédula, mas não disse nada. Em seguida, declarou: "Não há fofoca no espírito, então não há fofoca nesta conversa". E o assunto não foi adiante. Outra executiva estava na pausa para o café com um grupo de jovens colegas de trabalho, quando eles começaram a criticar uma outra pessoa, que estava nos noticiários do dia. Essa mulher declarou, em silêncio: "Não, não, não". Na primeira oportunidade, declarou em voz alta: "Eu não creio que qualquer palavra disso seja verdade. Eu prefiro acreditar que ele é uma pessoa boa que foi vítima das circunstâncias". O tema não voltou à discussão.

Daniel, ainda na cova dos leões, deve ter recebido uma fórmula para superar e dissolver a fofoca: *O meu Deus enviou o seu anjo, e fechou a boca dos leões, para que não me fizessem dano, porque foi achada em mim inocência diante dele* (Dn 6:22).

Uma vez, quando eu soube que estava sendo criticada por uma decisão audaciosa que tinha sido divinamente guiada a tomar, declarei: "Não há condenação ou ressentimento em mim, contra mim ou à minha volta. O amor divino e a harmonia reinam supremas em mim e em meu mundo, então toda a crítica cessa". E assim aconteceu. Mais tarde, quando minhas ações ousadas trouxeram resultados arrojados, aqueles que tão facilmente tinham fofocado a meu respeito estavam entre os primeiros a me cumprimentar pelo meu mais recente sucesso. Embora apreciasse sua cortesia ao expressarem sua mudança de atitude, senti que era prudente aceitar seus elogios com indiferença.[39]

A fofoca pode inconscientemente deter o seu bem

Com frequência, empregados impedem suas próprias promoções, aumentos de salário e outras formas de reconhecimento, ainda que os mereçam, apenas por causa de críticas e fofoca sobre seus colegas. O que não percebem é que os empregadores sentem, mesmo sem perceber a falta de lealdade, sendo repelidos por ela. Conheci uma pessoa brilhante com quem queria muito fazer negócios, mas nunca fiz porque era um fofoqueiro. Suas fofocas não só lhe custaram financeiramente, mas podem ter contribuído para sua morte prematura e amarga. Teria sido mais prudente se ele tivesse ouvido a advertência de Salomão: *A morte e a vida estão no poder da língua* (Pv 18:21).

Maridos, esposas, filhos, parentes e amigos muitas vezes também impedem seu próprio bem, que de outro modo lhes chegaria, porque a crítica que fazem a outras pessoas faz que seus objetivos também sejam repelidos. Quantas vezes a fofoca e a condenação roubam a abundância e a harmonia de uma vida! *O que guarda a sua boca e a sua língua guarda a sua alma das angústias* (Pv 21:23).

Uma vez, conheci uma senhora bem intencionada que irritava cada amigo e parente seu e do marido, por constantemente criticar tudo e todos. Ela sentia muita pena de si mesma e presumia que as pessoas e as circunstâncias a tratavam mal, quando na verdade era sua própria amargura e suas atitudes que afugentavam a saúde, riqueza e felicidade que ela e o marido tanto desejavam. Numa outra ocasião, quando eu falava sobre o charme, uma das senhoras no palanque sussurrou para mim: "Assegure-

---

[39] Para lidar efetivamente com a crítica e a fofoca, estude o método de escrever cartas aos anjos, descrito no livro de Catherine Ponder, O *poder próspero do amor*.

-se de dizer a todas essas mulheres que o charme começa em casa, e que elogiar é a forma mais poderosa de charme".[40]

O poder místico da quietude

A lei da quietude se aplica com eficiência especial ao estilo charmoso de vida. Esta é uma das mais incompreendidas e mais negligenciadas leis do sucesso. Conheci um executivo que, à primeira vista, parecia ser charmoso e bem-sucedido. Era abençoado com esposa e família adoráveis, uma bela casa e estabilidade no trabalho. Era bonito, carismático, culto e tinha um certo grau de espiritualidade. Porém, em um encontro casual, e sem que eu tivesse perguntado, ele começou a me contar quanto dinheiro tinha ganhado, o tamanho de sua casa e o valor de seu carro, além de muitos outros detalhes de sua vida. Em seguida, reclamou sobre como achava que o mundo havia sido duro com ele.

Como as pessoas afastam o seu próprio bem com conversas descuidadas! Charles Fillmore explicou: "O ignorante abre as válvulas da mente e deixa as ideias fluírem, chegando a um reino com o qual elas não têm nada em comum... Daí, o poder delas está perdido".[41] A quietude sela o nosso bem e o faz crescer internamente, até que esteja forte o bastante para produzir resultados no plano exterior. A quietude também exala um certo charme místico que é bastante atrativo.

Os conceitos emocionais básicos do charme

Basicamente, o charme maior está em dar o melhor de si e em ajudar a trazer à tona o melhor nas outras pessoas. O modo gentil e simples é sempre o mais "charmoso". Uma pessoa charmosa não toma o tempo de outra pessoa se não for necessário nem permite que outros desperdicem o seu. Decepção e desculpas não fazem parte do charme. É sempre

---

[40] Veja o capítulo 6 do livro de Catherine, *As leis dinâmicas da cura*. Veja também o capítulo 8 do livro *O milionário Moisés*.

[41] *Prosperity*, p. 18.

melhor dizer: "Eu estava errado", ou "Desculpe". Vale ressaltar, porém, que uma pessoa charmosa não é um capacho.

Em um esforço para ser charmoso, às vezes as pessoas são íntimas demais. Os charmosos nunca são alegres demais, nem muito barulhentos, nem falsos ou fingidos. Não há nada falso no charme genuíno. Em lugar disso, o charme está em saber ser gentil, e mesmo assim manter distância. Uma pessoa charmosa é alguém "completo", que pensa e faz uma coisa de cada vez, que não se apressa, não se exalta, não se aborrece. O charmoso evita se zangar ou ficar muito empolgado, evita os excessos. É relaxado e entusiasmado, e não tenso e "batalhador", fazendo bom uso de cada momento de seu dia, em vez de ficar choramingando sobre o passado e o futuro. Muitos dos métodos que mencionei neste livro podem ajudá-lo a levar uma vida mais charmosa, como por exemplo as práticas do perdão e da liberação, de afirmar o amor divino, de estabelecer objetivos e de pôr em ordem sua vida interior e exterior.

Margery Wilson escreveu: "O charme é uma atitude mental que se expressa em cada detalhe de todas as áreas da vida".[42] Então, as facetas do charme são infinitas.[43]

Terceiro nível: o charme físico

O charme físico se reflete em um bem-estar radiante. Crenças pagãs do passado tomavam o sacrifício e até a tortura do corpo como um benefício espiritual. Mas o apóstolo Paulo, em vez disso, descreveu a importância do corpo: *Ou não sabeis que o vosso corpo é o templo do Espírito Santo, que habita em vós, proveniente de Deus, e que não sois de vós mesmos? Porque fostes comprados por bom preço; glorificai, pois, a Deus no vosso corpo, e no vosso espírito, os quais pertencem a Deus* (1Co 6:19-20).

Alguns especialistas alegam que somos tão emocionalmente afetados pelas aparências físicas que as posturas que adotamos em relação a

---

[42] *Charm*, p. 6.

[43] Veja o capítulo 11 sobre o amor. Também sugerimos o estudo do capítulo 9 do livro *Open your mind to Prosperity*, o capítulo 5 do livro *Os Segredos da prosperidade através das eras,* além do estudo do livro *O poder próspero do amor.*

outra pessoa na maioria das vezes são formadas quando a conhecemos, nos primeiros vinte segundos. Portanto, não subestimemos o poder do charme físico. Esta é, de fato, uma época em que o desenvolvimento desse aspecto do charme é enfatizado: pessoas são encorajadas a fazer dieta, exercícios e a praticar esportes. O charme físico tem a ver com ser saudável e ter uma boa aparência. O tom de voz de alguém, a aparência, maquiagem, estilo de cabelo, roupas, tudo isso contribui para o charme físico.

Um leitor de meus livros escreveu-me há pouco tempo do Missouri: "Minha mãe só me contou que tinha feito plástica depois que estava tudo cicatrizado. Ela disse que não queria que eu a achasse vaidosa. Quando eu lhe disse que ela era filha de um Rei e que merecia ser saudável e linda, ela pareceu aliviada".

O charme físico não tem idade

Uma das mulheres mais bem-sucedidas, atraentes e charmosas que eu já conheci foi May Rowland, que durante meio século dirigiu o famoso departamento de oração da *Unity School*, chamado *Silent Unity*. Também era uma popular escritora e palestrante, e serviu muitos anos como uma das administradoras da escola. Embora tenha passado uma vida desenvolvendo os aspectos espiritual e mental-emocional do charme, ela também sabia a importância do charme físico, e glorificava deliberadamente Deus em seu corpo. Com essa finalidade ela afirmava: "Sou jovem, forte e saudável; meu corpo sabe disso, e demonstra isso". Ela gostava de atividades físicas festivas, como quadrilha, festas e reuniões em sua casa em Unity Ridge. Era alguém que acreditava com vigor nos benefícios da dieta, do exercício e do ar fresco, e com frequência dormia no alpendre da sua casa no Missouri, mesmo com o tempo frio. O resultado: ela parecia anos mais nova do que diziam os boatos de sua idade verdadeira, e viveu uma vida longa, ativa e realizada, abençoando milhões de pessoas ao redor do mundo. Seu marido, magro e bonito, ela conheceu em um rancho no oeste, e ele acrescentou grande felicidade a suas últimas décadas de vida. Os anos da aposentadoria incluíram viagens e vida ao ar livre. Ainda que sua vida tenha sido dedicada à atividade espiritual de oração, ela a balanceou sabiamente com a apreciação de sua existência física. E quantos benefícios essa combinação lhe trouxe!

Numa ocasião, após uma viagem para uma palestra na Flórida, meu marido e eu descansamos no histórico Hotel Breakers, em Palm Beach. À noite, enquanto estávamos jantando, observamos um casal na pista de dança do restaurante que praticamente exalava charme físico. Exibiam um forte bronzeado, belos cabelos brancos e estavam vestidos com roupas coloridas, joias brilhantes. Segundo nos contaram, teriam uns oitenta anos. Disseram-nos que eram da América do Sul e seu iate estava ancorado em algum lugar na vizinhança. Tanto na pista de dança quanto fora, eles se divertiram muito. Todos naquele ambiente cheio de música, com o pé direito alto e ornado com flores, estavam cientes da atração que eles exerciam, de seu charme e de seu glamour. Não é maravilhoso saber que até mesmo o charme físico não precisa ter um limite de idade?

As infinitas possibilidades do charme

O objetivo deste capítulo era o de introduzi-lo às potentes possibilidades do charme. Livros que falam do assunto mais a fundo podem ser encontrados em qualquer livraria ou biblioteca. Há disponíveis cursos e instruções para o público geral a respeito de cada aspecto do charme. Você também pode declarar com frequência as afirmações que irão levá-lo a uma vida charmosa, encontradas no final do capítulo 7 (a lei da expansão).

Não importa quem você seja ou qual sua situação de vida: o charme pode trazer o objeto de desejo do seu coração a você. O mundo responde a quem desenvolve o charme em seus três aspectos. De fato, a humanidade irá recompensar alegremente o charmoso com estabilidade financeira, honra e afeição. Então, ouse desenvolver sua própria natureza tríplice do charme, na certeza de que o mundo quer e precisa de você desse modo... e que irá recompensá-lo de acordo!

Capítulo 18: E quanto às dívidas?

Não é por acaso que esse capítulo vem depois do capítulo sobre o charme: as pessoas que estão enfrentando pressões financeiras frequentemente precisam de todo o charme que puderem desenvolver para ajudá-los a vencer o endividamento.

Em uma feira de automóveis, estavam expostos belos carros. Sobre eles, havia um letreiro, onde se lia: "Abra o seu crédito conosco, com pagamentos suaves". Enquanto um cliente potencial olhava um dos carros, um vendedor perplexo perguntou ao gerente: "Eu posso com isso? Aquele cliente quer pagar à vista!".

Nesta época em que as vendas a prazo estão cada vez mais frequentes, o que podemos dizer sobre o endividamento com relação ao pensamento próspero? O crédito usado com sabedoria é um rico recurso para o sucesso financeiro; porém, se é usado da forma errada ou em exagero, pode ser apenas um caminho para dívidas e para o fracasso financeiro. O crédito não é recomendável se usado por desespero, para adiar mais um pouco um desastre financeiro. Tampouco é bom se usado para comprar itens que você não pode pagar, não sem grande angústia mental. O crédito deve ser usado de modo inteligente, ajudando a pessoa a gozar os confortos da vida de uma maneira razoável. Ele também pode ser usado de maneira inteligente, para obter lucros.

Uma dona de casa ficou viúva de repente, com três filhos para criar. Ela queria abrir um negócio próprio, e por isso emprestou dinheiro, investiu e obteve lucro com o investimento; então, quitou o empréstimo e abriu seu negócio com o que sobrou. O uso inteligente do crédito para ela se provou um recurso financeiro bastante interessante.

Uma boa regra para evitar as ciladas do crédito mal utilizado é esta: não faça dívidas que o sobrecarreguem com a sensação de carência ou limitação. Você pode assumir obrigações financeiras se puder lidar com isso em sua mente, na fé que poderá cumpri-las.

O ressentimento e o medo causam dívidas

Nenhuma dívida é boa se você se ressente ou tem medo dela, pois tal atitude transforma o débito em um peso. A obrigação detém o fluxo da substância em seus assuntos, impedindo o fluxo de novas ideias prósperas em seu pensamento. Quando a substância divina é detida de uma dessas maneiras, você fica incapaz de pagar suas contas, e o pânico e o ressentimento tomam conta. Apenas se não se ressentir ou temer as obrigações financeiras você conseguirá manter o controle mental e emocional sobre elas em seus pensamentos, sentimentos e reações. Quando mantém esse controle, sem sentir-se constrangido ou impotente pelos débitos, você mantém aberto o caminho para que a rica substância do universo flua para você, de modos esperados e inesperados, tornando possível que cada uma de suas obrigações seja cumprida. Sabe-se que, se você ousar "olhar adiante", sempre será provido. O pensamento elevado, liberto de medo, ressentimento e condenação, é necessário para manter uma existência livre de dívidas.

Uma dona de casa relatou como pensamentos de medo, ressentimento e condenação a levaram às dívidas e como ela saiu da situação mudando suas atitudes. Seu marido era um excelente vendedor, cujo trabalho o levava para longe de casa. No começo do casamento, compraram uma fazenda nas montanhas do Kentucky, decidindo que este seria o lugar ideal para criar seus filhos. Como o marido viajava regularmente, a esposa era responsável pela supervisão da fazenda e pelo cuidado com os filhos. No devido tempo, ela começou a se ressentir de suas responsabilidades. O ressentimento crescia, e parecia cada vez mais difícil cumprir as obrigações financeiras, sempre crescentes, que acompanhavam o progresso da fazenda. Finalmente, ela teve de pedir dinheiro emprestado para pagar os trabalhadores, para comprar equipamento e para saldar as despesas gerais da fazenda. Em pouco tempo, estava endividada, embora a fazenda tivesse um potencial excelente. Foi então que ela ouviu falar do pensamento próspero e começou a avaliar as dívidas a partir da perspectiva de suas atitudes mentais.

Numa manhã frenética, quando estava pensando em como pagar seus empregados, ela pegou o carro e subiu até uma montanha adorável. De lá se avistava uma área tranquila, onde o gado pastava. Ela parou ali e meditou por algum tempo sobre a beleza tranquila da cena que via. Percebeu que se ressentia da ausência do marido, embora soubesse que ele só estava tentando prover a sua família. Ela também percebeu que estava ressentida com a responsabilidade de tocar a fazenda sozinha, embora a propriedade fosse um recurso valioso. Enquanto ela refletia nesse elevado estado de espírito, sobreveio uma sensação de paz, e os pensamentos da dívida opressora e da mágoa passaram. Então, pediu orientação divina para si mesma, para seu marido, para seus filhos, para a fazenda e para os trabalhadores. Ela agradeceu pelo sucesso financeiro e pela liberdade das suas dívidas.

Quando foi à cidade no dia seguinte, um amigo lhe contou que queria comprar equipamentos para a fazenda. Ela lhe disse que tinha algumas coisas sem uso, e uma venda foi arranjada, o que saldou rapidamente seus débitos. Mais tarde, à medida que antigos ressentimentos eram substituídos por amor e apreço pela fazenda, seu marido resolveu desistir do trabalho de vendedor. A família se mudou para a cidade, e eles entraram para o negócio de construção. Contrataram um gerente competente para gerir a fazenda. A mulher continuou a elogiar e agradecer por suas muitas bênçãos, e a fazenda e o novo negócio do seu marido prosperaram. Agora, ela tem uma vida doméstica feliz com seu marido e filhos, atuando ativamente na igreja e na comunidade locais.

Essa senhora provou que os pensamentos de ressentimento e condenação tinham causado a sua sensação de sobrecarga, que por sua vez detinha o fluxo da substância nos seus assuntos pessoais. Quando deixou de se ressentir de suas obrigações, obteve controle delas e foi capaz de cumpri-las de maneira satisfatória.

A crítica produz dívidas

Quando as contas chegarem, você deve recebê-las com um estado mental sereno, lembrando-se a si mesmo de que elas representam bênçãos que você já está gozando. Uma atitude negativa e crítica às contas faz muitas pessoas entrarem no endividamento e ali permanecerem. Conheço uma família que fica enraivecida com as contas mensais. Algumas delas continuam a aumentar, e eles se veem com dívidas cada vez maiores. Quando essas pessoas finalmente aprenderam sobre o poder do pensamento próspero para pagar as contas, pararam de condená-las. Em vez disso, passaram a afirmar: "Nós usamos o poder próspero da divina inteligência com sabedoria, integridade e discernimento em todas as nossas questões financeiras. Agradecemos, pois todas as obrigações financeiras são pagas no prazo". Depois disso, as contas começaram a voltar a um valor aceitável.

Não é apenas desagradável e desnecessário, mas também tolo e perigoso perder tempo e energia criticando qualquer coisa, especialmente suas obrigações ou os valores que lhe são devidos. Tal prática negativa pode conduzir ao endividamento permanente, e até mesmo à completa ruína financeira. Se não estiver disposto a deixar fluir a rica substância do universo que chega para você a fim de pagar suas contas, por que deveria esperar que ela fluísse facilmente para sua vida? Uma atitude mental de ingratidão traz resultados financeiros ingratos e limitados.

A gratidão faz prosperar

Uma atitude de gratidão mantém a prosperidade vindo até você, de todas as direções. A verdade desta afirmação foi levada à minha atenção durante uma palestra em Palm Beach, na Flórida. Lá, um ministro me contou que os mais ricos de sua congregação eram os que mais apreciavam qualquer serviço espiritual que lhes fosse fornecido. Muitas vezes, quando uma pessoa era hospitalizada e pedia uma visita, a primeira pergunta que escutava era: “Onde você estava? Por que demorou tanto para chegar?”. Porém, quando visitava os milionários no hospital, estes sempre pareciam gratos por ele ter tido tempo de ir visitá-los. Ele observou que amigos desses milionários sempre escreviam bilhetes de agradecimento por qualquer gentileza que recebiam. Sentia que a atitude mental dessas pessoas, de gratidão e dar graças, era uma pista convincente de sua grande riqueza.

Nunca critique ou condene qualquer coisa ou pessoa, caso queira se livrar das dívidas e continuar livre delas. Como dissemos no capítulo sobre os poderes especiais para a prosperidade, cientistas hoje acreditam que todas as coisas são dotadas de uma inteligência inata, sabendo o que você fala, pensa e sente sobre elas. Falando de coisas, pessoas e situações de modo positivo e próspero, você ganha sua cooperação. Ao contrário, criticando seu mundo, você afugenta suas bênçãos e só atrai condições negativas e limitadas para sua vida. Isso foi ressaltado no capítulo sobre o charme.

Um comerciante percebeu que sua mercadoria não estava vendendo, embora tivesse feito muito sucesso no passado. Tentou liquidações, ofertas especiais e outros métodos para aumentar suas vendas. Muitas de suas contas a receber estavam vencidas, e ele parecia incapaz de recebê-las; estava se afundando cada vez mais em dívidas pessoais. Finalmente, percebeu que havia se tornado muito crítico a respeito de si mesmo, seu negócio, seus clientes, sua família, seus vizinhos, sua comunidade, do mundo em geral. Foi então que pediu a um amigo, que conhecia o poder do pensamento próspero, para ajudá-lo a retificar seu próprio jeito de pensar. O amigo sugeriu que ele começasse usando esta declaração para mudar seu pensamento: “Não há crítica ou condenação em mim, por mim ou contra mim. O amor divino agora revela uma orientação perfeita, produzindo resultados perfeitos em mim e em meu mundo”. Com a circulação dessas ideias em seu pensamento, esse comerciante desenvolveu uma relação mais amistosa com seus clientes. Junto com a remessa mensal das contas em aberto, ele enviou também bilhetes expressando seus melhores votos aos clientes que lhe deviam. Os resultados foram surpreendentes! Pessoas que deviam havia muito tempo começar a pagar suas contas! Uma senhora mandou um cheque pagando um débito de dez anos!

A técnica de conseguir que contas sejam pagas, quer você deva ou tenha contas a receber, é fazer primeiro um trabalho interno, no reino das atitudes mentais. As outras pessoas podem ser afugentadas por pensamentos críticos, rancorosos e condenatórios vindos de você, a ponto de evitarem pagar o que lhe devem. À medida que você muda seu pensamento, todos sentem isso e passam a responder de forma mais positiva.

Faça a sua lição de casa

Em vez de ficar se queixando sobre suas dívidas ou sobre aqueles que lhe devem, sente-se e ouse colocar essas obrigações no papel. Em seguida, dê um passo adiante e ouse escrever as datas em que você quer vê-las pagas. Depois, escreva, todos os dias, esta afirmação no topo da sua lista: "Eu agradeço pelo pagamento total e imediato de todas estas obrigações financeiras. Tenho fé que, com a ajuda divina, todas elas são imediatas e totalmente pagas!".

Um executivo autônomo havia tentado todos os métodos usuais para receber suas contas, sem sucesso. Ele soube da técnica mental positiva para lidar com as finanças, e resolveu tentar. Listou o nome de cada cliente, junto com o valor devido e, então, afirmou o pagamento total de cada obrigação. Quando, então, foi cobrar os débitos, ficou surpreso, porque ninguém parecia se opor ao pagamento ou evitá-lo. Em vez disso, todos os que estavam na lista lhe pagaram prontamente!

Uma decoradora de interiores estava sem trabalho havia algum tempo e já acumulava uma dívida de 2.500 dólares. Numa fraca temporada de verão, ela ouviu uma palestra sobre o poder do pensamento próspero para vencer a carência financeira. Fez, então, uma lista de obrigações financeiras, acrescentou a afirmação acima descrita e a usou todos os dias, imaginando suas contas sendo pagas. Apenas esse ato lhe deu uma sensação de realização, que substituiu a anterior, de futilidade. Conforme ela afirmava que suas dívidas eram divinamente pagas, uma coisa interessante aconteceu: o amigo de um antigo cliente telefonou e pediu que ela fizesse uma estimativa para a decoração de um prédio inteiro. Ela nunca tinha recebido um pedido assim tão grande! Esse cliente não a conhecia, e ela não tinha procurado novos clientes. A estimativa que ela fez, girando em torno de 8 e 10 mil dólares, foi aceita. Ela recebeu o trabalho e sua comissão foi de 2.500 dólares! A decoradora pagou suas contas, e esse foi o primeiro de uma série de grandes trabalhos que conseguiu. Anteriormente, só havia feito serviços pequenos; agora, trabalhava com grandes comissões. O trabalho era o mesmo, mas a compensação passou a ser maior e mais satisfatória.

Ativar a confiança dissolve o endividamento

Aqui está um ponto agradável para se lembrar sobre o endividamento: se você está com dívidas, é porque alguém acreditou e teve fé suficiente em você. Se outras pessoas lhe devem, é porque você estendeu sua confiança a eles. A confiança é um maravilhoso elemento divino e, quando ativada, produz resultados também divinos. Sempre que pensar em quanto deve a alguém ou em alguém que lhe deve, agradeça pela confiança que fez essa transação acontecer. Saiba, também, que a mesma confiança que deu início à transação ainda pode funcionar para fazer acontecer o pagamento devido. Restabeleça essa atitude, afirmando: "A mesma confiança divina que motivou o início desta transação financeira está agora poderosamente em ação, clarificando-a para o mais alto bem de todos os envolvidos".

Um gerente de crédito usou essa ideia para receber valores substanciais, vindos de contas que outros funcionários tinham falhado em cobrar. Em um caso, foi solicitado a receber uma conta de 17 mil dólares em aberto havia vários anos. Quando falou com o devedor, logo ficou evidente que este estava em sérios apuros financeiros. Não obstante, o gerente declarou sua fé que o devedor iria acertar a conta assim que fosse possível. Por meio dessa atitude, restaurou a boa vontade e renovou a confiança entre a empresa e o devedor. Menos de duas semanas depois, o devedor lhe trouxe um cheque de 4 mil dólares, dizendo que as palavras que o gerente lhe dissera, de confiança nele e em seu negócio, tinham lhe dado nova coragem, nova esperança e uma nova convicção de que ele poderia ser bem-sucedido. Com isso, vieram novas ideias, que produziram resultados prósperos. Em pouco tempo, o valor total estava pago, e o devedor continuou fazendo negócios com a empresa.

A discórdia causa endividamento

Um estado mental harmonioso e confiante é essencial para se libertar do endividamento e receber de quem lhe deve. Você observará que pessoas desarmoniosas em geral trabalham muito duro pela prosperidade. A substância universal é repelida pela desarmonia, dissipando-se rapidamente em tal atmosfera. Isso explica por que um determinado vendedor não estava se saindo bem em seu trabalho, assim como sua esposa. Depois de conversar com eles por alguns minutos, me ficou patente que sua vida doméstica estava repleta de brigas e contendas. Eles criticavam e condenavam um ao outro, discordando sobre tudo. Disse a eles que deveriam ter mais harmonia entre si a fim de atrair clientes e recomeçar a vender. Eles concordaram em usar juntos esta afirmação: "Não há condenação ou crítica entre nós. O amor divino reina supremo e tudo está bem conosco e em nosso mundo". Em duas semanas, ambos recomeçaram a vender, e seu casamento tornou-se mais feliz do que nunca.

Existe uma saída para o endividamento

Suas dívidas podem parecer muito grandes para você, mas essa pode ser uma situação temporária, caso você ouse acreditar que existe uma saída. Talvez as maiores barreiras para se libertar das dívidas sejam o medo e o desespero. Quando esses sentimentos são superados, você está no caminho de sua liberdade financeira.

Conversei com um homem cuja esposa temia que ele estivesse pensando em se suicidar. Ele estava com muitas dívidas e não conseguia enxergar uma saída, pois tinha sofrido um acidente e ficado um ano em recuperação antes que pudesse retomar seus negócios. Enquanto isso, o casal teve de contar que outras pessoas, que não tinham nem sua experiência nem seu conhecimento, tocassem a empresa. Embora tivessem vontade de ajudar, essas pessoas quase os levaram à falência. Por causa de sua grande dívida e da falta de garantias, não conseguiram obter um empréstimo que pudesse facilitar as coisas. Ele disse: "Se eu conseguisse 5 ou 6 mil dólares, poderia pagar as dívidas mais urgentes e manter meus negócios até que eu pudesse voltar à ativa". Ele estava muito desesperado quando conversou comigo.

Comecei a perceber que duas atitudes prevaleciam, evitando que a solução aparecesse. Primeiro, esse ótimo executivo estava afundado no desânimo e no desespero, sem enxergar qualquer saída. Em segundo lugar, ele tinha uma grande sensação de perda com relação ao ano em que ficara parado. Ele dizia a si mesmo: "Se eu não tivesse sofrido aquele acidente, isso não teria acontecido". Tais atitudes são normais para pessoas endividadas, porém, quando mudadas, tudo muda, e muito rápido! Sempre há uma saída para qualquer problema, uma solução divina. Para ajudar a estabelecer e a manter uma atitude próspera até que essa solução possa se manifestar, sugeri que ele usasse esta afirmação: "Há uma solução divina para esta situação, uma solução sublime. Eu agradeço porque agora a solução divina aparece rapidamente!". Para a sensação de perda em relação ao ano que ele passara afastado do trabalho, sugeri estas ideias: "Embora pareça sombrio no momento, saiba que não há necessidade de uma perda permanente nesta experiência. O que parece ter sido perdido durante o ano em que esteve doente pode ser 'divinamente restaurado' para você, em termos financeiros e outros". Para ajudá-lo com essa nova atitude, as palavras foram datilografadas em um cartão que ele deveria carregar na carteira. Todos os dias, quando o desânimo ou a sensação de perda tentassem envolvê-lo, ele deveria ler e reler essas palavras: "Eu agradeço pela restauração divina em meus negócios. A divina restauração está realizando seu trabalho perfeito para todos os envolvidos, e o resultado perfeito aparece. Eu agradeço porque todas as obrigações financeiras estão sendo satisfeitas, de maneira divina e maravilhosa".

Durante algumas semanas, ele declarou essas ideias a si mesmo. Não parecia haver qualquer alteração em situação, mas ele persistiu, acreditando que havia uma solução. Ele insistia em reclamar a restauração divina. Um dia, o cenário finalmente começou a mudar, e por meio de uma série de circunstâncias incomuns. Ele e a esposa foram a uma reunião familiar. A esposa de seu falecido irmão chamou-o de lado e disse: "Anos atrás, quando você começava sua profissão, envolveu-se no negócio de meu marido, que depois se tornou seu, eu achei que ele cobrou uma entrada muito grande pelo negócio. Agora que ele se foi, não quero mais manter o prédio em que você mantém o seu negócio. Eu também quero compensá-lo por seu pagamento inicial. Um avaliador me disse que o prédio vale 25 mil dólares, se eu vender agora. No entanto, ficarei feliz em vendê-lo a você por 10 mil dólares". Outras avaliações mostraram que ele poderia conseguir um empréstimo de 16 mil dólares. Depois de comprar o prédio, ainda ficou com 6 mil dólares para liquidar suas dívidas e fazer caixa para o negócio. À medida que os assuntos se desenvolviam, uma nova esperança o preencheu; consequentemente, os negócios aumentaram, o que ajudou a trazer ordem e prosperidade ao antigo caos e fracasso. De fato, a restauração divina aconteceu para ele!

Seja discreto sobre suas dívidas

Muitas pessoas que contraem dívidas não continuariam endividados se fossem discretas sobre seus assuntos financeiros. Ao maximizar suas obrigações, elas se agarram ainda mais às circunstâncias. Se essas pessoas fossem discretas, apenas fazendo seu melhor para cumprir as obrigações e afirmando a orientação divina, o caminho para o pagamento de todas as dívidas seria aberto.

A conhecida história bíblica de Eliseu e da viúva é um exemplo disso. Quando a mulher se queixou a Eliseu sobre sua triste situação, reclamando que um credor iria lhe tirar seus filhos, ele não simpatizou com ela. Em vez disso, disse-lhe para ir para casa, fechar a porta e começar a derramar o azeite que ela ainda tinha disponível. Esta foi uma maravilhosa maneira de dizer à viúva que parasse de se lastimar por dívidas e problemas financeiros, começando a usar a substância que tinha em mãos para satisfazer sua necessidade, sabendo que, se ela fizesse a sua parte, a substância iria se multiplicar para satisfazer cada necessidade (2Rs 4).

Do mesmo modo, nos tempos modernos uma viúva provou o poder próspero do conselho de Eliseu. Essa mulher tinha uma vida difícil.

Estava solitária, endividada, infeliz no trabalho, insatisfeita com a vida em geral. Tentava se libertar de suas dívidas, e se lamentava o tempo todo, dizendo que a vida a tratava muito duramente. Suas circunstâncias financeiras se tornaram cada vez mais restritas, embora ela continuasse a receber aumentos de salário e outras bênçãos financeiras. Com o tempo, ela percebeu que falar de tempos difíceis fazia de suas palavras o seu pior inimigo; então, se tornou discreta sobre seus assuntos financeiros. Para todas as duras experiências de sua vida, ela foi solicitada a afirmar a "restauração divina" e se concentrar na promessa de Joel: *E restituir-vos-ei os anos que comeu o gafanhoto, a locusta, e o pulgão e a lagarta, o meu grande exército que enviei contra vós. E comereis abundantemente e vos fartareis, e louvareis o nome do Senhor vosso Deus, que procedeu para convosco maravilhosamente; e o meu povo nunca mais será envergonhado* (Jl 2:25-26). Quando ela passou a meditar nessa promessa, tudo mudou em sua vida. Recebeu uma promoção com um aumento de salário, e um amigo de longa data, a quem ela tinha ajudado uma vez, decidiu mostrar seu apreço, dando-lhe mil dólares! Com esse dinheiro, pagou suas dívidas e ficou financeiramente livre pela primeira vez em anos. Logo, ela se casou novamente, depois vinte anos. De fato, os anos que os gafanhotos da limitação financeira tinham comido *lhe foram restituídos*!

Fale somente em termos prósperos

Em vez de se lamentar, se queixar, lamuriar ou falar sobre dívidas, vale a pena afirmar resultados prósperos, falando somente em termos prósperos. Uma mulher, desempregada por causa de uma doença, se viu com uma enorme dívida, e falava regularmente de sua situação em termos negativos. Uma noite, ela e a filha foram a uma palestra sobre prosperidade. Quando voltaram para casa, resolveram usar a afirmação dada na palestra: "Agora tudo e todos me fazem prosperar, e nós prosperamos a tudo e a todos". Começaram a declarar juntas essas palavras todas as noites antes de se recolherem, durante 5 minutos. Uma semana depois, chegou a elas um cheque de 2.500 dólares, representando um valor que lhes era devido por lei havia muito tempo, mas que o advogado ainda não havia conseguido receber. Elas apenas mudaram as palavras que proferiam a respeito de seus assuntos financeiros, e de repente era como se todos os envolvidos quisessem fazê-las prosperar.

Uma artista estava com dívidas porque não havia conseguido vender nenhuma de suas pinturas durante vários meses. Uma noite, ela foi a um grupo de orações em que era enfatizado o poder de orar afirmativamente a respeito de problemas financeiros. Nessa reunião, sugeriram que cada um dos presentes escolhesse uma afirmação para as suas necessidades financeiras e a usasse durante a semana seguinte. Essa pareceu uma abordagem radicalmente diferente para ela, que sempre tinha achado que era errado orar por dinheiro. Com alegria, ela começou a declarar, todos os dias: "Agora tudo e todos me fazem prosperar, e eu faço prosperar a tudo e a todos". Quatro dias depois, vendeu uma pintura por 75 dólares, sua primeira venda em meses. Em pouco tempo, conseguiu outras vendas, e logo suas obrigações financeiras tinham sido todas satisfeitas.

Ninguém pode reter sua prosperidade

Muitas pessoas permanecem em dificuldades financeiras porque imaginam que outra pessoa está afastando a prosperidade delas. Quando pensam que outros têm esse poder, elas mesmas estão decretando que isso é verdade. Contudo, uma vez que mudem seu pensamento, o bem aparece, a despeito de quaisquer circunstâncias externas.

Por mais de um ano, uma viúva tinha tentado, em vão, resolver o espólio de seu finado marido. Estava com muitas dívidas, porque um herdeiro inesperado havia aparecido e, por isso, fora necessário ir ao tribunal. Os fundos do espólio estavam sob controle da justiça. Durante meses, ela tinha vivido com provisões escassas, esperando que o espólio pudesse ser resolvido e que ela pudesse receber um cheque do valor total da herança, que era sua por direito. Cada vez que uma solução parecia próxima, o caso era postergado, por resistência do outro herdeiro. Num período em que seus credores a estavam pressionando pelo pagamento de contas de seu finado marido, ela recebeu alguns artigos sobre prosperidade de um amigo. Neles, encontrou esta afirmação: "Eu dissolvo em minha mente e na dos outros qualquer ideia de que o meu bem concedido por Deus possa ser retido. As bênçãos financeiras, minhas por direito divino, agora vêm a mim em abundância, e eu as aceito com alegria".

Fascinada com a possibilidade dessa abordagem simples para os seus problemas, a viúva sentou-se tranquilamente a tarde inteira, escrevendo e afirmando essa declaração repetidas vezes. Enquanto o fazia, começou a sentir nela uma sensação de controle referente a seus problemas financeiros. Também começou a sentir-se mais amistosa com relação ao herdeiro que reivindicava seu direito sobre o espólio à força. Quanto mais ela pensava serenamente sobre ele, mais percebia por que ele achava que tinha direito a certos recursos financeiros. Finalmente, ligou para o seu advogado, dizendo-lhe que usasse seu discernimento para resolver o espólio, mas que se sentisse à vontade para dar àquele herdeiro as ações, títulos e poços de petróleo que ele reclamava. Em poucos dias, o espólio que estivera pendente por meses foi resolvido, e todos os envolvidos ficaram satisfeitos, prosperaram e foram abençoados. Ela agora sente que seu "bem concedido por Deus" chegou até ela por meio da solução do espólio, e já não sente falta dos recursos financeiros que foram divididos com o inesperado herdeiro.

Pense grande – intencionalmente

Em outro caso, um corretor de imóveis se viu endividado por não conseguir alugar alguns de seus apartamentos durante uma fraca temporada de verão. Amigos lhe disseram: "Você nunca vai alugar aqueles apartamentos pelo preço que está pedindo. Está pensando alto demais. Se diminuir o preço do aluguel, talvez consiga alugá-los na próxima temporada". Esse corretor foi a uma palestra sobre prosperidade, onde ouviu: "Nada é grande demais para você pensar. Ouse afirmar as grandes ideias. Ouse esperar grandes resultados. Tais atitudes são a diferença entre o príncipe e o pobre".

Então, ele percebeu que deveria pensar grande intencionalmente, falando em termos prósperos, caso quisesse alugar suas propriedades e quitar suas dívidas. Com a finalidade de alugar os apartamentos, ele começou afirmando a seguinte declaração, que já fez prosperar inúmeras pessoas: "Eu amo o melhor e o maior em todas as pessoas, e agora atraio para mim as pessoas mais prósperas, melhores e maiores". Embora tivesse tentado alugar seus apartamentos várias vezes sem conseguir, o cliente que apareceu em seguida ficou maravilhado com os apartamentos e alugou um deles por 2 mil dólares para a temporada. Ele continuou usando essa declaração, e suas outras propriedades foram alugadas com facilidade. Em pouco tempo, tinha recebido mais cheques, totalizando 8 mil dólares, o que possibilitou que ele se livrasse das dívidas.

Comece a pagar mais em dinheiro

Além de assumir uma postura próspera frente a suas questões financeiras, você deve também fazer qualquer coisa tangível ou intangível que puder para obter a sensação de estar se livrando das dívidas. Por exemplo, comece a pagar as coisas em dinheiro, ainda que você só possa fazer isso com coisas pequenas. Apenas com esta atitude, a de liberar seu dinheiro em vez de guardá-lo em uma conta de banco, você se aproxima dessa sensação de liberdade.

Conheço duas donas de casa que resolveram que era a hora de comprovar isso. A temporada de Natal se aproximava, e elas pararam de usar o cartão de crédito e passaram a pagar os presentes com dinheiro. Perceberam, fazendo isso, que o dinheiro gasto lhes dava uma sensação de alegria e liberdade. A cada compra, conforme abençoavam e agradeciam pela sabedoria divina em usar o que tinham à mão, o dinheiro continuava entrando, e elas seguiram gastando com os presentes natalinos. Uma delas passou toda a temporada de compras sem usar o cartão de crédito, e disse que comprou os melhores presentes de sua vida. A outra lançou mão do cartão para alguns presentes, mas já havia comprado tantos com dinheiro que aqueles poucos não lhe deram nenhuma sensação de peso. Essa dona de casa não ficou apreensiva em ter de pagá-los depois do Ano Novo e, quando chegou a hora, pagou por eles sem maiores problemas.

Recuse os erros financeiros do passado

Outra atitude financeira que amarra muitas pessoas aos débitos é esta: como a esposa de Ló, elas continuam a olhar para trás. Preocupam-se com os erros financeiros do passado, cristalizando seu pensamento, que se manifesta no presente em forma de dívidas. Se você olha apenas para trás, não há lugar em seu pensamento para novas ideias, que poderiam limpar seus erros e sanar suas dívidas.

Perdoar a si mesmo e a outros por erros do passado é crucial, caso você queira se libertar permanentemente de pressões financeiras. Se tais lembranças o assombram, use esta declaração: "O amor indulgente da inteligência divina me libertou do passado e dos erros financeiros cometidos. Agora, encaro o presente e o futuro de forma sábia, segura e destemida". Essa declaração fará maravilhas por você e por outros. Como dito no capítulo da lei do vácuo, precisamos perdoar a nós mesmos e aos outros se quisermos prosperar. Releia o capítulo 3 para ajudar a superar o endividamento.

Peça ideias prósperas

Além de estabelecer atitudes de prosperidade e de agir de acordo, você deve nutrir ideias prósperas sobre questões financeiras.

Um executivo tinha chegado aos quarenta anos e alcançado o ponto máximo que sua empresa permitia, a menos que um dos proprietários se aposentasse. Esse ótimo homem não queria ser bem-sucedido em tais circunstâncias, mas queria desesperadamente crescer. Não conseguia, por exemplo, ver um caminho para um salário maior, não na situação em que se encontrava. Quando conversamos, ele me disse: "Eu preciso de mais autoconfiança, para saber que existe um modo de sair vitorioso desta situação. Suponho que eu também precise de mais ordem em meus assuntos, de modo que possa ver para que lado devo me voltar". A sugestão foi que ele deveria colocar ordem em seus assuntos de maneira fácil, tranquila e satisfatória, em vez de tornar-se agressivo, o que poderia levá-lo à confusão e ao conflito com outras pessoas. Sugeriram-lhe também que ele começasse passando alguns minutos, de manhã e à noite, meditando serenamente, e que pedisse orientação divina sobre questões financeiras. Sua primeira reação foi: "Que bem isso poderá fazer? Você quer dizer que Deus conhece minhas finanças, ou se importa com elas?". Foi uma revelação e um alívio para ele ouvir que um Pai amoroso e carinhoso se preocupa com as necessidades financeiras de seus filhos. Esta foi a oração sugerida: "Pai, qual é a rica verdade sobre minhas questões financeiras? Qual é meu mais alto bem nesta situação?".

No início, não chegou nenhuma resposta a essa oração inquiridora; porém, ele percebeu que estava mais tranquilo do que jamais estivera, em anos. Com uma maior sensação de paz, ele começou a se sentir mais no controle das questões financeiras de sua família e de seu trabalho. Certa noite, enquanto decretava a "rica verdade", surgiu uma ideia em sua mente, com tal força que ele quase caiu da cadeira. Não era uma ideia nova; ela já tinha lhe ocorrido muitas vezes antes, mas ele a havia descartado. Era a ideia de desenvolver um novo departamento, que poderia significar crescimento e prosperidade para sua empresa. Antes, ele nunca estivera suficientemente convencido do poder dessa ideia, pelo menos não a ponto de apresentá-la a seus superiores.

No dia seguinte, achou a oportunidade perfeita para falar com seu chefe sobre o assunto. O chefe ficou surpreso e satisfeito que aquele homem quieto estivesse pensando em termos tão grandes, progressistas e prósperos sobre a empresa. No devido tempo, permitiram-lhe que desenvolvesse sua ideia para um departamento especial; um novo cargo e um salário melhor se seguiram. Outras surpresas financeiras apareceram, quando um dos membros da família rejeitou uma herança inesperada. Ao orar por orientação e ideias divinas, dívidas de longa data foram quitadas. Um novo nível de vida próspera se abriu para ele e para a sua família.

Uma boa declaração para se ter em mente é: "A divina inteligência me inspira com ideias prósperas e com a ação divina, que as manifesta perfeitamente".

O endividamento pode ser uma bênção disfarçada

Se experiências desagradáveis lhe acontecem com frequência, é porque novos modos de viver e novos métodos de trabalho estão tentando se abrir para você. Na maioria dos casos de endividamento, aqueles que estão em apuros financeiros são ótimas pessoas, tentando viver prosperamente, ainda que com uma renda limitada. Entretanto, se essas pessoas têm ricos desejos, é porque também têm talentos e capacidades equivalentes, que estão tentando se expressar.

Nestes casos, seus desejos pelo bem maior são muito poderosos, mas suas contas bancárias ainda não foram expandidas na mesma proporção. Frequentemente, são pessoas engajadas em trabalhos medíocres, quando suas capacidades e talentos, se desenvolvidos, poderiam lhes trazer uma rica receita, equilibrando, então, seus ricos desejos.

Como obter liberdade financeira

Ouse usar as ideias que lhe cheguem quando você estiver trabalhando nos seus assuntos financeiros. Releia, estude e siga algumas das sugestões dadas no capítulo 9, a respeito do trabalho, e no capítulo 12, sobre independência financeira. Observe também que o capítulo 10 fala sobre como as pessoas podem encontrar uma saída para suas dívidas por meio da prática da doação, quando finalmente ousarem, com fé, colocar Deus em primeiro lugar em termos financeiros. A fé tem o poder de fazer prosperar.

Quando estiver tentando encontrar sua liberdade financeira, comece a trazê-la à luz, declarando: "Há dias bons à frente. Há dias ricos à frente". Quando o medo de problemas parecer engoli-lo, lembre-se: "O caminho de Deus para mim é alegre. É um caminho de proteção e de segurança. Agradeço, porque agora ando em caminhos agradáveis, prósperos e harmoniosos". Para desenvolver seus talentos e habilidades, declare com frequência: "O poder infinito e ilimitado que criou o universo agora está operando, em mim e por meio de mim, tudo o que é para o meu mais alto bem, tanto em termos mentais e físicos quanto nos meus assuntos pessoais. Dou graças, porque sou divinamente equipado para realizar grandes coisas, e com facilidade".

Capítulo 19:
A saúde e o pensamento próspero

Entre as grandes bênçãos da vida, com certeza está a saúde. Sem ela, nada mais tem importância. Com boa saúde, todas as outras bênçãos são também intensificadas. Tendo aconselhado pessoas com diversos problemas, estou convencida de que nosso pensamento afeta diretamente nossa saúde. Muitas pessoas com saúde ruim devido à preocupação com problemas financeiros consideram quase misteriosa a rapidez com que melhoram, à medida que sua situação financeira também melhora.

Um ótimo executivo, que tinha gozado de boa saúde durante anos, enfrentou problemas sérios em seus negócios. Desenvolveu, então, úlceras gástricas, que mais tarde se mostraram malignas, tornando necessárias diversas cirurgias. Agora, ele está a caminho da recuperação, que os médicos garantem ser possível. Sua esposa, no entanto, declarou recentemente que, cada vez que ele tem uma perda financeira, precisa voltar a ficar de cama. Porém, quando recebe boas notícias sobre seus assuntos financeiros, seu espírito se eleva e ele goza de uma felicidade normal.

Os estudos relacionados à medicina psicossomática e à cura holística são avanços fantásticos, ajudando pessoas a perceber quão fortemente seus estados mentais influenciam suas condições físicas.

O pensamento próspero é o pensamento saudável

Como já dito, você pode se considerar próspero se experimenta paz, saúde e plenitude em seu mundo. Em outros capítulos, discutimos técnicas para desenvolver o pensamento próspero, assim como garantir paz de espírito e sucesso financeiro. Agora, vamos considerar atitudes que têm por objetivo cuidar de sua saúde. Um pensador próspero sabe como se libertar de hostilidades, ressentimentos, críticas e emoções negativs. Ele busca um pensamento equilibrado, que reflita sua "disposição de vencer". Com frequência, a depressão mental e uma sensação de derrota causam má saúde.

Uma senhora enfrentou um prolongado resfriado, que durou um ano. Verão ou inverno, ele permanecia. Ela estava começando a imaginar se não havia algo mais que um simples resfriado, pois este parecia "incomum" demais. Seu médico, todavia, disse-lhe que não encontrou nada de errado com ela, nada que explicasse tamanho resfriado. Mas havia algo irritando essa senhora, provavelmente alguma coisa duradoura, e por isso pedi a ela que se lembrasse de tudo o que acontecera em sua vida antes do surgimento do resfriado. Depois de alguns minutos de conversa, ela disse que tinha um bom emprego, de que gostava. Sem aviso ou sem consultá-la, seu empregador a transferiu para outro departamento. Lá, achou o trabalho desagradável e irritante. Por causa da sua idade, temia perder o emprego se protestasse. Assim, ela suportou a transferência de setor e toda a desarmonia decorrente, mudando-se para o novo departamento, junto a seus briguentos colegas de trabalho. Isso aumentou seu intenso ressentimento e rebelião interna. Não é de se admirar que a irritação interior tenha se manifestado como um resfriado bastante persistente. Eu sugeri que ela começasse trabalhando seu próprio pensamento para superar a sensação de desesperança, impotência e derrota, adotando uma atitude vitoriosa, usando estas ideias: "O amor divino e a sabedoria vão à minha frente, tornando meu caminho fácil e bem-sucedido nesta situação. A solução divina agora aparece rápida e facilmente, e eu sou guiada, curada e abençoada". Durante vários dias, ela alimentou sua mente com essas ideias, recebendo em troca uma sensação de paz que não sentia havia um ano. Justo quando pensou em falar com o seu chefe para explicar sua insatisfação e pedir uma nova transferência, algo interessante aconteceu: uma nota no quadro de avisos convidava os empregados que desejassem transferências a falar com a gerência, que estava considerando algumas mudanças. Eis a oportunidade de declarar seus desejos, que foram concedidos. Seus sentimentos interiores se harmonizaram, e ela percebeu que o resfriado começou a se dissolver, logo desaparecendo por completo!

A desarmonia causa a má saúde

De fato, se existe saúde ruim, é porque a pessoa doente está sujeita à desarmonia interna da mente, do corpo e de seus assuntos pessoais. O pensamento próspero, expressado na forma de ideias harmoniosas, ajuda a criar equilíbrio no corpo, nos relacionamentos e no ambiente.

Uma criança em idade pré-escolar estava sofrendo de hemorroidas. Seu pediatra achava que era uma condição incomum para uma criança daquela idade. Ele estudou discretamente a situação doméstica da criança, a fim de descobrir se havia alguma desarmonia que pudesse ter conexão com sua condição física. Logo se descobriu que a mãe da criança não sabia nada sobre o poder das atitudes em afetar a saúde de alguém. Ela sempre insistia que seu pequenino limpasse o prato a cada refeição, a despeito de como ele se sentia ou de como estava seu apetite. Acontece que essa criança era alguém que ousava "pensar por si mesma". Em várias circunstâncias, se recusava a comer. Pensando em seu dever, a mãe o tirava da mesa e batia nele, o que acabou se tornando um evento diário em sua jovem vida. Era surpreendente que essa criança não tivesse desenvolvido uma condição mais séria que hemorroidas. Depois que a mãe concordou em se tornar mais harmoniosa e menos severa em suas exigências com seu filho, o tratamento médico começou a trazer resultados favoráveis.

Brigas, rixas, contendas ou confusão na atmosfera diária da vida da pessoa se refletem na saúde dos envolvidos. O corpo é um instrumento muito sensível, plástico, que se molda a pensamentos, emoções e palavras expressos por ele e para ele.

O pensamento saudável é uma arte antiga

Não há nada de novo sobre as verdades que revelo aqui, as de que pensamentos e sentimentos controlam nosso corpo. Se as ciências da antiga Babilônia tivessem nos chegado intactas, nossa civilização poderia estar muito mais avançada do que é hoje. Os babilônios usavam pedras para curar o câncer, além de serem peritos no uso de psicossomáticos, de várias técnicas mentais e até da hipnose.

Acredita-se que Abraão, que viveu na cidade babilônica de Ur, tenha aprendido suas formas de tratamento, levando-as aos hebreus, que as usaram ao longo dos séculos, com sucesso. De qualquer modo, os autores da Bíblia pareciam entender que a doença era causada pelo pensamento negativo e pelo sentimento incorreto, como se pode perceber em seus escritos. Moisés ressaltou o poder para a saúde de atitudes e reações emocionais corretas, destacando também quanto o negativismo pode gerar doenças. Miriam, sua irmã, o criticou por se casar com alguém de fora de sua etnia. Por sua atitude crítica, a Bíblia sugere que ela contraiu lepra, sendo curada depois pela oração de Moisés (Nm 12). Em outra história do Antigo Testamento, descobrimos que uma atitude equivocada matou Asa, um dos reis da Judeia. Ele não acreditou na possibilidade de cura espiritual e, quando seus pés ficaram seriamente doentes, acabou falecendo (2Cr 16:12-13). Elias e Eliseu curavam com métodos mentais e espirituais, como também faziam Jesus, Paulo e os primeiros cristãos.

Médicos de culturas primitivas percebiam a necessidade de mudar as atitudes dos seus pacientes a fim de curá-los. Em um esforço para atrair a atenção de seus pacientes, eles usavam máscaras, entoavam encantamentos, dançavam e atuavam de vários outros modos que hoje nos pareceriam estranhos. Eles acreditavam que, se os enfermos pudessem redirecionar suas mentes para longe de seus problemas, a cura viria.

As atitudes podem curar

Uma dona de casa contou como melhorou sua saúde depois de mudar suas atitudes:

> Durante doze anos, tive uma doença crônica na vesícula biliar, que me causava muitas dores. Durante um ano, também tive bursite, que piorava progressivamente. Meu marido e eu oramos pela minha saúde. Tentamos todos os tipos de tratamento médico, em vão, pois a dor continuava.
>
> Eu estava começando a imaginar quanto tempo mais eu iria aguentar. Então, ficamos sabendo de uma série de palestras sobre prosperidade em nossa vizinhança. Depois de ouvir a primeira delas, que era sobre prosperidade, e não sobre cura, entendi melhor como pensar de forma vitoriosa. Percebi que, de algum modo, a dor em meu corpo ainda poderia ser banida. Pela primeira vez em meses, tanto eu quanto meu marido tínhamos nos sentido elevados e inspirados. E, então, aconteceu! Uma semana depois que ouvimos a palestra, minha doença desapareceu, e a dor da bursite também. Eu agradeço a Deus todos os dias pelas atitudes edificantes que abriram caminho para que a cura se manifestasse em meu corpo.

Em outro caso, uma mulher quebrou o braço. Embora ele tenha cicatrizado bem, continuou duro e dolorido, a ponto de ela não poder dirigir para as palestras de prosperidade, tendo de contratar um motorista. Uma semana depois, apareceu para a palestra, dizendo, com alegria, que a dolorida rigidez havia ido embora, depois que ela ousara pensar definitivamente sobre o sucesso e a prosperidade como seus direitos divinos. Ela dirigira seu carro a semana toda, e foi sozinha às outras palestras depois dessa, sem qualquer dor. Aprendera que o pensamento próspero expande todo o ser com um bem novo e ilimitado, incluindo a área da saúde.

Uma causa emocional de câncer

Por toda parte vemos a necessidade de transformar emoções negativas, se quisermos ser saudáveis ou reconquistar a saúde. O câncer já foi descrito como a "doença do ódio". Aqueles que a contraem muitas vezes carregam seu ódio secretamente, de modo que nunca se suspeite do turbilhão emocional pelo qual alguns pacientes de câncer estão passando.

Uma vez conversei com um homem que se fez sozinho na vida, tendo dado muito duro para chegar ao topo. Ele conseguira chegar lá, sendo muito admirado e respeitado por centenas de pessoas. Suas realizações financeiras, suas contribuições de tempo e talento a muitas organizações cívicas de sua comunidade e seu dedicado trabalho na igreja o fizeram ser muito elogiado. No ápice de sua carreira, porém, foi informado de que tinha câncer. Cirurgias estenderam sua vida por vários anos. Perto do final, ele conversou comigo sobre sua condição. À primeira vista, parecia que um destino cruel o tinha atingido, justamente em seu auge.

Contudo uma observação mais atenta revelou que ele tinha sido casado várias vezes, que cada casamento havia terminado em divórcio, seguindo-se uma amarga hostilidade, e que ele detestava sua atual esposa. Se ela fosse realmente tão má quanto ele alegava, ele até poderia ter razões para seus sentimentos, pois ela teria feito de sua vida um inferno.

Porém, por causa do sucesso nos negócios, ele sentia que o divórcio ou mesmo uma separação poderia prejudicar sua carreira. Então, continuava vivendo com ela, em um estado de miséria abjeta, anos após ano. Além disso, como frequentemente acontece em situações assim, ele tinha se envolvido com outra mulher, buscando o amor e a compreensão que sentia não estar recebendo da esposa. Essa outra mulher era uma executiva que tinha enviuvado e estava solitária. Conforme o caso de amor deles se desenvolveu, ela ficou tão frustrada por não poder se tornar sua esposa que sua própria saúde declinou. Junto com o desenvolvimento de uma série de problemas, ela procurava alívio emocional na bebida e nas drogas. Ficou tão confusa que, no devido tempo, sua mente não funcionava mais da mesma forma, e ela perdeu uma série de bons empregos.

A única pessoa que parecia relativamente não afetada nesse triângulo era a odiada esposa. Ela permanecia calma em meio a tudo isso, sem ter contraído o ódio ou o turbilhão emocional de seu marido ou da "outra". O marido me disse que não podia perdoá-la, nem a suas ex-esposas, pela infelicidade que elas tinham trazido à sua vida. Recusou-se a tentar qualquer um dos métodos de cura mencionados neste capítulo, ou a invocá-los por meio do perdão. Percebi que, quando ele falava de sua esposa, ela parecia espalhar um veneno invisível. Era como se a própria atmosfera da sala se tornasse pesada com o ódio venenoso. Ele continuou odiando a mulher, até que, enfim, teve de retornar ao hospital para outra operação, que foi a última. Suas palavras finais foram uma maldição sobre a esposa. O ódio dele, na verdade, o matou.

A "outra mulher" não foi ao funeral, suportando o luto sozinha. Com a morte do marido, a esposa não só se livrou do ódio dele, mas também herdou sua fortuna. Enfim, agora era não só uma mulher livre, mas também rica, e não hesitou em gozar sua riqueza. Um ano depois, tinha se casado de novo, e sua alegria parecia agora garantida por segurança financeira e amor verdadeiro. Ao se recusar a responder ao ódio com ódio, essa mulher se tornou a única dos três envolvidos que saiu vitoriosa da situação.

O perdão cura

Se você está em desarmonia com alguém; se foi infeliz no passado, e por isso está guardando ressentimentos; se sente que foi tratado injustamente em assuntos financeiros ou pessoais; se sente que algo roubou de você a felicidade que deveria ser sua por direito divino; se ressente uma infância infeliz ou experiências familiares; se você se enquadra em alguma dessas situações, pode encontrar todas as razões humanas para seus sentimentos, e para insistir em nutri-los. Você pode ser capaz de justificar esses sentimentos de mil maneiras.

Porém, como o homem da história anterior e como a "outra", você está ferindo principalmente a si mesmo fazendo isso. Sua saúde, sua prosperidade e sua paz de espírito podem e serão destruídas, caso você continue a sustentar emoções negativas.

Se nesse momento você está com uma saúde ruim, saiba que existe alguma coisa, alguém ou alguma lembrança que você precisa perdoar e liberar de seus sentimentos para sempre. Talvez você não saiba conscientemente o que seja, mas sua mente, depósito de suas emoções, sentimentos e lembranças, sabe. Ela responderá com a liberação e a cura quando você der a si mesmo os tratamentos de perdão, como eu recomendo mais adiante neste capítulo.

Filósofos e sábios de todas as épocas têm ressaltado que a saúde do homem é controlada por suas atitudes, tanto as para consigo mesmo quanto as com os outros. Hipócrates, médico grego do século V a.C., escreveu: "O homem deveria saber que é do cérebro, e só do cérebro, que surgem nossos prazeres, nosso riso, nossas brincadeiras, assim como nossas tristezas, dores, mágoas e medos". Platão declarou: "Se deseja curar a cabeça e o corpo, você deve começar por curar a alma". Davi alertou: *Deixa a ira, e abandona o furor; não te indignes de forma alguma para fazer o mal* (Sl 37:8).

O velho sábio Salomão certamente percebeu o poder do pensamento e do sentimento sobre a saúde, quando aconselhou: *O coração alegre aformoseia o rosto, mas pela dor do coração o espírito se abate* (Pv 15:13); *O coração do sábio instrui a sua boca, e aumenta o ensino dos seus lábios* (Pv 16:24); *A luz dos olhos alegra o coração, a boa notícia fortalece os ossos* (Pv 15:30). Talvez o melhor conselho psicossomático de Salomão seja este: *O coração alegre é como o bom remédio, mas o espírito abatido seca até os ossos* (Pv 17:22).

A felicidade cura

De fato, o espírito abatido, desanimado ou sujeito à tristeza geralmente tem uma reação física correspondente. Certa vez, conheci uma criança que, durante vários anos, viveu uma situação doméstica cheia de brigas e censura. Essa criança sofria uma doença após a outra. Depois de um tempo, sua condição de vida mudou, e ela foi colocada em uma atmosfera harmoniosa e tranquila. Imediatamente, suas doenças arrefeceram, e ela se tornou tão saudável que nunca mais contraiu nenhuma das enfermidades comuns à infância. Conheço também uma família que sabia do poder do pensamento para a saúde ou para a doença. Os pais concordaram em nunca falar de assuntos negativos diante das crianças; nunca discutiam sobre doenças, carência, tempos difíceis ou problemas de qualquer tipo. Faziam questão de só conversar sobre assuntos felizes em casa. Essa família não sofria de doenças, e todos se tornaram muito prósperos. Os filhos cresceram sempre saudáveis, desenvolveram estados mentais felizes, repletos de autoconfiança, e todos se casaram bem. Hoje, gozam vidas bem-sucedidas, assim como seus pais.

As estantes hoje em dia estão cheias de livros de especialistas sobre todos os aspectos das artes da cura, que apontam a importância de emoções felizes para um corpo saudável.[44]

Terapia para um problema feminino

Ouvimos falar de vários tipos de problemas que afligem as mulheres. Em quase todos os casos, a mulher com tais problemas também está passando por uma grande aflição emocional, sofrendo em segredo com conflitos em casa ou no trabalho, os quais ela sente que não pode discutir.

Uma professora primária escreveu-me há pouco tempo sobre como seus períodos menstruais pararam depois que ela ficou irritada com a diretora de sua escola, que ela considerava uma tirana. Por meio da oração afirmativa, ela começou a sustentar o pensamento de que o "amor divino e a justiça" produziriam uma mudança. Enquanto isso, seu médico não conseguia encontrar nenhuma razão física para seus problemas, mas lhe deu injeções, que ajudariam durante esse período de tensão. Em pouco tempo, depois que a diretora foi transferida para outra escola, ela começou a relaxar e a gostar da escola de novo. Como resultado, seus períodos menstruais voltaram ao normal.

Uma dona de casa foi informada por seu médico que era infértil. Depois disso, iniciou prolongados tratamentos para induzir a concepção. Embora ela e o marido quisessem filhos há muito tempo, ela finalmente me confessou que temia a dor e o desconforto da gravidez, do trabalho de parto e do parto em si. Ela percebeu que seu medo provavelmente tinha evitado a concepção. Quando investigaram as possibilidades de adotar um bebê, ela decidiu esperar, por vários motivos. Pela primeira vez em

[44] Veja os livros de Catherine: *As leis dinâmicas da cura* e *Os segredos de cura através das eras.*

anos, ela e o marido pararam de se aborrecer por que seu lar era uma casa sem filhos. Em vez disso, decidiram levar uma vida tão normal e feliz quanto possível, ajudando a cuidar de crianças sem teto de sua região, em especial na temporada de festas de fim de ano. Depois que ela parou de se sentir tensa por não ter filhos, ela finalmente teve um bebê, no décimo ano de seu casamento.

O maravilhoso sobre usar métodos espirituais e mentais para alcançar saúde física é que eles tornam o trabalho de seu médico muito mais fácil. Quando suas atitudes e emoções são construtivas, ele então pode ajudar mais e, frequentemente, chega-se a muito mais que uma cura física.

O primeiro passo na cura

Jesus ressaltou que o perdão é a fundação da cura. Ele aconselhou ao paralítico: *Filho, perdoados estão os teus pecados. (...) A ti te digo: Levanta-te, toma o teu leito, e vai para tua casa* (Mc 2:5;11). O maior de todos os curadores também ressaltou em seu Sermão da Montanha como é necessário reconciliar-se com quem estiver em desarmonia, caso esperemos que nossos esforços frutifiquem. Cada um de nós deveria usar o método do perdão todos os dias, para nos reconciliarmos e nos harmonizarmos com os outros. Assim, atrairemos cura física, mental, emocional e espiritual.

Em vez de analisar seus problemas de saúde sob uma perspectiva psicossomática, em vez de sondar as razões emocionais e mentais dos diversos problemas de saúde, finanças ou relações humanas em sua vida, declare: "Eu perdoo, total e livremente. Eu libero e deixo ir. Eu permito que o amor divino realize seu trabalho perfeito em mim, por meio de mim e por mim. Deixo o amor divino realizar seu trabalho perfeito nas minhas atividades conscientes, subconscientes e superconscientes de minha mente, de meu corpo e de meus assuntos pessoais. Eu agradeço, porque a paz, a saúde, a abundância e a felicidade agora reinam supremas em mim e em meu mundo". Se tiver inimizade com alguém, declare todos os dias esse tratamento de perdão para essa pessoa.

Conheço dois casos diferentes de jovens mulheres que se viram afligidas por paralisia depois de sofrerem intensa mágoa com relação a seus ex-maridos. Em ambos os casos, essas jovens mulheres recuperaram a mobilidade de seus membros depois de começarem a praticar o perdão. Perdoar não significa "se desfazer em mesuras" para aqueles que você sente que lhe fizeram mal. Você não precisa fazer contato com os envolvidos, a menos que surja uma ocasião que exija isso. Em vez disso, quando você perdoar e liberar o seu ressentimento deles, saiba que sentirão seu perdão emocional e mental, liberando qualquer animosidade com relação a você. Esse é um processo simples, pessoal, que limpa a alma e cura o corpo.

Depois que começar a afirmar o perdão todos os dias, se você começar a pensar sobre pessoas e situações do passado que lhe foram desagradáveis, não se preocupe. Não fique imaginando por que elas voltaram a seu pensamento, apenas saiba que elas estão recebendo inconscientemente seu perdão. Continue a afirmá-lo para elas e, no devido tempo, tudo se tornará tranquilo e calmo. Quando conseguir uma sensação de paz, saiba que o processo de perdão realizou sua obra perfeita, libertando-o de qualquer pensamento de inimizade. Quando pensar novamente na pessoa ou experiência em questão, será com paz de espírito.

Como perder peso

Certa vez, conheci uma mulher rica que vinha tentando desesperadamente perder peso. Ela já usara várias dietas restritivas, orientadas por especialistas de diversos hospitais. Porém, ainda que ela emagrecesse, não conseguia manter a perda de peso. Então, ela escreveu-me sobre sua frustração, imaginando qual seria o motivo para que ela não conseguisse se manter magra. De nossa amizade pessoal, eu sabia que ela e o marido haviam viajado pelo mundo. Sabia que eles tinham uma grande propriedade rural, cheia de objetos interessantes reunidos em suas viagens. Seu marido sempre se queixava de que aquelas coisas atravancavam a casa, dizendo ser preciso manter uma equipe de empregados apenas para cuidar das coisas. Essa mulher tinha, além disso, muitos bens guardados no porão, e seus armários e o depósito estavam todos lotados. Eu sugeri que ela considerasse a ideia do vácuo (como discutimos no capítulo 3), pedindo orientação referente ao que ela deveria liberar de suas emoções e talvez de sua vida, a fim de emagrecer e continuar magra. Depois disso, ela percebeu, durante uma meditação, que há muito tempo mantinha pensamentos rancorosos em relação a um parente, que havia lhe causado muita angústia no passado. Ela passou, então, a declarar diariamente o perdão, a liberação e a liberdade dessa ligação. Ela também teve a sensação de que deveria atender os pedidos de seu marido, limpando a casa dos objetos que estavam atravancando o ambiente. Assim, ela limpou os armários, o porão e o depósito, chamou o Exército da Salvação e passou adiante itens que podiam ser úteis a outras pessoas. O marido ficou orgulhoso. Ela disse que o ato de liberar lhe trouxe uma sensação de liberdade e paz que ela não sentia havia anos. Depois disso, ela fez outra dieta, e tem mantido seu peso desde então. Agora, ela diz que foram os atos de perdão e liberação, além de uma boa faxina, tanto mental quanto física, que fizeram seus desejos se realizarem.

O segundo passo na cura

Não há nada de estranho, misterioso ou novo no pensamento afirmativo e no uso da oração para a cura. Hindus, japoneses, chineses e muitos outros ainda usam palavras sagradas para aliviar doenças. Por toda a Bíblia são feitas referências às palavras e a seu poder de criar o bem. A história da criação começa com uma afirmação falada: *Haja... e houve* (Gê 1). João enfatizou que a palavra é o poder divino, declarando: *No princípio era o Verbo, e o Verbo estava com Deus, e o Verbo era Deus* (Jo 1:1). Jesus afirmou que suas palavras eram espírito e vida (Jo 6:63). O autor dos Provérbios estaria também falando disso quando se referiu ao poder das palavras para a cura: *A morte e a vida estão no poder da língua; e aquele que a ama comerá do seu fruto* (Pv 18:21).

Há uma crença antiga de que existe uma "palavra de poder perdida" que, quando encontrada e pronunciada, restabeleceria a ordem em tudo. Os judeus acreditam que essa palavra perdida estaria oculta no nome "Yaweh", que é a palavra em hebraico para "Jeová". Eles alegam que sua pronúncia correta há muito tempo não é mais conhecida pelo homem e que, antes, a "palavra perdida" era conhecida por seus sacerdotes. Quando usada da forma correta, ela faria que o poder de Deus se tornasse manifesto, de forma que imensas realizações seriam conseguidas rapidamente.

Qualquer palavra ou frase que forneça paz e satisfação, fazendo surgir uma resposta positiva e harmoniosa nos pensamentos e sentimentos da pessoa, é equivalente à "palavra perdida" que os judeus procuram. Essa palavra pode ser trazida à vida por meio de atitudes construtivas e de orações afirmativas. Uma adolescente, aprendendo sobre o poder das palavras para produzir resultados positivos, decidiu testá-lo com um resfriado que sentia estar se aproximando. Declarou repetidas vezes: "Deus é a minha saúde, eu não posso ficar doente. Deus é a minha força, infalível, rápida!". Aquele resfriado jamais se materializou.

Jeová disse a Moisés para se concentrar na frase: *Eu sou o que sou* (Êx 3:14), para que ele ganhasse poder espiritual e sabedoria para conduzir os Filhos de Israel à liberdade da escravidão egípcia.[45] A palavra de poder perdida pode ser vivificada pela concentração no nome de Jesus Cristo, que falou sobre o grande poder de orar em Seu nome.[46] Pode-se chegar também à palavra por meio da meditação em uma das promessas da Bíblia, ou ainda na oração do Pai-Nosso.[47]

O Pai-Nosso tem o poder de curar

Uma mulher viajou uma grande distância para visitar um curador espiritual famoso, por causa de uma doença crônica que vinha lhe causando muito sofrimento. Ao chegar na presença do curador, ela ficou surpresa quando lhe pediram que se unisse a eles e que orasse ininterruptamente o Pai-Nosso. No fim da sessão de oração, o curador disse a ela para voltar para casa e orar o Pai-Nosso várias vezes por dia, explicando que essa é a maior oração curativa de todas. Mesmo sentindo-se um pou-

---

[45] Veja o capítulo 9 do livro da autora, *As leis dinâmicas da cura.*

[46] Veja o capítulo 8 do livro da autora *As leis dinâmicas da cura.*

[47] Veja o capítulo 5 do livro *O Milionário de Nazaré.*

co cética a respeito de um método tão simples, ela seguiu as instruções. Em poucas semanas, sua doença sumiu e não voltou mais.

Uma professora primária, tendo ouvido sobre o poder curador do Pai-Nosso, achou uma oportunidade de comprová-lo, quando ficou com pneumonia. Ela tentou se curar com remédios, mas a doença persistia. Numa sexta-feira, foi informada de que não havia professora disponível para substituí-la na segunda, quando estava previsto que ela começaria a lecionar em um novo curso de especialização, para o qual as pessoas estavam vindo de muito longe. Foi então que ela começou a afirmar repetidamente o Pai-Nosso. Enquanto declarava o Pai-Nosso, a febre sumiu e ela se sentiu mais forte. Ela continuou afirmando o Pai Nosso por todo o fim de semana e, então, conseguiu lecionar na segunda-feira, como estava previsto, e seu vigor voltou.

O Pai-Nosso é um poderoso tratamento de cura, porque é basicamente uma série de afirmações fortes e poderosas em que se reclama o poder, a substância, a orientação e a bondade de Deus. A afirmação não é apenas uma arte antiga, mas também uma técnica moderna e científica de cura. Hoje, cientistas dizem que o corpo e o universo estão repletos de inteligência inata. Ao tomar uma sequência de palavras positivas e declará-la repetidamente, o homem se torna consciente de sua inteligência divina inata, sempre ativa nas funções subconscientes do corpo. Assim, essa inteligência acentua cada vez mais seu poder de responder com resultados positivos, tanto conscientes quanto subconscientes. O corpo e os possíveis problemas físicos que tenhamos são servos obedientes da mente, sendo moldados por nossos pensamentos e palavras. Quando eles são edificantes, revigoram também nosso mundo físico.

A reclamação pode fazê-lo ficar doente

Reclamar pode fazer mal à sua saúde, e palavras e sentimentos negativos podem causar todo tipo de doenças. Uma vez, conheci uma secretária e dona de casa que era uma rabugenta crônica. Ela não gostava da sogra, que, por motivos econômicos, fora forçada a viver com ela e o marido. Ela reclamava disso, do tempo, do mundo e, especialmente, de seu chefe. Reclamar era uma constante para ela, que sempre se lamentava sobre como se sentia mal. Gastou milhares de dólares em tratamentos médicos, remédios, vitaminas e quiropraxistas, num esforço de se livrar de dores e sofrimentos que a afligiam. Ela se lamentava sobre tudo e todos, e seu círculo de amigos consequentemente se reduziu, seu chefe se recusou a lhe dar um aumento e sua sogra lhe causava grande angústia. Reclamar a deixava doente, e assim a mantinha. Quando lhe apresentaram um método de pensamento positivo e de oração para a cura, ela fez pouco caso, dizendo que era simples demais para funcionar. Continuou a obter resultados negativos por meio de pensamento negativo, método mental este que, também simples, era bom o suficiente para funcionar para ela!

As suas orações por outras pessoas tem o poder de curar

Talvez você queira ajudar a resolver o problema de saúde de alguém, mas hesite em mencionar isso, porque acha que essa pessoa poderia não concordar com isso. Nesse caso, comece a fazer afirmações por ela ou peça a um grupo de oração ou amigo confiável que se junte a você.

Uma mãe recentemente comprovou o poder dessa atitude com a filha, uma bem-sucedida executiva de relações públicas. A moça sofreu um colapso nervoso depois que seu casamento ruiu. Embora tivesse recebido um bom tratamento médico e psiquiátrico, ela continuava em profundo estado depressivo. Insistia havia tempos que não tinha qualquer interesse em religião e que não tinha fé no poder da oração para a cura. Quando mais nada parecia fazer efeito para ela, a mãe pediu a um grupo que orasse por sua filha. Em poucos dias, ela se levantou da cama, pela primeira vez em semanas. Logo estava de volta ao trabalho, embora tenha continuado com os tratamentos psiquiátricos por algum tempo. Ela começou a se sentir novamente no comando de sua vida, aceitando, então, um novo trabalho, com muito mais responsabilidade e vários milhares de dólares anuais a mais. Só então sua mãe lhe contou que orações haviam sido oferecidas pelo seu restabelecimento. Percebendo que isso havia levado a uma virada em sua condição, a jovem executiva começou a usar afirmações positivas pela continuidade de sua boa saúde, sucesso e felicidade, fazendo o mesmo por alguns de seus colegas de trabalho e amigos, com grande satisfação interior.

Este livro está repleto de orações afirmativas e de relatos sobre os resultados que elas trouxeram a incontáveis pessoas, em todas as áreas da vida, gerando paz renovada, saúde e plenitude. Estude novamente o capítulo 6, "A lei do comando", sobre a cura por meio da afirmação.[48]

O terceiro passo na cura

Imagine você ou a pessoa que deseja ver restabelecida como alguém gozando de plena saúde, forte e bem. Como dissemos no capítulo 5, imagens mentais criam condições em nossas mentes, corpos e assuntos pessoais, mas cabe a nós pensarmos em nossas vidas do modo como desejamos vivê-las. De outro modo, conseguimos um resultado distorcido, pois sustentamos distorções em nossas mentes.

A imaginação é particularmente poderosa na cura. Pensando nos resultados que deseja e sustentando essa imagem mental, você está liberando sua fé para que ela possa trabalhar de modo simples, porém supremo, produzindo resultados fantásticos.[49]

Uma dona de casa contou-me como ela usou o poder da imaginação para produzir a cura. Ela sofria com uma severa infecção no joelho, que, depois de muitas semanas, continuava inchado, inflamado e muito dolorido. Sem conseguir certeza quanto às possibilidades de cura, ela resolveu invocar o poder da imaginação para ganhar confiança de que a cura ainda era possível. Passou a reservar um tempo, todos os dias, para sentar-se tranquilamente, dirigindo sua atenção não para o joelho inchado, mas para o outro, que estava saudável e bem. Colocava a mão ali, agradecia por sua saúde e criava uma forte imagem mental do joelho bom em sua mente. Continuou com esse exercício todos os dias. Quando alguém perguntava sobre seu joelho, ela transmitia essa imagem, respondendo sempre que seu joelho estava sarando bem. Isso era nada mais era que uma oração afirmativa, uma declaração de fé.

---

[48] Veja também o capítulo 5 do livro *As leis dinâmicas da cura.*

[49] Veja também o capítulo 10 do livro *As leis dinâmicas da cura.*

Durante vários dias, pareceu não haver mudança em seu joelho, mas ela ousou insistir em sustentar sua imagem mental. Certa manhã, depois de semanas sentindo dor, ela acordou e descobriu que o inchaço havia desaparecido da noite para o dia. O joelho tinha perdido toda a aparência de anormalidade, estando de novo em seu tamanho regular. Observando-se com mais atenção, era como se vários pequenos furos tivessem sido feitos na região afetada, pelos quais a substância inflamada teria simplesmente escapado! Seu marido, um bem-sucedido executivo, confirmou sua experiência para mim. Ambos falaram de como o médico ficou satisfeito quando examinou seu joelho naquela manhã, garantindo que estavam testemunhando um milagre!

Faça uma Roda da Fortuna para a saúde

Se desejar um método mais concreto para usar seu poder da imaginação para a cura, sugiro que você use o método da Roda da Fortuna, descrito no capítulo 5.

Certa vez, um médico me pediu que visitasse uma de suas pacientes, que estava paralisada de um lado e não andava havia vários anos. Ele disse que, a menos que sua esperança pudesse ser restaurada, não havia mais nada que ele pudesse fazer para ajudá-la. Ela já tinha lido vários livros inspiradores sobre o poder do pensamento, e ele sentia que estaria receptiva a sugestões nessa linha, que pudessem resultar em uma cura. Em minha visita, eu a encontrei na cama, deprimida, desanimada, desesperada por uma cura completa. Contei-lhe sobre o imenso poder das imagens mentais para a cura, sugerindo que ela começasse a elaborar imediatamente uma Roda da Fortuna para sua saúde, o que ela fez. Na Roda da Fortuna, ela colou figuras recortadas de revistas, mostrando pessoas caminhando, caminhando e caminhando! Colocou sua Roda em um lugar onde poderia vê-la todos os dias, durante horas. Também sugeri que ela usasse o método de oração de perdão, mencionado neste capítulo. Ela pareceu muito feliz em seguir essas sugestões.

Quando a visitei um mês depois, ela estava sentada em uma cadeira! Ainda tinha de ser colocada e retirada de lá, mas estava sentada! Ela continuou a imaginar e afirmar a integridade, e foi como se todas as forças do céu e da terra começassem a trabalhar por ela, ajudando-a a realizar isso. Uma vizinha, que estava com o marido no exterior, enviou-lhe um cheque, sugerindo que o usasse para certos tratamentos terapêuticos, que seriam o passo seguinte na sua cura. Um quiropraxista, com quem ela havia se tratado no passado, passou pelo hospital para vê-la e disse que gostaria de tratá-la, sem custos, a fim de averiguar a eficácia da quiropraxia em problemas como o dela. Outro vizinho prometeu que, quando ela estivesse pronta para usar a cadeira de rodas, ele compraria uma para ela; outro se ofereceu para pagar pelo aparelho para seus pés e tornozelos, quando ela chegasse nesse estágio. Pouco a pouco, ela continuava a olhar para as imagens de sua Roda da Fortuna e foi se fortalecendo. Finalmente, outro vizinho construiu uma rampa no alpendre de sua casa, dando para o quintal, para que ela pudesse ser levada para tomar sol e ar fresco. Em meu último contato com essa jovem, ela estava começando a dar seus próprios passos! Esse é o poder da imaginação, quando invocado de modo definitivo e construtivo, na direção de resultados positivos de saúde.

Emagreça usando imagens mentais

O método de criar imagens mentais é eficaz em todos os aspectos da saúde. Um executivo, que já tinha tentado e desistido de todos os tipos de dietas, um dia ouviu falar do poder mental da imaginação para a cura. Percebeu que, embora tivesse feito muitos regimes, continuava a sustentar a imagem mental de si mesmo como gordo; e que sua imagem mental tinha continuado a produzir aquilo que ele não queria. Então, recortou imagens de revistas retratando executivos saudáveis, vigorosos e esbeltos, colocando-as em sua mesinha de cabeceira. Olhava em silêncio para essas imagens, preenchendo sua mente com ideias positivas antes de ir dormir. Colou também algumas dessas figuras em pequenos cartões, que carregava na carteira, olhando para eles ao longo do dia. Com esse processo, ele perdeu dezoito quilos, com um mínimo de esforço e autodisciplina, e, desde então, já emagreceu mais. Hoje, ele se parece com aquelas imagens que ainda carrega na carteira.

Como parar de fumar

Conheço diversas pessoas que usaram o método de criar imagens mentais para largar o cigarro. Um vendedor, um médico e um executivo recentemente declararam que esse foi o hábito que largaram com maior facilidade. O método era simples: eles nunca pararam ou tentaram parar de fumar. Em vez disso, criaram uma imagem mental de como o cigarro tinha gosto ruim, e de como não conseguiam fumar de jeito nenhum. Sustentavam essa imagem mental de um gosto muito ruim sempre que acendiam um cigarro. Várias semanas foram necessárias para que a imagem mental fizesse efeito, mas fez. Os cigarros se tornaram repugnantes, e logo eles começaram a perder a vontade de fumar. Em apenas seis semanas, todo o desejo tinha sumido. Cada um deles ainda tinha meio pacote de cigarros disponível, que teve de jogar fora. Não contaram a ninguém sobre seu desejo de parar de fumar nem sobre o método que estavam usando. Assim, ninguém pôde quebrar as imagens mentais que eles estavam sustentando nem tentar convencê-los a não usar um método assim tão "simples".

Este método é efetivo para superar o alcoolismo

Conheço diversas pessoas que usaram o método da imaginação para trazer a cura a seus amados, assolados pelo alcoolismo. Muitas delas, tanto homens quanto mulheres, ousaram imaginar a sobriedade até naqueles que pareciam ter se tornado alcoólicos incorrigíveis. Conforme insistiam em visualizá-los curados, pouco a pouco essas vítimas do álcool melhoraram e, finalmente, se libertaram do desejo pela bebida.

Almocei há pouco tempo com um desses casais. Poucos anos atrás, o marido era considerado "destruído", mas hoje é um executivo bem-sucedido e um dos homens mais entusiasmados, tranquilos e charmosos que já conheci. Ele me disse, enquanto falávamos do assunto:

> Eu sabia o tempo todo que minha esposa estava fazendo alguma coisa para produzir minha cura, mas não sabia o quê. Como isso não me causava dor, não me importava qual era o método dela. Contudo, comecei a me sentir tão bem que só esperava que ela

continuasse até que eu tivesse me recuperado totalmente. Graças aos céus, ela continuou!

A esposa havia criado uma imagem mental dele como um marido sóbrio, feliz, próspero e vitorioso, sustentando essa ideia dia após dia, mês após mês. O marido dela é hoje o homem maravilhoso que ela imaginou!

A Bíblia ensina essa técnica de cura

Os grandes curadores bíblicos usaram sabiamente o poder mental da imaginação para produzir a cura. Um caso interessante é o de um homem cego de nascença curado por Jesus. Quando os discípulos perguntam a Ele quem havia pecado para produzir aquela cegueira, em vez de lhes responder, Jesus curou o homem. Seu método era claro o suficiente para qualquer um que compreenda os processos mentais. Primeiro, Jesus cuspiu no chão; depois, fez lama com o cuspe. Em seguida, ungiu os olhos do homem com aquela lama, e o instruiu: *Vai, lava-te no tanque de Siloé* (Jo 9:7). Essa declaração estabeleceu na mente do homem uma imagem de cura, motivando a agir de acordo. Portanto, ele *foi, pois, e lavou-se, e voltou vendo* (Jo 9:7).

Os primeiros cristãos perceberam o poder de cura da imaginação. No caminho de Pedro e João ao templo, encontraram um mendigo, que havia nascido aleijado. Em resposta ao pedido de esmola, Pedro cravou seus olhos sobre o mendigo (poder da imaginação) e ele e João disseram: *Olhe para nós* (At 3:4). O mendigo olhou, esperando receber um donativo. Foi quando Pedro declarou uma afirmação possante, que levou a imagem de cura à mente do mendigo: *Não tenho prata nem ouro; mas o que tenho isso te dou. Em nome de Jesus Cristo, o Nazareno, levanta-te e anda* (At 3:6). Para ajudar o mendigo a aceitar a cura, Pedro o pegou pela mão, ajudando-o a se erguer. Ele, então, andou, e estava curado.

Uma profecia de cura

Portanto, junto aos métodos usuais para obter e manter boa saúde, adote as técnicas sugeridas neste capítulo. Deixe-as provar seu poder para você! Para isso, eu gostaria de compartilhar uma das minhas afirmações favoritas para a saúde: "Agradeço agora. Sou a expressão de vida infinita, saúde e energia, que sempre se renova e sempre se revela". Para a integridade de mente, corpo e seus assuntos particulares, sugiro: "Eu sou o filho radiante de Deus. Minha mente, meu corpo e meus assuntos pessoais agora expressam Sua expressão radiante". Na verdade, se você adotar o pensamento próspero para a saúde, ela pode ser, e será, sempre próspera. *Então romperá a tua luz como a alva, e a tua cura apressadamente brotará, e a tua justiça irá adiante de ti, e a glória do Senhor será a tua retaguarda* (Is 58:8).

Capítulo 20:
A lei da persistência

Jesus estava descrevendo o poder da persistência quando disse: *Ninguém, que lança mão do arado e olha para trás, é apto para o reino de Deus* (Lc 9:62). Um executivo que me envia frequentemente livros e artigos sobre prosperidade há pouco tempo mandou esta declaração de Calvin Coolidge:

> Nada no mundo pode tomar o lugar da persistência. O talento não pode; nada é mais comum que homens talentosos que não alcançaram o sucesso. A educação também não pode; o mundo está cheio de desamparados instruídos. A persistência e a determinação são onipotentes. O *slogan* "continue em frente" tem solucionado e sempre resolverá os problemas da raça humana.

Quando o desânimo tentar assaltá-lo, quando parecer que seus esforços para o sucesso são em vão, lembre-se de se agarrar a esta declaração: "Nada no mundo pode tomar o lugar da persistência".

A persistência: a atitude do "eu posso"

Conheço um jovem que já tinha tentado de tudo, e fracassado em tudo. Ainda assim, possuía enorme talento, habilidade e charme. Sabia que havia um lugar certo para ele na vida, mas que ainda não havia aparecido. Finalmente, resolveu se alistar na Marinha, e esse foi um ponto de virada para ele. Tudo que fez a partir de então foi um grande sucesso, recebendo várias promoções e reconhecimento oficial por seu trabalho na Marinha. Em pouco tempo, seu comandante escreveu uma carta elogiando-o por sua atitude do "eu posso". A carta dizia que justamente essa atitude o tinha levado ao sucesso definitivo, mesmo diante de tarefas difíceis e desafiadoras. O comandante o aconselhou a continuar assim, em todos seus afazeres.

A lei da persistência é justamente essa postura do "eu posso". Muitas pessoas usam uma abordagem contrária, a do "eu não posso", o que é uma garantia para o fracasso. Quando você observa pessoas bem-sucedidas à sua volta, percebe que todas cultivaram o hábito de persistir diante de um aparente fracasso, quase como se tivessem um seguro contra ele. Não importa quantas vezes vivenciem reveses, elas insistem no seu objetivo e inevitavelmente o alcançam.

Não há nada de limitado, morno ou vago na persistência. Ela é ousada, audaciosa, destemida, e não hesita: vai atrás do que quer, permanecendo ligada até dar resultado. Uma boa declaração para usar diante de momentos de estresse ou de reveses: "Sou persistente e sigo adiante". Lembre-se a si mesmo: "Eu não estou só seguindo em frente, estou seguindo rumo às estrelas". Quando Jesus falou de colocar a mão no arado e não olhar para trás, estava descrevendo a poderosa força da persistência. O arado é um instrumento usado para cortar, revirar e romper o solo para o plantio. Sua persistência é um arado mental, que o ajuda a romper velhas atitudes mentais de fracasso, que afastam o sucesso de você. Uma vez que tenha rompido a sensação de derrota, você estará pronto para lançar a atitude do "eu posso", que certamente lhe mostrará como ser bem-sucedido.

Não se renda à derrota

Em geral, as pessoas se rendem com grande facilidade às aparências, quando apenas um pouco mais de esforço persistente seria necessário para virar a mesa, indo do fracasso ao sucesso. A palavra "persistir" significa "recusar-se a desistir". Também significa "continuar firme, resoluta e insistentemente". Quando estiver desanimado, sem conseguir enxergar nenhum bem à frente, declare: "Eu me recuso a desistir. Devo continuar firme, resoluto e persistente até que meu bem apareça". Continue arando o duro solo do fracasso e da limitação, até rompê-lo completamente com suas atitudes mentais vitoriosas, sustentado por outras ações exteriores, também focadas no sucesso.

Certa vez, uma amiga encontrou meu pai na rua e perguntou por mim. Depois que ele lhe contou sobre meu trabalho como ministra e escritora, ela escreveu-me um bilhete, dizendo: "Eu sempre me perguntei como uma garotinha podia pensar tão grande, mas fico feliz que você o tenha feito!". Para que grandes resultados sejam concretizados em sua vida, é necessário persistir apenas um pouco mais, pensar grande, trabalhar com vontade e esperar. Uma propaganda recente mostrava esta legenda: "Aqueles que perseguem seus sonhos são os que mais provavelmente vão alcançá-los".

A persistência produz o sucesso

A história de Jacó lutando com o anjo até a aurora mostra o poder da persistência na criação do sucesso. Ele jurou ao anjo: *Não te deixarei ir, se não me abençoares* (Gn 32:26). O anjo deu-lhe um novo nome, Israel, que significa "Príncipe de Deus". Assim como Jacó, você também pode se tornar um príncipe, por meio da persistência.[50]

Quando enfrenta seus desapontamentos de forma construtiva, você se movimenta na direção de um bem maior. Quando você recusa a desistir, é como se *os anos que comeu o gafanhoto* (Jl 2:25) lhe fossem restaurados. De fato, por meio da persistência, um grande bem pode ser acrescentado ao presente, encobrindo qualquer vazio, desânimo e fracasso do passado.

O fracasso pode ser um prelúdio para o sucesso

O fracasso muitas vezes é o sucesso tentando nascer de uma forma ainda maior, e a persistência ajuda você a vivenciar isso. Durante muitos

---

[50] Veja o capítulo 5 do livro da autora, *Os milionários do Gênesis*.

anos, escrevi artigos edificantes para a editora da *Unity*. Então, a certa altura, me vi diante de dificuldades inesperadas. Tudo que escrevia e submetia era rejeitado, e fiquei imaginando se minha carreira de escritora iria acabar em breve. Entrei em um período desalentador, lutando constantemente com a sensação de fracasso e imaginando o que tudo isso significava. Meses depois, conforme me envolvia com as leis do pensamento próspero, ficou evidente para mim que as rejeições de meus artigos eram uma indicação de que eu não estava pensando grande o bastante. Viria o tempo em que eu escreveria *livros* em vez de artigos. As rejeições que sofri eram reflexo do sucesso tentando renascer para mim. E foi, de fato, nessa época que começaram a se formar as ideias para escrever este livro, e muitos outros que se seguiram.

Minha primeira reação foi: "Se eu não consigo nem escrever artigos dignos de serem publicados, como posso esperar escrever livros que serão aceitos?". Contudo, o pensamento próspero me incentivava à atitude contrária: meus fracassos anteriores ao escrever artigos para revistas não eram outra coisa senão indicações de que tinha chegado a hora de nutrir objetivos maiores. Se meus artigos tivessem continuado a ser aceitos, eu talvez nunca tivesse ultrapassado aquele nível. Só então pude estabelecer e manter a atitude de perseverança: "Eu me recuso a desistir. Devo seguir em frente, firme, resoluta e insistentemente, até que o bem desta experiência apareça". Alguém já disse que o sucesso é o fracasso do lado do avesso. Eu acredito nisso!

Não aceite o "não" como resposta

Os progressos realmente duradouros da humanidade aconteceram porque o homem tem se recusado a aceitar um "não" como resposta. Lembro-me sempre da expressão,predileta de uma de minhas professoras do colégio. Ela nos falava com muita frequência sobre o poder que tínhamos de "caminharmos mais um quilômetro" na vida, de irmos além. Às vezes, essas palavras flutuam em minha memória, quando sou tentada a parar e desistir logo no final dos primeiros quilômetros de uma jornada.

Quando métodos internos de perseverança são usados, a persistência externa com frequência não é mais necessária. Quando perceber o poder do pensamento próspero, você aprenderá a resolver qualquer coisa primeiro no nível de suas atitudes mentais, em vez de se esforçar de forma desordenada, tentando manipular o resultado exterior. Todo resultado interno gera um equivalente externo. No entanto, primeiro você precisa criá-lo. Depois que se convencer de uma ideia, você deve persistir em sua convicção. Se as portas do mundo externo parecerem fechadas para você, não hesite. Insista em seus planos. Lembre-se: o reino interior do pensamento controla toda a ação externa. Com a atitude correta, o mundo exterior deverá se conformar a ela. Esta é a lei da ação mental. Diante de uma derrota aparente, declare: "Ser bem-sucedido é o meu destino divino, e é do interesse de Deus me ajudar. Reclamo esta ajuda divina agora". Já se disse que a única pessoa a ser derrotada é aquela que permite que isso aconteça. O tímido raramente realiza grandes façanhas.

A persistência funciona tanto para o sucesso quanto para o fracasso

A persistência funciona nos dois polos, e todos nós já a usamos para o fracasso, quando deveríamos tê-la usado para o sucesso. Se você insistir em sua expectativa e seu discurso voltados à derrota, não há poder nos céus ou na terra capazes de evitar que o fracasso apareça em seu mundo. Conta-se a história de um pensador negativo que disse: "Você sabia que teremos uma depressão em breve?". O amigo, alguém que também pensava negativamente, respondeu: "O que você quer dizer com *teremos*? Eu vivi em uma depressão a minha vida toda!". Por outro lado, se você persistir, esperando e falando de prosperidade e sucesso, não haverá, da mesma forma, poder nos céus ou na terra que possam impedi-los de chegar até você.

Numa ocasião, observei um grupo de homens e mulheres insistindo em afirmar o sucesso, mesmo quando todos à sua volta decretavam tempos difíceis e recessão. Os resultados foram uma prova concreta do poder próspero da persistência. Um executivo desse grupo, cujos lucros no mercado de ações haviam sido bem baixos no ano anterior, descobriu que suas ações aumentavam, conforme ele afirmava isso persistentemente.

Nos dois meses seguintes, ele ganhou mais dinheiro do que nos doze meses anteriores! O dono de uma firma de limpeza viu seu negócio crescer a cada semana depois de passar a decretar o sucesso diante de uma aparente recessão. De fato, enquanto três outras firmas de limpeza da região fecharam as portas, seus negócios aumentaram quatrocentos dólares por semana. Uma dona de casa, que tinha uma renda anual vinda do espólio de um parente, não tinha recebido seu cheque anual no período esperado. Depois de insistir em esperar um resultado exitoso, o cheque finalmente chegou. Veio tarde, mas era três vezes maior que o do ano anterior! Outra dona de casa estava decretando o sucesso durante esse período. Seu marido conseguiu o melhor emprego que já tinha tido, como engenheiro responsável por um programa de mísseis. Além disso, seu novo empregador insistiu que seu salário inicial fosse maior do que ele estava pedindo.

Uma atitude correta é o bastante

A física descobriu que tudo pode ser reduzido a poucos elementos primários e que, se o universo inteiro fosse destruído, poderia ser reconstruído a partir de uma única célula. De modo semelhante, você pode expandir ou reconstruir seu mundo financeiro a partir de uma única atitude correta, desde que se agarre a ela com toda a sua força de vontade. Se você se recusa a desistir ou a ceder à derrota, o fracasso é finalmente vencido, cedendo lugar ao sucesso.

O apóstolo Paulo comprovou isso. Embora tenha sido descrito pelos historiadores como um "gênio versátil", acredito que seu maior poder era o da persistência. Em sua época, o cristianismo ainda era considerado ilegal. Paulo foi muitas vezes preso, surrado e perseguido por ser um missionário cristão. Enfrentou críticas de todos os lados, foi traído por seus amigos, passou por privações e até por um naufrágio, enquanto fazia o trabalho que sentia ser importante. Se não fosse a persistência de Paulo, o cristianismo talvez nunca tivesse saído da Terra Santa, e muito provavelmente teria morrido no primeiro século de nossa Era.

Há algo poderoso na alegre persistência, que gera bons resultados muito mais rapidamente. Eu muitas vezes ouvi a história de meu avô, que usava o poder da persistência para colher o algodão em sua fazenda na Carolina do Sul, na virada do século XIX para o XX. Quando ficava muito quente e os colhedores diminuíam o ritmo, ele se unia a eles nos campos. Enquanto colhia, começava a cantar. Os trabalhadores, então, também começavam a cantar. E ele seguia cantando, num ritmo mais rápido, colhendo o algodão com mais velocidade; todo mundo fazia o mesmo. Este se provou um método eficiente e alegre de acelerar a produção em seus campos de algodão!

Enfrente experiências difíceis com a persistência

Esforços esporádicos contam muito pouco. Se experiências difíceis aparecerem em seu caminho, enfrente-as de acordo com seus próprios termos, com persistência, esperando que o sucesso seja gerado a partir delas. Você não deve usar métodos gentis diante de circunstâncias duras. Fazer isso é como tentar arar um solo duro com uma lâmina cega. Você fará pouco progresso se tentar resolver problemas difíceis de maneiras frouxas e fracas. Enfrente problemas difíceis recusando-se a ceder a eles. Insista em receber a bênção dessas experiências. Enfrente as dificuldades com uma coragem audaciosa e arrojada.

Se você já ficou sem ar em sua vida, provavelmente percebeu que o processo normal de respiração não era suficiente para restaurar a respiração adequada. Em vez disso, você tinha de lutar para conseguir mais ar. De modo semelhante, quando surgir o sentimento de derrota ou desânimo, se você não insistir, com vigor, em acreditar que pode ser bem-sucedido, acabará se enroscando para sempre nas presas da negatividade. William James, psicólogo americano, desenvolveu a teoria de renovação das energias mental, emocional e física. Falou sobre como se deve persistir até que se consiga restaurar essas energias. Quando a fadiga o assaltava, ele com frequência continuava seguindo adiante, descobrindo, de súbito, que poderia alcançar uma nova reserva de força. Assim, suas energias eram restauradas mais uma vez, e outra, e outra, e até mesmo uma quarta vez. A nova força então fluía, criando um novo poder para a vitória. Era como se um sócio invisível tivesse assumido o controle.

Em períodos de emergência ou de grande necessidade, um novo poder dormente e inexplorado é disparado pelo homem, algo que nunca seria liberado a não ser nesse tipo de situação. Você pode estar certo de que tal período desafiador não é nada senão a indicação de um grande poder interior, que deseja ser liberado para ajudá-lo, trabalhando, assim, por você e usando-o como seu instrumento.

Revise seus planos de sucesso

Portanto, quando o desânimo tentar dominá-lo, quando o desespero disser: "Isso não pode ser feito, você nunca vai conseguir", é justamente esta a hora de elaborar seus planos, de escrevê-los e revisá-los, como sugerimos no capítulo 4. Esta é a hora de criar uma imagem mental de seu bem, como mencionamos no capítulo 5. É quando você deve afirmar: "Esta é a hora da realização divina. Agora, milagres acontecem e maravilhas nunca param de se manifestar, como determinou o plano divino da minha vida". É o momento de declarar: "O trabalho de minhas mãos e os planos de minha vida agora se movem com rapidez para uma realização perfeita e certa. Eu antecipo o bem. Agora, confio totalmente na ação divina correta". É a hora de afirmar: "Eu sou parte de tudo o que é bom, e o bem deve ser vitorioso", e de conversar com um amigo confiável, a fim de conseguir um impulso, ou de formar um pequeno grupo para imaginar, trabalhando com você na direção do sucesso, em vez de cogitar qualquer possibilidade de fracasso. É a hora de folhear a Bíblia buscando inspiração e orientação. É a hora de ler o Salmo 23 e meditar sobre o significado de suas palavras: *O Senhor é o meu pastor, nada me faltará*. Leia também: *Porque aos seus anjos dará ordem a teu respeito, para te guardarem em todos os teus caminhos. Eles te sustentarão nas suas mãos, para que não tropeces com o teu pé em pedra* (Sl 91:11-12).

Trabalhe sem descanso, rumo à vitória

Lembre-se dos períodos em que você foi vitorioso no passado. Quando o desânimo e o desespero tentarem convencê-lo de que deve desistir de seu objetivo, lembre-se das pessoas bem-sucedidas que conseguiram a vitória, apesar de serem deficientes físicos, cegos, surdos ou psiconeuróticos: Toscanini era tão míope que não conseguia enxergar a partitura enquanto regia; Lord Byron era coxo, tinha o pé torto; Homero e Milton eram cegos; Sir Walter Scott era inválido; Beethoven era surdo; Dostoievski e Gui de Maupassant eram epilépticos; Franklin D. Roosevelt era paraplégico. Shakespeare poderia estar falando do poder da persistência quando escreveu: "Os negócios humanos apresentam altas como as do mar: aproveitadas, levam-nos as correntes à fortuna". Faça aparecer a sua maré de bem, afirmando as palavras de Jesus: *Todo o que o Pai me dá virá a mim* (Jo 6:37)

Lembre-se de que nem sempre as pessoas mais instruídas ou talentosas fazem sucesso. Geralmente, são os "batalhadores" que se saem melhor, aqueles que se recusam a desistir, quer tenham talento e inteligência ou não. A fábula da lebre e da tartaruga é a história da persistência vencendo, contra todas as expectativas. Como a tartaruga, você não poderá ser vencido se nunca desistir. Em geral, não são os homens com um poder mental esplendoroso que se tornam chefes de grandes corporações e indústrias; pelo contrário, são os batalhadores e de caráter paciente. Estes não podem ser vencidos, porque nunca desistem.

Não é preciso ter dinheiro para começar, nem herdar propriedades, ter sobrenome importante ou privilégios de qualquer tipo. Nem uma extensa instrução é absolutamente necessária. A única coisa necessária é um objetivo, perseguido, então, com determinação persistente e batalhadora, a despeito de tudo.

Não olhe para trás, olhe para a frente

Se o desânimo tentar tirá-lo do caminho, enfrente-o da melhor forma que puder, e apenas siga em frente. Nenhuma experiência negativa pode detê-lo por muito tempo se não estiver olhando para trás, procurando pelas experiências de fracasso. Aprenda a lição da esposa de Ló, que se tornou rígida e cristalizada ao olhar para trás (Gn 19:26).

Em vez disso, foque em seu objetivo e comece a se movimentar nessa direção, da maneira que pareça mais lógica no momento. Se for desviado de seu caminho e não puder fazer nada para se aproximar de seu objetivo, pequenos atos ainda podem lhe dar essa sensação. Realize-os; eles irão conduzi-lo a oportunidades cada vez maiores ao longo do caminho. Tudo o que é preciso é um passo, pequeno ou grande. Dê esse passo, e ele o conduzirá ao próximo, e assim por diante.

Certa vez, um homem contou uma história que me impressionou pela importância da persistência em olhar adiante. Quando ele era garoto, saiu com o pai de charrete para a cidade, em um domingo quente. Na primeira encruzilhada, pararam para ouvir um candidato às eleições discursar. Ele dizia às pessoas que deveria ser eleito porque seu pai e seu avô haviam sido grandes líderes políticos naquela região. Como vinha de uma família política, alegava ser mais bem qualificado para servir às pessoas. Pai e filho continuaram sua viagem até a cidade, passando, então, por outro cruzamento, onde um segundo político também estava discursando. Este também alegava que sua família estava na política havia muito tempo, o que achava que lhe dava um histórico favorável para servir às pessoas. Na encruzilhada seguinte, ouviram mais um candidato, que dizia: "Eu nunca concorri a nenhum cargo público. Ninguém em minha família serviu em nenhum cargo público. No entanto, acredito que posso servir as pessoas desta região com competência, porque sinto que o que importa é para onde estamos indo, e não onde já estivemos". Esse homem venceu a eleição!

Você também pode ganhar, a despeito de onde esteve ou de suas experiências no passado, desde que decida o que deseja, persistindo nisso. A alma persistente deve declarar com Paulo: *Esquecendo-me das coisas que atrás ficam, e avançando para as que estão diante de mim, prossigo para o alvo* (Fp 3:13). É como Cássio, o personagem de Skakespeare, disse: "É a nós mesmos que estamos sujeitos, e não às estrelas".

A persistência é onipotente

Sem persistência, não podemos alcançar um sucesso duradouro em qualquer campo de nossas vidas. Se ousamos persistir em nossa busca pelo sucesso, a despeito de falta de instrução, histórico, talento, influência, dinheiro ou reputação, podemos ser bem-sucedidos. Uma determinação invencível sobrevive, sobrepujando o talento. A persistência é uma característica à qual o sucesso sempre se rende.

Calvin Coolidge nos ofereceu esta joia: "Só a persistência é onipotente". A derrota pode testá-lo, mas não precisa necessariamente vencê-lo. Considere o aparente fracasso, o desânimo ou a perda como sinais de que o sucesso está bem perto. Use-os como seus maiores incentivadores para planejar o futuro e, subitamente, o desejo que você carrega em seu coração, ou algo ainda melhor, aparecerá em seu caminho.

Esteja preparado caso o sucesso surja inesperadamente

O sucesso arruma um jeito de chegar bem rápido, depois de um longo percurso de preparação discreta. Enquanto você persiste, seguindo na direção de seu objetivo, prepare-se para resultados rápidos, empolgantes e bem-sucedidos. Considere com cuidado o que fará quando o sucesso chegar, porque, quando você menos esperar, a maré virará. Então, será preciso respirar fundo e seguir adiante, aceitando a chegada do bem, passo a passo, como antes planejado por você. Quando a concretização acontecer, você não deve ser surpreendido por ela. Fique atento e pronto para aceitá-la; de outro modo, ela pode se evaporar diante de seus olhos, deixando-o novamente no ponto de partida. Quando o sucesso chega, é sábio aceitá-lo e mantê-lo discretamente; de outro modo, ele pode escapar por entre seus dedos. A persistência é a chave para perceber os desejos de seu coração e para mantê-los. Concentre-se com frequência na promessa que Jeová fez a Isaías: *Eu irei adiante de ti, e endireitarei os caminhos tortuosos; quebrarei as portas de bronze, e despedaçarei os ferrolhos de ferro. Dar-te-ei os tesouros escondidos, e as riquezas encobertas, para que saibas que eu sou o Senhor, o Deus de Israel, que te chama pelo teu nome* (Is 45:2-3).

Isso pode, e irá acontecer, por meio da onipotência da persistência, e talvez justamente quando parecer menos provável. Persistindo, você pode se tornar uma daquelas pessoas vitoriosas e felizes que não só perseguiram seus sonhos, mas que os realizaram! O homem persistente também persevera o bastante para alcançar seus sonhos!

Conclusão: Quando o pó de ouro assenta

Você deve se lembrar do nosso amigo vendedor cuja resposta à pergunta: "Como vão os negócios?" era sempre: "*Os negócios vão maravilhosamente bem, pois há pó de ouro no ar*!".

Enquanto você lia este livro, tenho certeza de que esse poder do pó de ouro lhe tocou, assim como o fez a mim. Eu comecei a escrever enquanto trabalhava como ministra da *Unity*, no interior do sul dos Estados Unidos. Muitos meses depois, terminei estas páginas no coração do Texas, onde continuo a dar palestras e a escrever. Comigo em minha nova vida estava meu marido, professor universitário, com quem, aliás, me casei enquanto escrevia este livro. De fato, parecia que todos os meus sonhos tinham se concretizado!

Então, meu marido morreu de um ataque cardíaco, aos quarenta anos. Foi um golpe duro. Algumas pessoas, bem intencionadas, perguntavam asperamente: "Se tudo o que você escreve é verdade, por que isso aconteceu a *você?*". Bem, a vida progride por meio de mudanças, e devemos fluir com elas, mesmo quando algo inesperado (e indesejado) surge no caminho.

Nos anos que se seguiram, levei minhas palestras de "pó de ouro" a toda parte, participei de inúmeros programas de rádio e televisão e dei entrevistas à imprensa escrita, chegando a escrever mais de uma dúzia de livros e fundando várias igrejas. Eu continuei recebendo muitos convites para palestras, vindos do mundo inteiro, mais do que eu poderia aceitar. O raio de influência deste livro passou de cinquenta pessoas, alunos de minha primeira turma de prosperidade, para muitas e muitas outras, em todas as partes dos Estados Unidos e em mais de cinquenta países.

Quando finalmente me senti orientada a me estabelecer na região de Palm Desert, no estado dourado da Califórnia, seguiram-se minha inclusão na lista do *Who's Who* e no *Social Register*, além de um doutorado honorário. O pó de ouro estava assentando. Eu não percebia, quando comecei a trabalhar com o poder do pensamento próspero, quanto a minha própria vida poderia mudar, à medida que eu elaborava e escrevia estas ideias.

Quando comecei a desenvolver o material deste livro, ao mesmo tempo em que dava um curso de prosperidade, durante a recessão de 1958, meu filho e eu vivíamos em um quarto alugado. Anos depois, a maior parte da primeira edição deste livro foi escrita em momentos pouco convencionais, principalmente no meio da noite, em meu minúsculo "estúdio de pó de ouro", no Alabama. O livro foi finalizado em meu apartamento com vista para a Universidade do Texas, em Austin.

Agora, muitas décadas depois, enquanto termino esta versão revisada, o cenário mudou de novo. Em meu estúdio, nesta casa no deserto, estou cercada pelo glamour místico que há na exuberante beleza tropical do sul da Califórnia. Altas palmeiras e majestosas montanhas púrpuras pairam no horizonte desta área, recheada de celebridades. Como me sinto grata por ter completado esta edição neste ambiente, com tempo e uma equipe apropriados para me ajudarem e com um estilo de vida confortável para me alegrar.

Alguns podem considerar este progresso normal para alguém com um longo histórico profissional como o meu. Entretanto, por causa de meu início modesto e das ações humanitárias com as quais me ocupei por um longo tempo (aquele tipo em que tradicionalmente trabalha-se muito e ganha-se pouco), sinto que apenas a descoberta e o uso das Leis Dinâmicas da Prosperidade pode ter me resgatado de uma vida de obscura pobreza e desespero, tornando possível minha abençoada vida atual.

E isso pode ser verdade para você também! A despeito da vida que você tenha levado no passado, ou de limitações que possa ter no presente, continue a estudar estas leis da prosperidade e a aplicá-las em seu cotidiano. Continue a invocar o pensamento próspero de maneira intencional e definitiva. Faça isso com uma alegria real e sempre com grandes expectativas. À medida que persistir, o pó de ouro divinamente planejado para você ainda surgirá em sua vida, em forma de maior paz, saúde e abundância.

Aceite esses resultados dourados com alegria. Eles são parte da herança divina que seu Pai amoroso e rico preparou para você. Tais dádivas não apenas tornarão sua vida mais fácil e compensadora, mas também trarão as maiores bênçãos a seus amigos e familiares, de inumeráveis maneiras maravilhosas, nesta empolgante Nova Era.

E nesta alegre certeza, quero afirmar por você uma bênção espiritual, vinda de uma outra era, reflexo do esforço contínuo do homem em provar as ricas promessas divinas: *Amado, desejo que te vá bem em todas as coisas, e que tenhas saúde, assim como bem vai a tua alma* (3Jo 1:2).

Catherine Ponder
P.O.Drawer 1278
Palm Desert, California 92261
USA